# VERLOREN NAAM

# THEA HALO

# *Verloren naam*

Vertaald door Bert Meelker

ARENA

Oorspronkelijke titel: *Not Even My Name*
© Oorspronkelijke uitgave: 2000, 2001 by Thea Halo
© Nederlandse uitgave: Arena Amsterdam, 2003
© Vertaling uit het Engels: Bert Meelker
Omslagontwerp: Studio Jan de Boer BNO
Foto voorzijde omslag en foto's binnenwerk: uit privé-archief Thea Halo,
tenzij anders aangegeven
Foto achterzijde omslag: Julia Guida
Typografie en zetwerk: CeevanWee, Amsterdam
ISBN 90 6974 532 1
NUR 302

Voor mijn moeder en onze Pontische familie, en voor alle Grieken, Assyriërs en Armeniërs in Turkije die hun leven, hun huizen en hun land hebben verloren. Dat ze voor altijd in ons hart en onze gedachten mogen voortleven.

Ter nagedachtenis aan:

Mijn vader, Abraham, en mijn broer, Amos

## Uitspraak van de namen

Themia heeft het accent op de 'i'. Grieken lieten ons weten dat Efthemia de juiste naam is, maar mijn moeder is nooit zo genoemd. Christodoula heeft de klemtoon op de derde lettergreep; Nastasía op de 'i'; Parthena op de tweede lettergreep; Varidimei op de tweede lettergreep en de laatste lettergreep wordt uitgesproken als 'ee'; Zohra, Hagop en Sonya hebben de klemtoon op de eerst lettergreep; Araxine op de laatste. De 'ç' in dolmuç en de stad Karabahçe wordt uitgesproken als 'sj'. Küzel klinkt als 'kezél'. De 'i' in Iondone wordt uitgesproken als 'aai' en de naam heeft de klemtoon op de laatste 'o'.

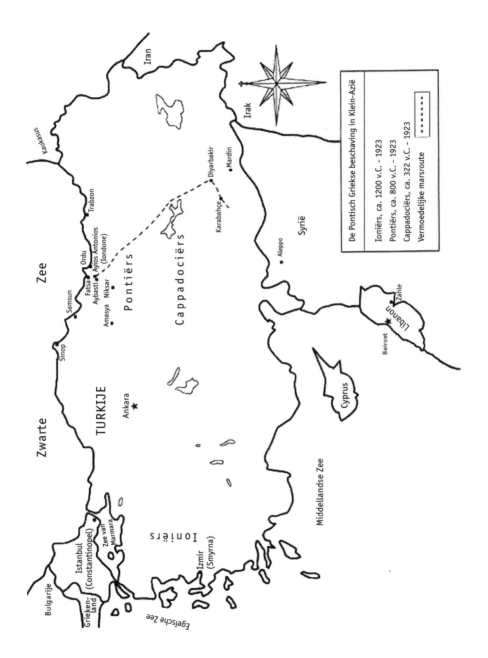

De Pontisch Griekse beschaving in Klein-Azië

Ioniërs, ca. 1200 v.C. - 1923
Pontiërs, ca. 800 v.C. - 1923
Cappadociërs, ca. 322 v.C. - 1923
Vermoedelijke marsroute

Iran

Irak

Kaukasus

Diyarbakir

Mardin

Trabzon

Karabahçe

Ordu

Fatsa

Ayios Antonios
(Tondone)

Aybasti

Niksar

Samsun

Amasya

Zee

Pontiërs

Cappadociërs

Syrië

Sinop

Aleppo

TURKIJE

Ankara

Zwarte

Zahle

Libanon

Beiroet

Cyprus

Bulgarije

Istanbul
(Constantinopel)

Zee van
Marmara

Griekenland

Middellandse Zee

Ioniërs

Izmir
(Smyrna)

Egetsche Zee

# Inhoud

# BOEK EEN

# De lange reis naar huis

Het enige wat ik weet
is dat ik niets zeker weet.
En dat is juist
wat ik meestal vergeet.

# 1
# *Droomrivier*

## New York, augustus 1997

Toeristen staan langs de reling van de veerboot. Ik ga tussen hen in staan en kijk hoe de rivier met sprankelende, metaalkleurige rafelgolfjes oceaanwaarts danst. Boven Ellis Island hangt een eenzame witte wolk aan de heldere hemel. Augustus ligt als een warme deken om mijn schouders. De veerboot laat een diepe grom horen en vaart dan in een trage boog om de imposante groene dame met de toorts hoog boven haar hoofd. Heeft ze een slechte kant? Niet dat ik vanuit mijn positie kan waarnemen.

Het hoofdgebouw op Ellis Island ziet er indrukwekkend uit vanbinnen, maar al te ongerept. Ik weet dat het er zo niet uitzag toen mijn ouders hier tweeënzeventig jaar geleden passeerden. De rijen banken zijn er niet meer, maar in mijn hoofd hoor ik huilende baby's en het tumult van de duizenden die op uitsluitsel wachten. Dus dit was de laatste etappe op mijn moeders reis, het stuk waar dokters voelden naar verraderlijke knobbeltjes en spiedden naar aangetaste ogen, moe van de lange tocht over de oceaan. Ik kon de stem van de dokter bijna horen en zijn vingers zachtjes over de littekens op mijn moeders benen zien gaan terwijl zij haar rok ophield om zich te laten onderzoeken.

'Wat is dit?' vraagt de dokter aan mijn moeder over de twee kleine littekens.

'Dat is alles wat er nog van over is,' antwoordt mijn moeder.

'Opschieten!' zegt mijn vader, terwijl hij haar hand grijpt, 'voor ze van gedachten veranderen.'

In de fotogalerij staren de gezichten van honderden immigranten me aan. Ze kijken allemaal net als mijn moeder op haar foto van toen ze trouwde, op haar vijftiende. Geen van pijn vertrokken gezichten, geen gefronste wenkbrauwen; alleen een niet mis te verstaan verdriet waaruit spreekt: mijn vlammetje is bijna gedoofd.

'Je hebt pukkels op je been, mama,' zei ik een keer toen ik als kind voor het eerst mijn moeders littekens zag. Ik deed mijn broek naar beneden en zocht naar pukkels op mijn eigen been.

'Dat zijn geen pukkels,' zei mijn moeder. 'Op jouw been zul je ze niet vinden, schatje.'

'Wat zijn het dan?' vroeg ik.

En heel even, terwijl haar gedachten naar elders afdwaalden, zag ik die blik in mijn moeders ogen. 'Dat is alles wat er nog van over is,' zei ze, en ze sloot haar ogen. 'Alles wat er nog van over is.'

Op de binnenplaats van Ellis Island getuigen de talloze rijen zilveren naambordjes van degenen die werden toegelaten. Ik vind de namen van mijn ouders en kniel neer. Sano Themía Halo. Abraham A. Halo. Mijn zus Harty had ervoor gezorgd dat mijn moeders echte naam er ook op stond.

'Was je opgewonden toen jullie schip de haven binnenliep en je zag hoe Manhattan aan de overkant van de rivier lag te schitteren in de augustuszon?' vroeg ik mijn moeder eens.

'Eerst niet,' zei ze. 'Ik had al geleerd om niet naar dingen te verlangen die ik niet kon krijgen en daar stelde ik mijn verwachtingen op in.'

Ik laat mijn vingertoppen over de groeven van hun namen op de plaquettes glijden en voel de emotie die mijn moeder op die dag niet vergund was in mij opkomen.

We waren altijd met ons groepje geweest: mijn moeder, mijn vader, mijn vijf zusters en vier broers, een oom en een Armeense tante – waarschijnlijk met haar eigen droevige levensverhaal – en hun dochter, die trouwde en al te snel vertrok.

We woonden in New York, West Second Street, nummer 100, maar het was anders dan tegenwoordig. In de jaren veertig en vijftig was het net een scène uit *West Side Story*. We woonden in een vijfkamerflat; alle kamers lagen als treinwagons achter elkaar. Je moest eerst een hoge zandstenen stoep op en dan nog vijf trappen. De twintig jaar dat mijn familie er woonde sjouwde mijn moeder fietsen en kinderen, soms op elke heup een, boodschappen, speelgoed en alle andere dingen die een mens op en neer sjouwt, al die vijf trappen.

We groeiden op tussen voornamelijk Ieren, hoewel er ook andere rassen en nationaliteiten in de omliggende buurten en op onze scholen waren. Maar onze afkomst was voor ons, als kinderen, altijd een raadsel geweest. Wij stamden af van twee verdwenen beschavingen. Mijn beide ouders kwamen uit Turkije, en hun families hadden er duizenden jaren gewoond, maar ze waren niet Turks. Niemand had ooit van mijn moeders volk – de Pontisch Grieken uit Klein-Azië – gehoord, en van het volk van mijn vader, de Assyriërs, werd gedacht dat het slechts in de oudheid had geleefd en niet meer bestond. Als kind heb ik nooit over mijn moeders afkomst gerept en de paar keer dat ik antwoord gaf op vragen over de afkomst van mijn vader werd ik met grote stelligheid gecorrigeerd.

'Nee, lieverd. Je bedoelt dat je Syriër bent. De Assyriërs zijn een volk uit de oudheid. Die bestaan niet meer.' Zelfs van mijn leraren moest ik het horen.

Hoe kon ik iets zijn wat niet bestond?

'Ze noemden ons Rüm,' zei mijn moeder altijd over haar eigen volk, en ze sprak het uit als 'roem', wat het des te verwarrender maakte. Wat was Rüm? Mijn moeder was zelfs haar eigen taal kwijtgeraakt, want ze had niemand met wie ze haar Pontisch kon spreken. Dus van jongs af aan verstoken van de klank van haar Griekse taal om me heen, had ik niets anders om me met haar cultuur te identificeren dan de enkele verhalen die ze vertelde.

Maar Rüm of Pontisch Grieks: als kind van de jaren veertig en vijftig had ik domweg aangenomen dat alle moeders ongeveer zoals de mijne waren. Of liever gezegd: dat zou ik hebben aangenomen als ik er ook maar even bij had stilgestaan. Ze had het figuur dat je je voorstelt bij een moeder in het Amerika van de jaren vijftig: mollig, maar niet dik; geknipt voor die kortgemouwde jurkjes met knopen van voren. Meestal waren ze druk gebloemd. Ze had een lieve, melancholieke glimlach en een paar onschuldige zwarte ogen – met in de verte een spoortje verdriet – die je toelachten vanonder de gekrulde krans van zwart haar die haar mooie gezicht omlijstte.

Wat haar verjaardag betreft: mijn moeder heeft haar echte geboorte-datum nooit geweten, dus is die ooit uit de losse pols vastgesteld op 10 mei. Die dag viel, toepasselijk genoeg, meestal samen met moeder-dag. Ze had tien kinderen – ik was de achtste – en ik kan me niet herin-neren dat ze ooit stilzat zonder iets te doen. Er moest altijd zoveel ge-beuren. Ze was altijd bezig met koken, schoonmaken, bakken, kleren maken en haken. En altijd zong ze. Haar favoriete liedjes kende ik uit mijn hoofd: 'Blue Skies', 'Little Man', 'You're Crying', 'Oh Johnny', 'Paper Moon' en zo nog een heel aantal, allemaal even Amerikaans als de spreekwoordelijke appeltaart, die ze trouwens als geen ander in de vin-gers had.

Door haar muzikale gehoor had ze een talent voor talen en dus heb ik bij haar nooit een accent kunnen ontdekken. Maar er waren een paar woorden waarmee ze ons allemaal aan het lachen kreeg. Zoals de ma-nier waarop ze *wheat* uitsprak, met een zwaar accent op de 'h': hawiet. En haar worsteling met sommige typisch Amerikaanse slanguitdruk-kingen uit de jaren vijftig waren hilarisch. Telkens wanneer we om haar lachten verweerde ze zich enkel door haar handen voor haar gezicht te slaan en gegeneerd mee te lachen.

'Ooooooo mijn hemel,' zei ze dan.

Omdat mijn moeder zelden over haar jeugd praatte was er weinig dat ons eraan herinnerde dat ze niet in Amerika geboren was. Te oorde-len naar de omstandigheden waarin ze verkeerde toen mijn vader haar pad kruiste, zouden sommigen wellicht zeggen dat hij haar van de ver-getelheid heeft gered, maar soms vraag ik me af wie wie heeft gered.

In haar keuken regeerden Amerikaanse tradities en met Kerstmis kregen we dus kalkoen gevuld met rijst en kastanje, zoete aardappelen onder een laagje ananas en marshmallows, saus van verse cranberry's en walnoten, aardappelpuree met jus, en appel- en pompoentaart. Maar op andere feestdagen waren er ook gevulde druivenbladeren, en vlees-pasteitjes, die mijn moeder *chamborak* noemde en die ze in een bakpan klaarmaakte, en haar specialiteit: bolletjes bedekt met zwarte zaadjes. Ons huis vulde zich met een mengeling van exotische geuren. Mijn va-der kwam thuis met allerlei lekkers dat hij in de Arabische winkels kocht en voor ons op tafel uitstalde: Turks fruit; geperste abrikozen, die wij kenden als *garmardine*; iets zoets gemaakt van walnoten of pistachenoten in een jasje van druivensiroop en poedersuiker; blikken halvah; en baklava.

Het waren de kleine dingen, zoals een verkeerde klemtoon, een buitenlands woord op zijn tijd, de verhalen, de liedjes, het Turks fruit en de gevulde druivenbladeren, die ons eraan herinnerden dat onze ouders ergens anders vandaan kwamen, dat er iets onbekends aan ze was, en dat ze op een bepaalde, ondoorgrondelijke manier los van ons stonden.

# 2

## De lange reis naar huis

Als kind kon ik me van mijn moeder niet voorstellen dat ze zich in de buitenwereld op de been kon houden, ook al was ze de ideale moeder voor ons. Het beeld van haar als een onschuldig wezen dat niet tegen de ondoorzichtige en uitgekookte maatschappij was opgewassen, lag stevig in mij verankerd. Valsheid was haar vreemd. Ze liep zo over van liefde en vrolijkheid toen ik klein was dat ik me op een bepaald moment heb opgeworpen als haar beschermer. Het was geen bewuste beslissing. In feite heb ik me pas achteraf, toen ik over mijn jeugd begon na te denken, gerealiseerd dat het zo is gegaan. En pas toen begreep ik dat ook enkele van mijn broers en zussen de rol van beschermer op zich hadden genomen. Misschien waren er andere redenen voor onze neiging tot bescherming, naast die van haar argeloosheid en ogenschijnlijke onschuld, maar als kind heb ik die nooit onderkend. Ik had niet volledig begrepen wat er met haar was gebeurd, behalve dat zij en haar familie onder bedreiging met geweren door de Turken uit hun huizen waren verdreven. Ze bracht het verlies van haar familie slechts zijdelings ter sprake en weidde er nooit echt over uit. Maar heel soms, als we ons eens misdroegen, zei ze: 'Wacht maar niet tot ik dood ben met te beseffen hoeveel jullie van me houden.' Bij nog schaarsere gelegenheden zei ze: 'Ik hield meer van mijn moeder dan van wat ook.' Dan sloot ze haar ogen om haar tranen te bedwingen.

Het was bij een van die gelegenheden dat ik, heel jong nog, beloofde haar op een dag mee terug te nemen naar Turkije om haar ouderlijk huis te zoeken. Ik deed haar talloze beloften als kind. Ik beloofde haar dat ze altijd zou blijven leven en ook dat ik op een goede dag een mooi groot huis voor haar zou kopen, want zelfs toen al wilde ik iets terugdoen voor mijn gelukkige jeugd. Maar haar mee terugnemen naar Turkije om haar ouderlijk huis te zoeken was een van die grootmoedige, goedbedoelde kinderbeloften die zich op de een of andere manier staande houden in de tijd, ongeacht het aantal jaren dat verglijdt. Vele jaren zijn inderdaad vergleden voordat ik me realiseerde dat dit een belofte was die ik beslist wilde nakomen.

Tegen de zomer van 1989 hadden we haar dorp op nog geen enkele kaart gevonden. In de loop der jaren, al voordat ik oud genoeg was om te helpen zoeken, waren alle pogingen van mijn oudere zusters op een mislukking uitgelopen, alsof mijn moeders herinneringen een droom waren geweest. Mijn eigen tochtjes naar de openbare bibliotheek om kaarten van Turkije te bestuderen, leverden niets op. Zelfs in Frankrijk of Engeland gemaakte kaarten van voor de Eerste Wereldoorlog brachten geen uitsluitsel. Op al die kaarten speurde ik aandachtig het Pontisch Gebergte aan de Zwarte Zee af, waar mijn moeders dorpjes hadden gelegen, maar ik vond geen enkele verwijzing naar de drie Griekse dorpjes die ze Iondone noemde.

We wisten dat sommige van de Griekse namen van steden en dorpen na de Eerste Wereldoorlog waren veranderd, toen generaal Mustafa Kemal – later bekend als Atatürk, letterlijk 'vader der Turken' – zijn rivalen in de strijd om de macht in Turkije had verslagen. In zijn pogingen om Turkije op te stoten in de vaart der volkeren bracht Atatürk verschillende programma's op gang. Hij veranderde de naam van de beroemde stad Constantinopel – voorheen bekend als Byzantium – in Istanbul, en ook vele andere Griekse namen kregen een Turkse klank. De zwarte gezichtssluier van de moslimvrouwen werd in de ban gedaan, evenals het Arabische schrift, waarvan de Turken zich bedienen. In plaats daarvan werd het Romeinse schrift ingevoerd als middel om de Turkse taal te vereenvoudigen en toegankelijker te maken voor andere volkeren. Er kwamen onderwijshervormingen om het analfabetisme te bestrijden en het monogame huwelijk verving de algemeen geaccepteerde polygamie – alles in een poging Turkije aansluiting te geven bij het Westen.

Maar de meest dramatische verandering in Turkije betrof de slachting van anderhalf miljoen Armeniërs, 750 000 Assyriërs en 353 000 Pontisch Grieken, en de wrede verbanningsmarsen van nog eens anderhalf miljoen Turkse Grieken; marsen die tussen 1915 en 1923 aan talloze Pontisch Grieken het leven kostten. Deze genocide, eufemistisch aangeduid als 'etnische zuivering' en 'herhuisvesting', heeft de meeste, zo niet alle christelijke minderheden in Turkije geëlimineerd en een tragisch einde gemaakt aan drieduizend jaar van Pontisch Griekse beschaving in Klein-Azië.

Sinds mijn moeder in 1920 als meisje van tien met iedereen uit haar omgeving op haar eigen desastreuze verbanningsmars werd gestuurd, is er zowel in haar leven als in Turkije verschrikkelijk veel gebeurd. Het was niet zo vreemd dat ze zich de naam van haar dorp niet precies herinnerde – er waren zeventig jaren verstreken – en aan haar geheugen heb ik nooit ook maar een seconde getwijfeld.

Tijdens een van mijn bezoekjes aan haar in de zomer van 1989, ze was toen negenenzeventig, stelde ik voor zo snel mogelijk aan onze zoektocht naar haar geboortegrond te beginnen. Op dat moment had ik nog geen idee waar die tocht ons zou brengen of wat we zouden aantreffen als we, bij toeval, op de bestemming van ons verlangen zouden aankomen. We hadden de gebruikelijke griezelverhalen over Turkije vernomen en mijn moeder kende Turkijes neiging tot wreedheden uit eigen ervaring.

Na het kleinst mogelijke aarzelingetje kwam er een glimlach.

'Hier heb ik mijn hele leven op gewacht,' zei ze. 'Mijn koffer staat al klaar.'

# 3
## *De oversteek terug*

### Ankara, Turkije – augustus 1989

Na een kort oponthoud in Londen landde ons vliegtuig op de middag van onze tweede reisdag in Ankara – de hoofdstad van Turkije. We hadden Ankara gekozen, en niet het beroemde Istanbul, omdat Ankara midden in het land ligt, veel dichter bij het gebied dat mijn moeder ooit haar thuis noemde.

Onze hotelkamer wekte door de bruine spreien en het beige behang een wat sjofele indruk, maar was schoon en gerieflijk. Het was al vroeg in de avond toen we ons een beetje hadden ingericht. We maakten nog een ommetje, maar verlangden al snel naar de horizontale positie die we tijdens de lange reis hadden moeten missen. Ik kocht een paar Turkse broodjes, die we op onze hotelkamer opaten. Daarna namen we een douche en bereidden we ons voor om naar bed te gaan.

Het verkeer op straat maakte een flinke herrie en vlagen uitlaatgassen wisten ons via de balkondeur op onze zesde verdieping te bereiken.

'Misschien moesten we die deur dichtdoen,' zei ik.

Mijn moeder knikte en kroop onder de dekens.

'Zal ik het licht uitdoen?'

'Dat is een goed idee,' zei ze. 'Welterusten, lieverd.'

'Welterusten, schat,' zei ik, een woord gebruikend dat me vertrouwd was geworden. Ik herinner me niet wanneer ik was opgehouden met 'mam' te zeggen, of 'moeder' of andere termen die het moederschap behelzen, maar op een bepaald moment vielen die woorden domweg af.

Ik trok de balkondeur dicht en stapte in bed. Ik kon het denderen van de vrachtwagens beneden nog steeds horen. Ik deed het licht uit en staarde naar het plafond. Zouden we echt in een dorp terechtkomen dat ooit mijn moeders dorp was geweest, en op de drempel van haar huis staan? Het was een enge gedachte. Al mijn hele leven hoorde ik dingen over een familie die ik nooit zou leren kennen. Haar wereld had altijd zo oud geklonken, meer als een verhaal uit bijbelse tijden dan als iets waarin mijn moeder had gefigureerd. Ik probeerde me mijn moeder als kind voor te stellen, omgeven door haar familie. En ik probeerde me een beeld te vormen van de dorpjes uit haar jeugd, en van haar volk, dat honderden en misschien wel duizenden jaren in afzondering in die bergen had geleefd, maar ik viel in slaap.

De volgende ochtend stonden we vroeg op. We wilden dolgraag aan de zoektocht naar mijn moeders huis beginnen, maar het leek ons beter een dag in Ankara te blijven om mijn moeder wat rust te gunnen voor we aan onze reis begonnen. Na een traditioneel Turks ontbijt met tomaten, feta, brood, olijven en thee, gingen we de straat op.

We bezochten de stenen ruïne van een Romeins badhuis en liepen vervolgens een smalle stenen straat op. Twee vrouwen zaten op de grond en sorteerden verschillende kleuren wol, terwijl een derde aan een klein weefgetouw een vrolijk gekleurd kleed zat te weven. We liepen langs hen en vervolgden onze weg naar boven, tot we aan het eind van een lange trap bij het lage, brede bouwwerk van het archeologisch museum kwamen.

In het museum was het te warm voor mijn moeder, dus nam ik haar mee naar een bankje in de museumtuin, onder een parasol van bomen. Twee jonge Turken maakten onmiddellijk plaats voor haar en nodigden haar uit bij hen te komen zitten. Beiden spraken goed Engels. De ene was een jongen van amper veertien. De andere was ouder, maar nog steeds jong. Hij studeerde voor architect en was tweeëntwintig, vertelde hij ons later. Beiden waren goed gekleed en klaarblijkelijk goed opgeleid.

Toen ik me ervan had overtuigd dat mijn moeder in goede handen was, liet ik haar in de tuin achter en ging het snikhete museum weer binnen om nog wat meer van Turkijes kostbaarheden te zien. Te midden van relikwieën van de andere inwoners van dat vreemde en prachtige land, staarden bewaard gebleven voorwerpen van mijn moeders volk me aan.

Toen ik weer naar buiten kwam, trof ik mijn moeder aan in levendig gesprek gewikkeld met de twee jongens. Toen ze opstond om te vertrekken, vroegen ze of ze ons een paar interessante bezienswaardigheden mochten laten zien. De jongen van veertien kwam naast mij lopen en de architectuurstudent en mijn moeder volgden.

'Wat voor vakken heb je zoal op school?' vroeg ik de jongen, terwijl we door een brede straat wandelden.

'Ik wil later bij de internationale veiligheidsdienst,' zei hij.

Ik kon een glimlach niet onderdrukken. 'En wat doet de internationale veiligheidsdienst?' vroeg ik.

'Ze vangen smokkelaars en spionnen.'

'Net als James Bond?' vroeg ik. Maar ik dacht aan de verschrikkelijke film *Midnight Express*, over een jonge Amerikaanse man die gepakt werd bij het smokkelen van marihuana naar Turkije. Hij werd onder barre omstandigheden opgesloten in een smerige Turkse gevangenis en moest jaren vechten voor zijn vrijlating.

De jongen lachte verlegen, als betrapt op een geheim.

'Het zou interessant zijn,' zei hij, 'en ik zou veel van de wereld zien.'

Ik keek over mijn schouder om te zien of mijn moeder en de architect nog steeds achter ons liepen. Ze waren druk met elkaar in gesprek.

'Wat vindt u ervan dat de Bulgaarse regering alle Turken het land uitstuurt?' vroeg de jongen. 'Verschrikkelijk, vindt u ook niet?'

Zijn vraag overviel me. Ik had niet in politieke discussies verzeild willen raken in Turkije. Maar ik zei: 'Wat vind jij van wat de Turkse regering in het verleden met de etnische Grieken en Armeniërs heeft gedaan?' En toen ik het zei, merkte ik dat ik het zonder emotie deed – meer met de objectiviteit van een journalist dan met de woede van een dochter van een van de gedecimeerde volken. Maar dit besef drong slechts aarzelend tot me door en ik verdrong de gedachte, om me op het antwoord van de jongen te richten.

'Maar dit is anders,' zei hij.

'En waarom is het dan anders?'

'De Turken wonen in Bulgarije. Sommigen zijn er zelfs geboren. Het is hun thuis.' Er lag een ernstige blik op zijn jonge gezicht.

'Ja,' zei ik. 'Je hebt gelijk. Dit is anders. Heel anders. In Bulgarije hebben ze de Turken alleen maar uitgewezen, en ze levend en wel en met al hun bezittingen laten vertrekken. In Turkije hebben ze honderdduizenden etnische Grieken, Armeniërs en Assyriërs vermoord, en de rest werd op lange, catastrofale marsen het land uitgestuurd.'

Een beeld zoals dat door Ernest Hemingway werd omschreven toen hij tijdens de Eerste Wereldoorlog als oorlogsverslaggever in Turkije was gestationeerd, schoot door mijn hoofd. Het was het beeld van een meer dan dertig kilometer lange stoet Griekse bannelingen in de buurt van Smyrna. Hoeveel mensen, met z'n tweeën of vieren naast elkaar, gaan er in een dertig kilometer lange rij? De aanblik ervan had Hemingway hevig getroffen. Ik dacht aan de verspilling van mensenlevens, maar ook nu met een zekere afstandelijkheid, bij gebrek aan de rechtstreekse emotionele schok die Hemingway als ooggetuige van de wanhoop wel had gehad. Hem had het zo getroffen dat hij het tafereel in een van zijn korte verhalen verwerkte: 'On The Quay At Smyrna'.

De mond van de jongen viel open van verbazing. 'Maar dat is nooit gebeurd,' zei hij. 'Dat heeft onmogelijk kunnen gebeuren!'

Ik zag aan hem dat hij het oprecht meende en ik voelde ergernis bij mezelf opkomen. Niet aan hem. Dat deel van de Turkse geschiedenis was hem kennelijk, om voor de hand liggende redenen, onthouden. Niet alleen waren de jonge Turken niet op de hoogte van hun eigen verleden, maar door middel van genereuze subsidies aan Amerikaanse universiteiten probeerde de Turkse overheid ook nog eens haar eigen barbaarse verleden van de internationale wetenschappelijke agenda te houden – een verleden dat zo overloopt van wreedheden dat zelfs Hitler zich erdoor had laten inspireren. 'Wie denkt er tegenwoordig nog aan de Armeniërs?' had Hitler eens ergens opgemerkt, om zijn eigen slachting onder de joden en andere vijanden van de staat te rechtvaardigen. Inderdaad. En wie wist überhaupt dat er ooit Pontisch Grieken bestaan hadden?

Ik wierp nogmaals een blik over mijn schouder om te zien hoe het mijn moeder verging. Zij en de architect liepen nog steeds op dezelfde manier achter ons.

'Het is wel gebeurd,' zei ik, terwijl ik me weer tot de jongen wendde.

'Ze hebben je er op school alleen niets over verteld. Maar het is belangrijk dat je de geschiedenis van je eigen land kent.'

Ik moet het hem nageven, hij rende niet boos weg. We liepen zwijgend verder tot we bij een oude stenen muur kwamen. De jongens hielpen mijn moeder bij het beklimmen van de hoge, afgebrokkelde stenen treden die naar een punt leidden vanwaar we over heel Ankara uit konden kijken.

'Mooi is het, hè, vanaf hier?' zei de jongen.

Ankara strekte zich voor ons uit zover het oog reikte, met huizen als kleine stipjes tot op de verste heuvels. Niets uit het tafereel verried iets over een genocide in Turkije, en de vriendelijke mensen die we hadden ontmoet lieten tot dusver niets blijken van het uitzonderlijke vermogen tot wreedheid dat in het verleden van hun land besloten lag.

'Ja,' zei ik tegen de jongen. 'Vanaf hier is het prachtig.'

# 4

## *In een oogwenk*

Onze eerste bestemming was Fatsa, een stad aan de Zwarte Zee waarover mijn moeder haar vader en grootvader als kind had horen spreken. Het leek ons een goede plek om onze zoektocht naar haar huis te beginnen, want nog steeds hadden we geen van haar dorpen op een kaart kunnen vinden. Maar de reis naar Fatsa zou twaalf uur duren, te lang voor mijn moeder om in een snikhete bus opgesloten te zitten, vond ik. En daarom besloten we uit te stappen in het stadje Amasya, halverwege Ankara en Fatsa. Die beslissing had niet beter uit kunnen pakken.

Aan het eind van de ochtend, toen de augustuszon al stond te branden, gingen we 'aan boord' en we maakten het ons gemakkelijk in onze stoelen. Vlak voor de aangekondigde vertrektijd kwam de chauffeur binnen. Hij zette de airco aan om de passagiers te laten zien dat de bus er een had, en dat hij het deed. De busmaatschappij had er per slot van rekening een toeslag voor berekend. Toen draaide hij zich om, keek de passagiers met een brede glimlach vanonder zijn snor aan en schakelde de airco meteen weer uit. Hij wurmde zijn een meter tachtig lange lichaam achter het stuur, startte de motor, stelde zijn spiegel en daar gingen we.

Een lange, pezige conducteur met een vriendelijke, verweerde kop verscheen ten tonele. Hij liep door het gangpad met een fles eau de toilette en stopte bij elke rij stoelen om de passagiers een sproeibeurt aan te bieden.

'Hou je handen op, lieverd,' zei ik tegen mijn moeder toen de conducteur naderde.

'Wat is dat?' vroeg mijn moeder.

'Eau de toilette.'

Ze hield haar handpalmen op boven het gangpad en de conducteur besprenkelde ze met de citroengeur. Ik hield mijn handen ook uit en bette vervolgens mijn blote armen en hals. Mijn moeder deed hetzelfde. Een fris en tintelend gevoel volgde de beweging van mijn vochtige hand over mijn blote huid. Daarna maakte de hitte in de bus het effect in een ommezien ongedaan.

'Wil je horen wat ze zeggen over de Zwarte Zee?' vroeg ik mijn moeder.

'Graag,' zei ze.

Ik haalde de reisgids uit mijn tas en zocht naar het gedeelte over de Zwarte Zee, maar vond niets. Dus bladerde ik het boek door, op zoek naar iets wat voor ons van belang kon zijn – iets wat verband hield met onze reis. Ik ging terug naar het begin van het boek, naar de inleiding over het Klein-Azië (Turkije) van vóór de Ottomaanse heerschappij, en las voor wat er stond over negenduizend jaar geschiedenis. Maar behalve de Hittieten en een verwijzing naar een paar zeevarende volken was er alleen sprake van de Turken. De hellenistische, Byzantijnse, Assyrische, Armeense en Romeinse beschavingen, alsmede alle andere volken van Klein-Azië waren afwezig.

Ik zocht op wat er stond over Amasya, onze tussenbestemming, en las een passage over graftomben van de Griekse koningen voor. Toen deed ik het boek dicht, leunde achterover tegen de stoelkussens en sloot mijn ogen.

Ik had gehoopt de geschiedenis van de Pontisch Grieken te vinden, maar er waren alleen maar summiere verwijzingen naar archeologische plekken, voorzover ik kon opmaken. Turkije was nog steeds bezaaid met Griekse ruïnes uit de hellenistische periode. De beroemdste stad, naast Constantinopel, was misschien wel Troje. Alleen al het noemen van de naam Troje riep herinneringen bij me op aan Homerus' verhalen over Griekse goden en godinnen, strijders als Odysseus en Achilles, het paard van Troje en offerende Grieken.

Ik was veertien jaar oud toen ik Homerus ontdekte in de boekwinkel bij ons in de buurt. Ik weet niet waarom uitgerekend de boeken van Homerus hun weg naar mijn handen vonden, maar toen ik eerst de *Ilias* en daarna de *Odyssee* had opgepakt en de schutbladen had gelezen, was ik verkocht. Homerus' epische gedichten over de bronstijd brachten de Griekse helden tot leven. Ik heb beide grote werken achter elkaar verslonden, er nooit bij stilstaand dat hij het had over volken die verwant waren aan mijn moeders volk, en zonder me te realiseren dat Homerus, een blinde dichter, zelf een uit Klein-Azië afkomstige Griek was.

Toen heb ik elk boek over Griekse mythologie gelezen dat ik maar vinden kon, al heb ik mezelf nooit als een Griekse beschouwd. Ik had mezelf ook niet als een Assyrische gezien. Mijn vaders volk bestond immers niet meer. Pas als volwassene bracht ik af en toe het verre verleden van mijn moeder ter sprake, maar dat leverde me vaak gegeneerde blikken op en de onvermijdelijke reactie: Pontisch Grieken? Nooit van gehoord.

Als kunstenaar, schilder, had ik me al sinds mijn zeventiende in intellectuele kringen begeven. Ik had in Spanje, Marokko en Italië gewoond, en van jongs af aan veel gereisd door landen als de v s, Mexico, Canada, West-Europa, Griekenland en zelfs China. Behalve in Griekenland had ik nooit iemand ontmoet die van de Pontisch Grieken had gehoord, zo volledig was de herinnering aan hun bestaan in het grootste deel van de wereld uitgewist. En zodoende heb ik vele jaren van mijn leven doorgebracht in onwetendheid over mijn wortels. Pas kortgeleden kwam ik erachter dat er een gemeenschap van Pontisch Grieken in Queens, in New York, woont, en dat er Pontisch Griekse verenigingen en gemeenschappen bestaan over heel Amerika en Canada. Er is zelfs een grote groep Pontisch Grieken in Australië. Maar in 1989, ten tijde van onze reis, wist ik niet van het bestaan van enig andere Pontische Griek dan mijn moeder. Het was alsof mijn moeder de enige Pontische Griek op de wereld was.

Evenmin had ik ooit een andere Assyriër ontmoet dan mijn vader. Van andere Assyriërs had ik nooit gehoord. En ook niet zo heel erg lang geleden kwam ik te weten dat er grote groepen Assyriërs in Chicago, Detroit en Californië wonen, zelfs in New York.

Mijn oudere zussen werden Egyptisch toen ze, als tiener, behoefte kregen aan een allesomvattende identiteit. Ze waren geen moderne

Egyptenaren. Wij hadden geen idee wat moderne Egyptenaren waren. Als kind had ik ook meer dan eens te horen gekregen, alweer met grote stelligheid van mijn vrienden, dat de Egyptenaren ook allemaal dood waren en duizenden jaren geleden gemummificeerd. Maar dat kon me niet weerhouden: ook ik werd Egyptisch. Wij waren oud, mythisch, verwant aan Nefertiti. Wij waren wereldburgers.

Mijn broers werden, vreemd genoeg, Turks. Hun redenering was simpel. Was je in Amerika geboren, dan ben je Amerikaan. Waren je ouders in Turkije geboren, dan moest je wel Turks zijn. Mijn broers waren niet de Turken die mijn moeders volk hadden afgeslacht en ze van hun grond hadden verdreven. En ze waren evenmin de Turken die mijn vaders volk hadden afgeslacht, zijn zuster hadden ontvoerd en zijn land hadden afgepakt. Mijn broers waren mythische Turken.

De verhalen van mijn vader noch die van mijn moeder hadden ooit vijandig jegens de Turken geklonken, dus groeiden we op met het idee dat Turken grote sterke mannen waren, die nooit het zwaard trokken zonder bloedvergieten, al moest het hun eigen bloed zijn. Het was een romantisch beeld waarvan het gruwelijke ons ontging.

'Denk erom dat je zegt dat je Egyptisch bent,' waarschuwden mijn oudere zussen mijn moeder altijd voor ze haar aan nieuwe vrienden voorstelden.

'Hoe doet een Egyptenaar dan?' was steevast het antwoord van mijn moeder. Maar op vragen over haar afkomst zei ze altijd: 'Caïro', om hun een plezier te doen, want ze voelde wel hoe belangrijk het voor hen was, en dan ging ze snel op een ander onderwerp over. Het was nooit bij ons opgekomen dat we, in ons streven naar een eigen identiteit, die van haar ontkenden.

De bus ronkte een steile helling af en minderde toen vaart onder knarsend schakelen.

'Hoe laat zouden we in Amasya zijn?' vroeg mijn moeder.

'Ik dacht dat je sliep.'

'Het is veel te warm om te slapen,' zei ze.

Het was bloedheet in de bus en telkens wanneer iemand het luik in het dak opende om wat lucht binnen te laten, werd het na een tijdje met een klap weer dichtgetrokken. De klap van het dichtvallende luik zou een vertrouwd geluid worden op onze zes uur durende reis.

'Denk je dat ze water hebben?' vroeg mijn moeder.

Ik haalde mijn Turks-Engelse woordenboek te voorschijn en zocht het woord voor 'water' op. Daarop draaide ik me om en zocht contact met de conducteur achter in de bus.

'Water, alstublieft,' zei ik in het Turks, toen hij naar me toe kwam.

Hij liep naar achteren en kwam terug met twee kleine flesjes koud water uit een koelbox.

'En het raam. Zou u het raam open kunnen doen?'

De conducteur keek me met een lege blik aan.

'Wacht,' zei ik, terwijl ik als een verkeersagent mijn hand in de lucht stak. Ik bladerde opnieuw door mijn woordenboek.

'Lucht,' zei ik in het Turks, en ik wees naar het dakluik.

Hij glimlachte, knikte en opende het luik.

Ik keek om me heen in de bus om te zien of er iemand last had van het open luik. Een paar kinderen lagen op kleedjes op de vloer voor de voeten van hun ouders te slapen. Niemand trok een gezicht of klaagde. Mij bekroop een gevoel dat ik vaak ervaar in omstandigheden waarin ik voor korte tijd als een gewillige gevangene word omringd door mensen uit een mij onbekend land: een vreemde, anonieme geborgenheid, bijna familiaal. Ik weet niet waar dat gevoel vandaan komt, maar op de een of andere manier heeft het te maken met de verhalen van mijn ouders van vroeger.

'Zo beter?' vroeg ik aan mijn moeder toen een koel briesje dat naar zomer geurde ons in het gezicht blies.

'Ja, dat voelt lekker,' zei mijn moeder. 'Nu ik hier ben kan ik bijna voelen hoeveel tijd er is verstreken en hoe de wereld is veranderd.'

'Wat bedoel je daarmee?' zei ik.

'O, het is gewoon prettig dat er iemand is die je water komt brengen in de bus als je dat nodig hebt. Het gaat allemaal wat trager hier. Het voelt bijna zoals Amerika veertig of vijftig jaar geleden.'

Ze schudde haar hoofd en keek uit het raam. 'Alles verandert zo snel,' zei ze. 'Het is haast niet te geloven dat de mens door de ruimte reist en op de maan wandelt. Ik was graag naar de maan gegaan, door de ruimte lopen. Iets anders doen. Daar hou ik van. Stel je voor. Niemand weet echt wat er daar boven is. Ik was het graag te weten gekomen.'

Ik probeerde me mijn moeder voor te stellen in een ruimtepak, bezig aan haar gewichtloze slowmotion wandelingetje door het heelal, omringd door een miljard sterren.

De koppeling begon opnieuw te knarsen en toen, met een kreun en een langgerekte zucht, reed de bus van de weg en kwam voor een kleine winkel tot stilstand. De conducteur liep naar voren, stak een hand op om het luik met een klap dicht te trekken en op dat moment ging met een tweede zucht de deur van de bus open. De passagiers rekten zich uit en kwamen rommelend in beweging.

'Zijn we al in Amasya?' vroeg mijn moeder.

'Ik geloof het niet. Volgens mij hebben we nog een paar uur voor de boeg. Amasya?' vroeg ik aan de Turkse vrouw aan de andere kant van het gangpad.

Ze maakte een klakkend geluid met haar tong tegen haar gehemelte en zwaaide met haar vinger heen en weer.

'Ik denk dat we alleen maar even stoppen om de benen te strekken,' zei ik.

De winkel was een eenvoudig gebouwtje zonder verdieping. Op de stoep en binnen hingen grote jutezakken als dikke boeddha's tegen elkaar aan. Ze waren open om de inhoud aan het publiek te tonen. Goud-, olijf- en kaneelkleurige kruiden en specerijen, gedroogde vruchten, groenten, granen en andere kleurrijke levensmiddelen vulden de zakken tot de rand. Op de schappen langs de muren stonden grote glazen potten vol met andere korrels en eetwaar. Alles ademde de nuchtere sfeer van lang geleden. Designspul was nergens te vinden.

We stapten weer in en terwijl de bus startte en langzaam de weg opreed, installeerden mijn moeder en ik ons opnieuw in onze stoelen. Het onherbergzame, zonovergoten landschap achter de raampjes begon steeds meer tekenen van groen te vertonen naarmate we verder noordwaarts kwamen. De hitte in de bus liep opnieuw op en weer draaide ik me om op zoek naar de conducteur. Ik wist zijn aandacht te trekken en gebaarde naar hem.

'Lucht.' Deze keer zei ik het in het Engels. Ik wees naar het dakluik en hij wist wat ik bedoelde. Hij reikte naar boven, opende het luik en opnieuw waaiden de zomergeuren ons tegemoet.

Het kwam niet in me op dat we mijn moeders huis misschien helemaal niet zouden vinden. De bus raasde met honderd kilometer per uur
naar Amasya, maar ik had nog steeds geen plan bedacht hoe we haar
dorpen zouden vinden. Ik had altijd vertrouwd op mijn eigen acute vin-
dingrijkheid tijdens het reizen zelf. Deze keer was het niet anders. In feite had ik nog nooit met een reisgids gereisd; met een woordenboek altijd, maar nooit een reisgids. Het liefst kwam ik domweg ergens in het
buitenland aan, en dan zag ik wel verder. Ik handelde op mijn gevoel.
Dat maakte mij tot een soort op-goed-geluktoerist, maar ik hield ervan
om zomaar een straat in te lopen en dan op iets heel bijzonders te stui-
ten, zoals de ijl naar de hemel reikende torenspitsen van een kathedraal.
Of een marmeren moskee die met zijn gebogen galerij een opeenvolging van pilaren en bogen vormde. Of iets eenvoudigs als een stenen
boog boven de deur van een doodgewoon huis, maar in een stijl die ik
nog nooit had gezien. Ik was altijd bang geweest dat als ik met een vaste
bestemming mijn hotel uitstapte, ik alle schatten die niet in de reisgids
stonden zou mislopen. Of misschien had ik het gewoon nooit prettig
gevonden om een 'toerist' te zijn.

Maar deze reis was anders. Deze keer hadden we een heel specifieke
bestemming en een heel specifiek doel in gedachten. Het vooronder-
zoek naar de locatie van mijn moeders dorpen was bijzonder lastig geweest. Voor mijn vertrek uit New York, had ik alles ondernomen wat in
mijn vermogen lag. Ik had zelfs oude krantenartikelen doorgespit uit de
archieven van de *New York Times*, tot begin jaren twintig van de vorige
eeuw. Het enige wat ik had gevonden was een piepklein artikeltje dat
melding maakte van Griekse bannelingen uit Turkije.

Ik trok de garmardine uit mijn tas en vroeg of mijn moeder wilde.

'Ik vond het altijd verrukkelijk als papa ermee thuiskwam,' zei ik.

'En er is eindelijk iemand op het idee gekomen om het in verschillende smaken te maken,' zei mijn moeder.

'Weet ik,' zei ik. 'Tegenwoordig noemen ze het fruitcake of iets in die
geest.'

De Turkse vrouw aan de overkant van het gangpad keek naar ons en
glimlachte. Haar kind, dat voor haar voeten op de vloer van de bus had
liggen slapen, was nu wakker en zat bij haar op schoot.

'Bied haar wat garmardine aan,' zei mijn moeder.

Ik stak een arm uit over het gangpad en hield haar het pakje abrikozensnoep voor. De vrouw glimlachte opnieuw, maar weigerde bedeesd.

'It's okay,' zei ik, hopend dat mijn glimlach haar zou overhalen.

Ik maakte nu een gebaar in de richting van haar kind. De vrouw stak haar hand uit, plukte een klein stukje van de garmardine af en bedankte me.

'Kun je je voorstellen dat je zelf ooit zo klein bent geweest?' vroeg mijn moeder. Ze nam een lange teug van haar water, draaide de dop weer op de fles en leunde met haar hoofd tegen het kussen. 'Soms kijk ik in de spiegel en dan kan ik nauwelijks geloven dat ik dat ben die terugkijkt. Soms weet alleen de spiegel hoe oud ik ben.' Mijn moeder glimlachte. 'En soms mijn pijnlijke botten.'

Ik sloot mijn ogen en probeerde me opnieuw mijn moeder als klein meisje voor te stellen, maar het enige wat er kwam waren beelden van mijn eigen jeugd en van de jonge moeder die zo lief voor ons was.

Ik zag haar zitten in onze oude eetkamer, naast de potkachel. Ze haakt een klein jurkje van bleekgeel garen. Kleine roze gehaakte rozen sieren het bovenstukje. Ze zingt 'My Bonnie Is Over the Ocean' en ik sta voor haar, niet ouder dan een jaar of vier. Ik spreid mijn armen zo wijd uit dat mijn kinderhandjes achter mijn rug bij elkaar komen en kijk met een schuine blik in haar donkere, glimlachende ogen.

'Zoveel hou ik van je,' zeg ik. 'Ik hou van je van boven in de lucht tot aan de bodem van de zee.'

Mijn moeder houdt op met zingen, laat haar haakwerk in haar schoot rusten en glimlacht naar me. 'Ik hou ook van jou van boven in de lucht tot aan de bodem van de zee,' zegt ze.

Ach. Daar ben ik zeven. Mijn broer Tim, drie jaar ouder dan ik, probeert zijn judogrepen op mij uit. Hij slingert me over zijn schouder en neemt me vervolgens in de dubbele nelson. Dan doe ik hetzelfde bij hem en pest hem door een liedje te zingen dat mijn moeder vaak zingt. Maar ik pas de woorden aan voor de gelegenheid. En als Tim achter me aan rent, kruip ik weg achter mijn moeder die bezig is mijn blouse te strijken.

'Ma, he's making eyes at me.'

'Het wordt al laat,' zegt mijn moeder.

'Ma, ik heb hem over mijn hoofd geslingerd. En toen heb ik hem op het bed gesmeten. Ma, hij zit achter me aan.'

'Kom nou maar eten,' zegt mijn moeder lachend. 'Jullie komen nog te laat voor zondagsschool.'

'Daar gaan de Halo's,' zeggen de buren, wanneer we elke zondagochtend opgewekt en tiptop in orde de straat uit lopen. De metalen plaatjes onder de hakken van mijn lakleren schoenen klikken bij elke stap. Ik doe mijn hand in mijn zak en voel aan het muntje voor de collecte, verzegeld in zijn kleine envelop.

Daar is ze met haar arm om mijn schouder. Ik zal zeven zijn, of misschien acht. Ze neemt me mee de deur uit.

'Waar gaan jullie naartoe?' vraagt mijn vader.

'We gaan naar de kerk,' zegt mijn moeder.

Dat is niet zo heel ver bezijden de waarheid. Naast alle andere dingen die mijn moeder moest doen, vond ze nog steeds tijd om klusjes voor de kerk te doen: zilver poetsen, een bazaar organiseren en manden vullen voor de armen. Maar om de zoveel tijd gingen we, nadat we tegen mijn vader hadden gezegd dat we naar de kerk waren, richting bioscoop en doken de rest van de middag onder in de magie van de film. Dat was waarschijnlijk het enige wat mijn moeder alleen voor zichzelf deed, en ik was blij dat ze me altijd meenam.

'Wat niet weet, wat niet deert,' zegt mijn moeder, wetend dat mijn vader bioscoopbezoek afkeurde. Maar het lag niet in haar aard om te bedriegen en dus vertelde ze hem uiteindelijk de waarheid.

Daar ben ik negen. Ik heb zojuist gevochten met een meisje van twee keer mijn formaat. Ik had mijn best gedaan om haar van me af te houden, maar ze stak als een toren boven me uit. Ik voelde me vernederd, gekwetst. Zulke dingen vertel ik mijn moeder nooit. Ik wil haar er niet mee belasten. Het enige wat ik nodig heb is dicht bij haar zijn, haar lieve stem horen en haar warmte voelen.

Ze staat aan tafel deeg te kneden voor haar speciale broodjes met zwarte zaadjes. Straks zal hun vochtige, exotische geur het hele huis vullen en zich mengen met het aroma van braadvlees met wortelen en uien in de oven.

Ze draagt haar gebloemde jurk en zingt 'Paper Moon'. Haar zwarte haar zit als altijd in een gedraaide krans om haar hoofd. Ik kruip op mijn knieën op de stoel naast haar om haar sterke vuisten in een ritmische, slowmotion-achtige, duw- en rolbeweging met het soepele deeg bezig te zien. Ze vouwt het deeg dubbel en begint opnieuw. Ze heeft het al onder een schone doek laten rijzen tot het twee keer zo groot was geworden. Ze scheurt er het ene stuk na het andere af, rolt het tot een klein boomstammetje en vouwt het tot een broodje. Ze legt de broodjes op de bakplaat, bestrijkt ze met losgeklopt ei en zet ze met een snelle beweging in de oven.

'It's a Barnum and Bailey world, just as phony as it can be. But it wouldn't be make believe if you believe in me.'

Waarom dacht ik altijd dat ze die woorden voor mij... voor ons zong? Ik geloofde wel degelijk in haar.

Ik deed mijn ogen open en de golf van jeugdherinneringen loste op in het duizelingwekkende zonlicht dat de bus vulde. Mijn moeder zat uit het raam te staren. Haar hoofd, met de dichte bos gekortwiekt wit haar, leunde tegen de rugleuning. Ik keek naar de witheid van dat haar alsof ik het voor het eerst zag. Het contrast met mijn herinneringen van het moment daarvoor was zo sterk dat ik het heel even moeilijk vond te geloven dat er zoveel jaren waren verstreken sinds ik klein was. Ik had een druk bestaan. Was altijd aan het werk, altijd bezig, en de jaren die mijn moeders lokken stuk voor stuk wit hadden gekleurd waren voorbijgegaan zonder mij de kans te geven de verandering volledig tot me te laten doordringen. Mijn eigen haar had plukken grijs tussen het bruin. Ook die waren zonder klaroengeschal gekomen.

'Heb je ooit een wekker ingesteld op drie minuten om een ei te koken?' vroeg ik mijn moeder.

Ze glimlachte. 'Jawel. Hoezo?'

'Is jou dan ook opgevallen hoe lang drie minuten duren? Je kunt afwassen, je handen drogen en nog een heleboel andere dingen doen voor die wekker afgaat. Drie minuten, of zelfs een minuut, lijkt wel een eeuwigheid als je wacht tot het voorbij is.'

Mijn moeder keek weer naar het kind aan de overkant van het gangpad. Het zat op een smal reepje abrikoos te sabbelen. 'Ja,' zei mijn moeder. En alsof ze mijn gedachten kon lezen: 'Drie minuten lijken wel een eeuwigheid als je zit te wachten, maar je leven is in een ommezien voorbij.'

Het dakluik klapte weer dicht en mijn moeder en ik keken nog net op tijd op om de conducteur het te zien vergrendelen. Mijn moeder keek me aan en glimlachte. En ik wilde mijn armen om haar heen slaan en haar vasthouden, zoals zij mij zo vaak had vastgehouden toen ik klein was, maar ik legde mijn hoofd tegen het hare en sloot mijn ogen.

# 5
## *Stap voor stap*

### Amasya, Turkije – augustus 1989

Tegen de avond bereikten we Amasya. De zon was al achter de bergen verdwenen, maar het licht hield nog een paar uurtjes stand. Mijn reisgids vermeldde maar één hotel in deze plaats. We liepen de paar honderd meter van de bushalte naar dat hotel, onderweg een bruggetje overstekend, en namen een kamer.

De volgende ochtend kleedde mijn moeder zich in lange broek en ruimvallende blouse om te gaan wandelen. Het heuptasje dat ik voor haar in New York had gekocht, zat stevig op zijn plaats.

We hadden besloten minstens één dag in Amasya door te brengen alvorens verder te reizen naar Fatsa voor het begin van onze zoektocht. Weer staken we het bruggetje over. In het stralende ochtendlicht werd ons duidelijk hoe de Groene Rivier aan zijn naam was gekomen. Hij deelde de stad als een lint van smaragd in tweeën en stroomde kronkelend naar de heuvels. In de verte, aan de hotelkant van de rivier, glooide een berg tot aan de oever. Enge raam- en deuropeningen van lang in onbruik geraakte hellenistische graven staarden ons als grote, spookachtige ogen aan vanaf de helling.

'Dat zijn oude Griekse graven. Ze zijn aangelegd voor de koningen,' zei de stem van een jonge man achter ons.

We draaiden ons om en daar stonden twee jongens van een jaar of achttien. Beiden waren nog geen een meter zeventig, ongeveer van mijn lengte.

'Hoe weten jullie dat wij Engels spreken?' zei ik.

Mustafa, de donkere van de twee, lachte en herhaalde in het Turks wat ik tegen zijn blonde vriend had gezegd.

'Ik weet het niet,' zei Mustafa, zich weer tot mij richtend. 'Gewoon een gokje. Hoe dan ook, jullie zijn niet Duits, en ik spreek alleen Engels en Duits… en Turks. Waar logeren jullie?'

'In het hotel over de brug,' zei ik. 'Volgens mijn gidsje is er maar één hotel in Amasya.'

'Vroeger was er maar één, maar nu hebben we ook een *pansiyon*. Het is pas twee weken geleden opengegaan. Eerst was het een Armeens landhuis. Een architect heeft het gerestaureerd en is er een *pansiyon* in begonnen. Willen jullie het zien? Het is vlakbij.'

Ik keek mijn moeder aan. Ze knikte.'

'Tuurlijk,' zei ik. 'Hoe komt het dat je zo goed Engels spreekt?'

'Ik woon met mijn familie in Duitsland. Daar ben ik opgegroeid en daar heb ik ook Engels geleerd. Maar ik ben in Amasya geboren, dus kom ik elke zomer naar hier, samen met mijn moeder.'

'En je vriend?'

Zijn blonde jonge vriend stond er geduldig bij, met een lieve glimlach op zijn knappe gezicht.

'O. Die woont hier altijd. Hij spreekt geen Engels.'

Ze leidden ons door een nauw straatje, waarboven een paar anti-aardbevingsbogen de gevels met elkaar verbonden, naar het pansiyon. De bogen gaven een soort tunneleffect en deden hoge ouderdom vermoeden.

Om Ilk Pansiyon, zoals het heette, lag een hoge muur die het gebouw en de binnenplaats voor de buitenwereld aan het oog onttrok.

'Dit is Ali,' zei Mustafa toen de architect van het pansiyon de deur voor ons opendeed. Zich vervolgens tot Ali wendend zei hij: 'Ze willen het pansiyon zien. Ik kan ze wel rondleiden.'

Ali, een man van in de dertig, deed beleefd een stap terug. Zijn brilmontuur vormde een zware zwarte lijn rondom zijn zwarte ogen. Hij zag er pasgeschoren uit, maar had nog steeds een opvallende donkere gloed op zijn kin.

'Welkom,' zei Ali.

We stapten over de drempel en betraden de binnenplaats. Overal op de grond stonden potten met bloeiende planten en vier of vijf tafeltjes stonden klaar voor de eerste gasten. Het pansiyon was eenvoudig en beeldschoon. Honingkleurige houten deuren en beige raamkozijnen accentueerden de gestuukte stenen muren en een tegen de voorkant van het gebouw leunende trap leidde naar de hoofdingang.

Mustafa toonde ons de kamers op de eerste verdieping en nam ons toen mee een volgende trap op, recht tegenover de ingang, en leidde ons door de twee eenvoudige maar ruime kamers op de tweede verdieping. Ook daar zorgden houten deuren, een klerenkast en plinten in dezelfde warme honingkleur voor een elegante en rustieke sfeer. Langs een muur met ramen die uitkeken op de binnenplaats liep een lange zitvensterbank bedekt met kussens en bonte kleedjes.

'Wat zeg je ervan, lieverd?'

'Het is prachtig,' zei mijn moeder.

'We zouden hier een kamer moeten nemen,' zei ik. 'Ik ben bang dat we zoiets nooit meer tegenkomen.'

Mustafa glimlachte. 'Ik wist wel dat jullie het leuk zouden vinden. Het is op z'n negentiende-eeuws ingericht.'

We gingen weer naar beneden. Ik liet mijn moeder met de andere jonge Turk, wiens naam ik niet kon uitspreken, achter op de binnenplaats en haalde samen met Mustafa onze tassen in het andere hotel. Toen we terugkwamen nam net een Amerikaan met een mank been zijn intrek in het pansiyon. We deden een stap opzij om hem door te laten. Hij had ook een nacht in het andere hotel geslapen en had op dezelfde manier als wij het pansiyon gevonden. Hij heette Harry Seiss. Hij was een jaar of vijfenzestig, een gepensioneerd juwelier uit Pennsylvania, vertelde hij ons later. Hij bleek met dezelfde bus te zijn gekomen als mijn moeder en ik.

Mustafa en ik brachten onze tassen naar de kamer die mijn moeder en ik hadden uitgekozen. Daarop ging ik naar Ali en vroeg hem, hij sprak redelijk Engels, of hij ons kon helpen bij het lokaliseren van de dorpen van mijn moeder. Ali informeerde bij een van zijn hulpen uit Fatsa, zonder resultaat. Op dat moment realiseerde ik me hoe moeilijk het zou worden om, met niet meer dan een vage notie van waar ze zouden moeten liggen, drie dorpjes op te sporen in een afgelegen berggebied. Toen ik weer naar mijn moeder ging, die nog steeds op de binnenplaats zat, zag ik dat ze inmiddels gezelschap had gekregen van Harry.

'Jouw verhaal is mijn verhaal, Sano,' zei Harry tegen mijn moeder, terwijl ik ging zitten. 'Mijn ouders waren ook Pontisch Grieken en zijn ook in het begin van de jaren twintig uitgewezen. Ze kwamen uit een kustplaatsje aan de Zwarte Zee, niet ver van Fatsa. Ik ben hier om hun thuisgrond te bezoeken. Even denken. Je zegt dat je dorp Iondone heette en net onder Fatsa en Ordu lag.'

Harry haalde een grote kaart uit de tas die nog steeds over zijn schouder hing. Het was een Griekse kaart. Hij spreidde hem uit op de tafel, zodat we het allemaal beter konden zien. Toen leunde hij voorover en zette zijn bril goed.

'Hier ligt Fatsa,' zei Harry, en hij legde zijn vinger op een plek aan de Zwarte Zee. Hij liet zijn vinger neerwaarts glijden. 'Ga naar het zuiden, en kijk! Hier staan drie kruisen. Dat betekent dat het Griekse dorpen waren. En een ervan heet Ayios Antonios. Sint-Antonius. Dat is de echte naam van wat jij Iondone noemt.'

Ik keek naar mijn moeder, die hem ongelovig aankeek.

'Zou het echt zo zijn?' zei ze.

'Hier ligt het, precies op deze plek,' zei Harry, terwijl hij met zijn vinger op de drie kruisjes tikte.

Wat wij in tientallen jaren niet hadden weten te vinden, vond Harry in een oogwenk. En het was geen wonder dat we het nooit hadden gevonden. We kenden alleen de naam in het dialect. Of misschien was Iondone slechts de klank van de naam als hij door de dorpsbewoners snel werd uitgesproken, de enige manier waarop mijn moeder het ooit gehoord had.

Ik wist niet wat mijn moeder voelde. Ik weet alleen dat ik me voelde alsof ik iets heel kostbaars en mysterieus had gevonden waar ik al mijn hele leven naar had gezocht zonder het te kunnen benoemen. Iets wat nu eindelijk binnen mijn bereik lag. Ik rende naar Ali om hem te vertellen dat de zojuist aangekomen gast mijn moeders dorpen op de kaart had gevonden. Ali leek bijna even enthousiast als ik. Hij liep mee naar ons tafeltje en ging zitten.

'Zou u iets voor me willen doen?' vroeg hij mijn moeder.

'Wat dan?'

'Wilt u een extra dag hier blijven tot ik mijn zaken heb geregeld? En

me dan toestaan dat ik u meeneem om uw huis te zoeken? Ik wil uw gezicht zien als we het vinden.'

Mijn moeder liet haar hoofd zakken en haar ogen vulden zich met
tranen. 'Dank u,' zei ze.

De rest van de dag en de volgende zwierven mijn moeder en ik in gezelschap van onze twee jonge Turkse vrienden door Amasya en de omliggende stadjes. Nu we zeker wisten dat we ons doel naderden, we wisten
immers waar de dorpjes lagen, besloten we de dagen wachten op Ali op
een prettige manier te vullen.

Die avond lagen mijn moeder en ik in onze lage bedden in Ilk Pansiyon. Een zwak schijnsel van de binnenplaats viel door het open raam.
Ik probeerde de slaap te vatten, maar het verschil tussen Turkijes verleden en de mensen die we tot dusverre hadden ontmoet bleef maar aan
me trekken. Iedereen, van de man die me praktisch bij de hand had genomen en me op de juiste plek bij het busstation in Ankara had afgele-
verd, tot de receptionist van het hotel, en nu Ali en de jonge jongens,
was zo beleefd en vriendelijk als je maar kon wensen. Ik voelde me in
een vreemde spagaat. Ik kende Turkijes afschuwelijke geschiedenis, wist
van de vele roof- en plundertochten tegen de Koerden en werd nu met
open armen ontvangen door een warm en hartelijk volk. Waar kwam al
die wreedheid vandaan? Hoe was die ontstaan? Alle voor de hand liggende antwoorden over hebzucht, territoriumdrift en onderwerping,
over angst en jaloezie, kwamen in me op. Maar dat waren maar woorden. Zoals altijd was het moeilijk om de ongelooflijk wrede geschiedenis van een land in overeenstemming te brengen met de ogenschijnlijke
vriendelijkheid die je bij de bevolking ontmoet.

Ik werd overmand door het bizarre gevoel dat je krijgt als je een per-
fect opgemaakte travestiet in de ogen kijkt. Je kunt naar dat gezicht staren zo lang je wilt, en weten dat het niet een vrouwengezicht is maar het
gezicht van een man, en toch blijft het moeilijk dat emotioneel met elkaar in overeenstemming te brengen. Een soort fascinatie maakt zich
van je meester, een onwil om de illusie los te laten. Welk beeld van Turkije was het echte? Of waren beide beelden even echt?

'Ben je wakker?' vroeg ik mijn moeder.

'Ja,' zei ze.

'De mensen hier doen me denken aan jaren geleden in Spanje,' zei ik. 'Ik weet niet hoe het er tegenwoordig is, maar toen ik daar woonde, namen ze je bij de hand als je de weg vroeg, en ze brachten je naar je bestemming, ook al moesten ze zelf een heel andere kant op. De Turken doen precies hetzelfde. Je zit met een hoofd vol Turkse geschiedenis van veroveringen, slachtpartijen en plundering, en dus reken je er bijna op een stel mopperende barbaren te zullen aantreffen die in staat zijn om zelfs het stof van je schoenen te stelen.'

'De mensen zelf zijn het nooit geweest,' zei mijn moeder. 'In ieder geval niet waar wij vandaan komen. Het was de regering. Mustafa Kemal. Atatürk. Die was het. Niet in zijn eentje, maar hem moet je hebben.'

'Maar ze liepen achter hem aan,' zei ik.

'Wat konden ze anders doen? Ze waren voetvolk. Maar je hebt gelijk,' voegde ze er na enig peinzen aan toe. 'Sommigen van hen waren wreed.'

'Het is net of jij ze nooit haat,' zei ik, 'zelfs niet na alle ellende die je hebt meegemaakt.'

'Ik zou niet willen dat mijn dochter met een Turk trouwde, laten we het daar maar op houden. Dat zou te veel herinneringen oproepen. Maar nee. Ik haat ze niet. Hoe zou ik ze kunnen haten? Alle dorpen en steden om ons heen waren Turks. We woonden vreedzaam samen met de Turken, dat was waarschijnlijk al eeuwen zo. We deelden werk en goederen. Verdriet kenden we niet, behalve misschien liefdesverdriet.'

En hoe zat het met mijn moeders liefdes? Ik vroeg me af of ze ooit het hof was gemaakt, ooit de opwinding van verliefdheid had gevoeld. Ik kwam in de verleiding het te vragen, maar besloot het te laten rusten tot een volgende gelegenheid.

De volgende ochtend gingen Harry, Ali, mijn moeder en ik in alle vroegte op weg op onze zoektocht naar Iondone. De zon scheen helder, maar in de verte, boven de bergen, lieten regenwolken voorzichtig hun gezicht zien. De auto zwoegde over de laatste bergen van Amasya en reed de vlakte op. Op de voorbank zaten Harry en Ali zachtjes te praten terwijl mijn moeder en ik vanaf de achterbank naar het verglijdende landschap keken.

'Kijk,' zei Harry. 'Een regenboog. Dat is vast een goed teken.'

Recht voor ons, balancerend op het randje van de horizon, reikte een enorme kleurenboog van het ene eind van de vlakte naar het andere. Midden onder de boog rees een paarse berg op met een platte top, als een tafereel uit *De tovenaar van Oz*.

'Denken jullie dat dat wil zeggen dat we onze pot met goud zullen vinden?' vroeg ik.

'Ik hoop het,' zei Ali.

In Niksar stelde Ali voor om een lunchpauze te houden. Het was een vrij grote stad op de plek waar ooit Cabeira, een bolwerk van de Pontisch Grieken, had gelegen. We parkeerden bij een grote markt, waar kooplui hun kleden, groente en handgemaakte bezems aan de man brachten. De stad was anders dan de andere die we tot dusver hadden gezien. Deze had opvallend brede straten en alleen laagbouw. Er ging een soort leegte van uit – of misschien is rust een beter woord. Alleen de markt en de omliggende straten bruisten van leven en kleur.

'Er is iets heel vertrouwds aan deze stad,' zei mijn moeder.

'Maar we zijn nog een heel eind van waar jouw dorp is,' zei Ali.

'En toch heb ik een gevoel alsof ik hier al eerder ben geweest.'

Het was de eerste keer sinds onze aankomst in Turkije dat mijn moeder zo'n gevoel had. We liepen de straat door naar een gebouw met één verdieping en namen de trap naar een restaurant. De ober bracht ons naar een tafeltje aan een groot raam met uitzicht op een brede, verlaten kruising. We gingen zitten en kregen een menukaart. Mijn moeder keek naar buiten.

'Toen mijn grootvader ons het huis uitzette, hebben we een poosje in een grote stad als deze gewoond. Of misschien had mijn grootvader er zijn winkel.'

'Je grootvader heeft jullie op straat gezet?' vroeg Harry. 'Waarom zou hij zoiets doen?'

Mijn moeder keek Harry verbaasd aan, en toen mij en Ali, maar we keken alle drie vragend terug, nieuwsgierig naar wat ze zou antwoorden.

'O,' zei ze. 'Een misverstand. Het was gewoon een misverstand.'

We zwegen verwachtingsvol, maar ze richtte haar blik weer naar buiten.

'Hoe dan ook,' zei ze, 'deze stad doet me denken aan de stad waar we terechtkwamen. En die straathoek daar lijkt wel de plek waar mijn vader zijn winkel had.'

'Best mogelijk,' zei Ali. 'Best mogelijk.'

Laat in de middag kwamen we in een klein bergplaatsje dat Aybasti heette. Ali had vastgesteld dat Aybasti het stadje was aan de voet van de berg waarachter de dorpen van mijn moeder lagen. Er was niets bijzonders aan de plaats, behalve misschien het feit dat in zo'n klein stadje gebouwen van vier verdiepingen stonden. Het had iets opgeslotens, alsof het werd ingeklemd tussen twee bergtoppen, een heel andere sfeer dan in Niksar. De hoofdstraat was eigenlijk meer een bescheiden plein, waaromheen in een ogenschijnlijk chaotisch patroon gebouwen stonden. De lucht was rokerig toen we aankwamen, en door de koele vochtigheid voelde het eerder aan als laat in de herfst dan als volop zomer.

'En nu?' vroeg ik.

'De rijkste man van de stad aan zijn jas trekken,' zei Ali, 'en aan hem vragen wat je wilt weten. Die weten altijd alles, en zo niet, dan komen ze er wel achter.'

Hij parkeerde de auto op het kleine plein voor Pirelli Tire. Behalve de zaak in Pirelli-banden zag ik niets wat op commerciële activiteiten duidde.

'En hier moeten we zijn, denk ik,' zei Ali. We stapten uit en gingen naar binnen. Ali vroeg naar de eigenaar en werd meegenomen naar een kamer achter de kleine winkelruimte. Mijn moeder, Harry en ik wachtten geduldig af.

'Nou?' vroeg ik, toen Ali terugkwam.

'Hij kent Iondone. Hij zei dat de weg ernaartoe slecht is. We blijven vannacht hier en gaan morgenvroeg de berg op. We kunnen een *dolmuç* vragen om ons te brengen. Dat is een soort taxi, een minibus.'

Ondertussen was het laat geworden. We liepen de steile trap op naar de receptie op de eerste verdieping van een van de enige twee hotels in het dorp. Het was erg primitief. We betaalden en kregen de sleutels van twee kamers op de vierde verdieping. Harry en Ali kwamen nog even kletsen op onze kamer en zeiden toen welterusten.

Mijn moeder en ik keken elkaar aan. Zo dichtbij. Zo dichtbij.

# 6

## *Op weg naar Iondone*

Aybasti, Turkije – augustus 1989

In onze kleine hotelkamer aan de voet van de bergen die mijn moeder ooit haar thuis noemde, kroop ik in het bed naast het hare en deed het licht uit. Voor het eerst in mijn leven realiseerde ik me hoe weinig ik eigenlijk van haar wist. Het was zo verleidelijk te denken dat je ouders nooit iets anders dan ouders waren geweest, en mijn moeder had haar rol van moeder zo goed vervuld. Ik keek naar haar in het kleine Turkse bed. Haar witte haar ving het flauwe licht in de kamer.

'Weet je,' zei ik. 'Er is zoveel wat je me nooit hebt verteld.'

'Waarover, schat?'

'Over je jeugd en hoe het vroeger was. Je hebt ons door de jaren heen wel allerlei verhalen verteld, maar ik weet dat er meer is dan dat. We zijn helemaal naar hier gekomen om jouw verleden, jouw thuis, te zoeken en nu realiseer ik me dat ik de mensen niet ken die jij je familie noemt. Ik heb nooit gevoeld dat ze van mij waren, dat ze ook bij mij hoorden. Wat ik me vooral herinner is dat je mij naar je kalfje hebt genoemd.'

Mijn moeder glimlachte. 'Niet waar,' zei ze. 'Maar mijn kalf heette wel Mata, en dat is een afkorting van Mathea.'

Feit is dat het verhaal van mijn moeder en haar kalf grote indruk op me heeft gemaakt als kind. De gedachte zo'n groot, gedwee beest te hebben had me met ontzag vervuld. Ik kon de namen van haar familieleden opnoemen, maar het waren maar namen gebleven. Haar moeders naam was Parthena. Haar vader heette Haralumbos, en ze noemden hem Lumbo. Ze woonden bij hun grootvader, Varidimei, en stief-grootmoeder. Haar oom Constantine en zijn vrouw en dochtertje woonden ook bij hen, allemaal samen in een blokhut. Ze had een twee-de oom, Lucas, die bij de broer van haar grootvader woonde. De man-nen van de familie waren smid, maar daarnaast bouwde haar vader viola's. Hij speelde ook viola. Haar grootvader speelde fluit. Ze had een paar jaar oudere zus die Christodoula heette en maar één broer, die een jaar jonger was. Hij heette Yanni. Dan had je de kleine Nastasía, die vijf jaar jonger was dan Yanni. En later kwam de tweeling: Mathea, naar wie ik ben genoemd, en Maria, naar wie mijn oudste zus Mariam is ge-noemd.

Mijn moeders schaarse verhalen over het leven in haar oude dorp waren me ook bijgebleven: hoe de vrouwen pasgeweven doek bleekten door het op de grond te leggen en te bedekken met koemest, want er zat iets in die koemest waarvan het doek extra wit werd. Daarna wasten ze het weer, en nog eens, en het werd zo wit als sneeuw. Ze vertelde hoe haar moeder boter maakte van de melk van haar tien koeien, die ze op-spaarde. Eerst kookte ze hem, zodat hij niet bedierf. Dan, als ze genoeg melk had verzameld, maakte ze eerst yoghurt. En uit de yoghurt haalde ze de boter door hem in een ton te doen, die aan touwen onder het afdak hing, en net zo lang te schudden tot de boter boven kwam drijven. En ze vertelde hoe haar vader in de herfst het bos inging om grote slakken te zoeken, die hij in een grote mand mee naar huis nam om ze de familie als escargots voor te zetten.

Natuurlijk, ik wist dat de Turken hen uit hun huizen hadden verdre-ven, maar mijn kennis daarvan was ook beperkt.

'Zeg me wat je wilt weten en ik zal het je vertellen,' zei mijn moeder.

'De kleine alledaagse dingen,' zei ik. 'En de grote dingen. Je hebt ons nooit de details verteld.'

'De details,' zei mijn moeder. 'Tja. Wat zijn de details? Ik neem aan dat een detail de manier is waarop het licht van het haardvuur op mijn moeders gezicht viel. Of mijn vader die na het avondeten op zijn kruk-je ging zitten om te zingen en te spelen. Of het geluid van mijn familie als ze met elkaar zaten te praten terwijl ik in het donker in mijn bed lag. Een zonsopgang. Een zonsondergang. En dan het sterven. Steeds maar dat sterven. Die dingen zijn het moeilijkst om aan terug te denken, want dan weet ik weer wat ik allemaal ben kwijtgeraakt. Hier in dit land te zijn, na al die jaren, brengt zoveel herinneringen boven. Waar zou ik moeten beginnen? Waar zou ik in vredesnaam moeten beginnen?'

Ik sloot mijn ogen en luisterde naar het geluid van mijn moeders stem in het donker, en opnieuw kwam er een stortvloed van mijn eigen jeugdherinneringen over me heen.

'Heb ik je verteld dat we in onze dorpen in blokhutten woonden?' zei mijn moeder. 'Het hele dorp kwam altijd bij elkaar om te helpen bij het bouwen van een huis voor een pasgetrouwd stel, als ze geen familie hadden om bij in te trekken. De zonen bleven meestal in het huis van hun vader als ze trouwden. De dochters gingen naar de schoonouders. Ik geloof niet dat de Turken ook blokhutten bouwden. Ik heb er tenminste nooit een gezien toen ze ons uit onze huizen wegjoegen. In het noorden heb ik een paar huizen gezien die van planken waren gemaakt, en in het zuiden gebruikten ze een soort bakstenen, maar nooit boomstammen. Zelfs de Turken in onze omgeving bouwden geen blokhutten. Ik vraag me af waarom niet.'

'Waarom heb je ons nooit verteld wat er in werkelijkheid is gebeurd?' vroeg ik.

'Toen ik pas in Amerika was heb ik een paar keer geprobeerd het aan je oom Elias te vertellen, maar die werd boos op me. Hij zei: "Kom op, zus! Laat nou lopen." En daardoor voelde ik me zo, eh... ik kan er geen goed woord voor vinden. Beschaamd, misschien. Zijn vrouw, Agnes, was een Armeense, maar ze woonden in de Bronx en ik zag haar zelden. Ik had niemand van mijn eigen mensen om mee te praten. Ik kon mijn kleine kinderen niet belasten met wat ons was overkomen. Het was te erg om te vertellen. Op het laatst heb ik mijn pogingen om erover te praten maar opgegeven. Maar mijn familie is nooit uit mijn gedachten verdwenen. Ik ben altijd blijven denken aan ons huis en land en hoe we daar leefden. Ik heb elk detail steeds maar weer in gedachten uitgetekend, al die jaren, om maar niets te vergeten, om alles levend te houden in mijn hart. Nu kan ik mijn ogen dichtdoen en ons mooie landschap voor me zien. Ik kan mijn ogen dichtdoen en zelfs mijn familie zien.'

Mijn moeder hield op met praten en de stilte in de kamer werd voelbaar.

'Gaat het?' vroeg ik.

'Laten we gaan slapen,' zei mijn moeder. 'Het wordt een lange dag morgen.'

'Kan ik iets voor je halen?'

'Nee, schat. Ga slapen.'

Ik geloof dat het verleden altijd een soort poëzie voor mij is geweest. Alle onbetekenende momenten van je leven vallen weg en alleen de belangrijkste blijven over. Zelfs slechte herinneringen hebben hun eigen poëzie en de kracht om hart en geest te vullen met een geleefd bestaan.

In Aybasti, op een steenworp van Iondone, terwijl Harry en Ali een kamer verderop lagen te slapen en mijn moeder en ik in ons bed lagen, gingen mijn gedachten onwillekeurig uit naar wat we zouden vinden. Ik wist dat we natuurlijk geen familie van mijn moeder zouden aantreffen, maar ik kon me niet losmaken van de paar beelden van hen die ik in mijn hoofd had.

Ik zag haar kalfje met een touw aan de oude appelboom staan, en ik zag haar vader en moeder naast het vuur zitten. Ik zag een schittering van het haardvuur in een traan in mijn grootmoeders oog als ze verrast opkijkt en zich realiseert wie we zijn. Mijn grootvader heeft zijn viola op zijn knie. De strijkstok in zijn rechterhand hangt stil in de lucht, klaar om langs de snaren te strijken. Mijn overgrootvader zit naast hem met de fluit aan zijn lippen. De broer en de zussen van mijn moeder zijn er ook: Christodoula, Yanni en Nastasía – mijn tantes en oom – nog steeds zo jong als toen mijn moeder ze voor het laatst zag, zeventig jaar geleden. Ze rennen op ons af, vol ongeduld om ons te ontmoeten, en aan te raken om zich ervan te overtuigen dat we echt zijn. Ze vliegen ons om de hals en barsten dan los in verhalen terwijl ik daar sta met een bevroren grijns die zegt: ik versta geen woord van wát jullie zeggen, maar ik ben toch dolblij dát ik het jullie allemaal hoor zeggen.

O god, dacht ik. Als je de tijd eens stil kon zetten, als je alle verschrikkingen en onmenselijkheid in de wereld eens kon uitwissen.

Mijn moeder vertelde me ten slotte haar verhaal. Ik heb het opgeschreven in een poging haar leven en haar mensen met haar te delen. En ofschoon ik de verschrikkingen niet kan veranderen, heb ik het opgeschreven in een poging de tijd te doen stilstaan. Ik had mijn moeder begeleid op haar zoektocht naar haar geboortegrond. Ze had er een leven lang op gewacht. Maar die avond, in mijn bed in de donkere hotelkamer, besefte ik dat die zoektocht ook de mijne was – dat ik ook een leven lang had gewacht om haar te leren kennen en haar mensen tot de mijne te maken.

# BOEK TWEE

## Verloren naam

Mijn tranen zitten diep.
Zelfs ik weet soms niet
dat ik huil.
Zal ik binnengaan
naar waar het huilen zit?

De vroegste gegevens van mijn moeders volk zijn vervlochten met de Grieken van het vasteland van Griekenland en Kreta. In het Paleolithicum, de steentijd (ca. 55 000-30 000 jaar geleden) maakten de mensen die het gebied van Griekenland bewoonden vakkundig bewerkte gereedschappen van hout, steen en been, en overleefden als jagers. Toen de gletsjers van de IJstijd zich omstreeks 12 000 voor Christus begonnen terug te trekken, ging ook het vissen op zee, in van riet en huiden gemaakte bootjes, deel uitmaken van hun activiteiten. Tussen 6500 en 3000 voor Christus begonnen de bewoners de velden te bewerken en dieren te houden, iets wat 2000 jaar eerder al werd gedaan in Klein-Azië, het land aan de overkant van de Egeïsche Zee dat door de Grieken Iona werd genoemd.

De ontwikkeling van brons in het Midden-Oosten, in het vierde millennium voor Christus, luidde het begin van de Bronstijd in. Toen andere metalen, zoals lood, zilver en goud, bekend werden en in omloop kwamen in Griekenland, en economie en culturele uitwisseling een grote vlucht namen, begon het land te floreren. Tussen 2100 en 1900 voor Christus vielen Indo-Europese volkeren met hun godenrijke en gewelddadige cultuur vanuit de bergen in het noorden en oosten de Griekse gebieden binnen. Sommige kunstvormen en gebruiken werden door de invallers overgenomen, maar voor het overige legden ze hun eigen leefwijze op aan de Grieken. Een vijfhonderd jaar durende periode van culturele stagnatie volgde, waarna er een opleving plaatsvond in de late Bronstijd tussen 1600 en 1150 voor Christus.

Door middel van een verbond met Kreta, Fenicië en Egypte bleef Griekenland zich ontwikkelen. Kretenzer kleitabletten die teruggaan tot zelfs 1800 voor Christus duiden al op het gebruik van geschreven teksten. Met de overname van Kreta omstreeks 1450 voor Christus door Mycene, een vooraanstaande Griekse stad in de Egeïsche beschaving, bereikte de late Bronstijd zijn grootste bloeiperiode. De laatste driehonderd jaar van de Bronstijd werd bekend als de Myceense periode, genoemd naar de 'gouden stad' Mycene, waar sommige van de mooiste artefacten uit de Bronstijd, vooral sieraden en verschillende voorwerpen van massief goud, zijn gevonden. Vanuit deze indrukwekkende stad is koning Agamemnon tussen 1250 en 1225 voor Christus met zijn legendarische leger ten strijde getrokken tegen Troje – een stad op de westkust van Iona – om de vrouw van zijn broer Menelaus, de schone Helena, te bevrijden.

Omstreeks 1200 voor Christus vielen opnieuw Griekssprekende volkeren binnen vanuit het noorden, en duistere tijden braken aan. De vernietiging die de invallers teweegbrachten was zo ingrijpend dat zelfs de schrijfkunst verloren ging. Rond 1200 voor Christus vond er een grote volksverhuizing plaats toen de Grieken massaal de Egeïsche Zee overstaken naar de eilanden en kustgebieden van Iona. Driehonderd jaar lang leefde de herinnering aan de Bronstijd alleen voort in de orale poëzie.

In 1000 v.C. vestigden de Doriërs, een Grieks-sprekend volk uit het Pindusgebergte, zich in Griekenland. In 800 v.C. ontwikkelden de Grieken opnieuw een alfabet en ze begonnen tempels te bouwen. In 776 v.C. werden de eerste Olympische Spelen gehouden. De vernieuwing van Griekenland bereikte klaarblijkelijk ook Iona, want juist in die tijd schreef de blinde dichter Homerus, een Griek uit Iona, over de Trojaanse Oorlog, vijfhonderd jaar nadat de feitelijke gebeurtenissen hadden plaatsgevonden. Homerus' epische gedichten over de Bronstijd, de *Ilias* en de *Odyssee*, brachten de Trojaanse Oorlog en zijn hoofdrolspelers, koning Agamemnon en oude Griekse helden zoals Odysseus en Achilles weer tot leven en maakten de dochter van Zeus en Leda, Helena, wier gezicht 'duizend schepen had doen uitvaren' nadat ze door Paris naar Troje was ontvoerd, onsterfelijk.

Omstreeks de tijd dat Homerus' zijn epische gedichten schreef ontstonden er stadstaatjes in Griekenland – naar het voorbeeld van stadstaten in het Mesopotamië van rond 3500 v.C. – en vond opnieuw kolonisatie plaats. In Iona migreerden kolonisten naar het noorden en oosten om zich in het Pontisch Gebergte en langs de zuidkust van de Zwarte Zee te vestigen. Sinope was de eerste Ionische stad die er werd gesticht, door kolonisten uit Miletus, in 785 v.C. Vanuit Sinope werden andere steden gesticht, waaronder Amisus (Samsun), Kotyora (Ordu) en in 756 v.C. de beroemde stad Trapezus (Trapezunta/Trebizond/Trabzon).

De Zwarte Zee werd door de oude Grieken eigenlijk Euxinos Pontos (Vriendelijke Zee) genoemd. *Pontus* is een Oudgrieks woord dat 'zee' betekent. *Pontios* betekent 'persoon van de zee'. Aan deze Oudgriekse woorden ontlenen zowel de bergketen als de Grieken die er woonden, de Pontiërs, of Pontisch Grieken, hun naam. Xenophon en zijn 10 000 soldaten vonden na hun terugtocht uit Mesopotamië in 400 v.C. een veilig heenkomen in het Pontisch Gebergte. De legende van de zoektocht naar het Gulden Vlies van Jason en de Argonauten is nauw verweven met de Pontiërs, net als de legende van Heracles die de gordel van de Amazone-koningin rooft. De filosoof Diogenes (412 – 323 v.C.), van wie wordt gezegd dat hij er met een lantaarn op uitging om een eerlijk man te vinden, en de grote geschiedschrijver en geograaf Strabo (63 v.C. – 23 n.C.) waren beiden Pontiërs.

Deze Pontisch Grieken waren mijn moeders volk, en dit is haar verhaal.

# 7
## *Verloren naam*

Daar zat ik dan, in Aleppo, Syrië, meer dan vijftienhonderd kilometer van huis. Ik was pas vijftien en zou trouwen met een man die ik niet kende en die drie keer zo oud was als ik. Tenminste, ik denk dat ik vijftien was, maar ik kan best jonger zijn geweest. Ik had nog geen borsten en menstrueren deed ik ook nog niet. Om eerlijk te zijn, ik wist niet eens wat dat was, had er zelfs nooit van gehoord. Ik had geen vrienden met wie ik over dat soort dingen kon praten, en ik had het veel te vroeg zonder moeder moeten stellen, dus voor mijn kennis over het vrouw-zijn was ik afhankelijk van de mensen met wie ik samenwoonde. En die vertelden me niks.

Zij heetten Hagop en Zohra Maybalian, een Armeens stel uit Diyarbakir, in Turkije. Daar had ik ze ontmoet. Ze woonden bij Zohra's moeder. Of liever gezegd, Zohra's moeder woonde bij hen. Nana, noemden ze haar. Ik noemde haar nooit iets.

Zohra was een geduldige vrouw, die in stilte het huishouden deed. Hagop was timmerman. Hij maakte muziekinstrumenten en houten keukengerei. Hij maakte ook *cob-cobs*, een soort houten sandalen in Japanse stijl, die de drager een centimeter of tien de lucht in tillen. Het was een aardige man. Geen prater.

Nana was een heel ander verhaal. Ze was al behoorlijk oud en zo krom als een hoepel. Ze kon niet rechtop staan. Ze moest op haar eigen knieën leunen om in evenwicht te blijven, anders zou ze zo voroovervallen. Maar ze zat geen minuut stil. Ze was net zo actief als een jonge vrouw, alleen twee keer zo bazig. Haar handen waren altijd bezig met wasgoed inzamelen voor extra inkomsten of sierrandjes haken om de zakdoeken die ze verkocht. Ze had de wil en vastberadenheid van een stier en de blik van een adelaar.

Ik was pas tien toen ik mijn moeder kwijtraakte. Ze liet me achter bij een vrouw in een klein lemen dorp in het zuiden van Turkije. Maar de vrouw bij wie ze me achterliet wilde alleen maar een slaaf. Natuurlijk zei ze dat niet toen ze aan mijn moeder vroeg of ze me mocht houden. Toen de vrouw vroeg of ik mocht blijven, zei mijn moeder eerst dat ze me niet kon achterlaten omdat ik niet van haar was. Ze wilde de vrouw niet teleurstellen, vermoed ik. Mijn moeder zei dat ze het niet kon verdragen mij te laten gaan. Ze huilde en huilde. Maar toen, toen ze zag hoe weinig eten we bij elkaar hadden gehaald voor de familie, veranderde ze van gedachten. Ik weet dat ze het heeft gedaan om mijn leven te redden. Zovelen van ons volk waren al gestorven en in mijn eigen familie ging de een na de ander dood.

Na een paar jaar door die vrouw te zijn mishandeld, ben ik eindelijk weggelopen, helemaal naar Diyarbakir. In Diyarbakir heb ik een paar dagen bij een andere vrouw gezeten, die me niet wilde. Dat was toen Zohra me vroeg of ik bij haar en haar familie wilde komen wonen. Zij en Hagop hadden twee kleine kinderen. En daar kwam ik van pas. Ze zei dat ik voor ze kon helpen zorgen. Eigenlijk had Zohra op dat moment maar één kind. Het andere was onderweg. Ik weet niet wat er met me gebeurd zou zijn als zij me niet in huis hadden genomen. De vrouw bij wie ik was zou me waarschijnlijk op een kwaaie dag de deur hebben gewezen en ik zou op straat zijn verkommerd. Dus toen Zohra me vroeg of ik bij hen wilde wonen zei ik natuurlijk meteen ja. Waar moest ik anders naartoe op mijn twaalfde in een grote stad waar ik niemand kende?

Ik heb een paar jaar bij Zohra en haar familie in Diyarbakir gewoond. Toen hoorden we dat er Turkse soldaten onderweg waren om de rest van de christenen uit Turkije te verbannen, zelfs die uit het zuiden. Hagop en zijn familie besloten te vertrekken. Ze hadden een mooi huis in Diyarbakir maar ze lieten al hun bezittingen achter. Alle andere Armeniërs gingen ook weg, geloof ik. Dat wil zeggen, alle Armeniërs die de Turken niet al hadden vermoord.

Ze namen mij mee en we gingen naar Aleppo, in Syrië, waar we eindelijk veilig zouden zijn. Ze huurden er een flatje. Het had maar één kamer, op de bovenverdieping van een gebouw van tweehoog met een binnenplaats. We sliepen, aten en verbleven met z'n allen in die ene kamer.

Sommigen zullen zeggen dat Hagop me voor geld heeft uitgehuwelijkt, omdat hij twintig goudstukken vroeg van de man met wie ik ging trouwen. Dat was in 1925 een hele hoop. Maar betalen voor de bruid was toen gebruikelijk.

Nadat Hagop me had verteld dat ik zou trouwen, dacht ik telkens als ik me er iets bij probeerde voor te stellen aan de oude man met wie ik moest trouwen, en dan werd mijn hoofd leeg. Ik had een vader nodig, geen echtgenoot. En wie ik vooral nodig had was mijn moeder. Ik wilde alleen nog maar naar huis. Maar naar huis gaan was uitgesloten, voorgoed. Ik was ze allemaal kwijt, iedereen en alles uit mijn dierbare verleden. Het enige wat ik over had waren mijn herinneringen en twee kleine littekens op mijn been. Tegen de tijd dat ik tien jaar oud was, had ik alles verloren. Zelfs mijn naam.

Mijn herinneringen aan de laatste zomer die we op ons land doorbrachten zijn misschien wel mijn allermooiste herinneringen. Dat was de zomer dat mijn grootvader me mijn eigen kalfje gaf, en de laatste zomer die ik als een zorgeloos kind zou doorbrengen.

Toen heette ik geen Sano. Ik heette Themía, en die zomer was ik negen, geloof ik. Verjaardagen vierden we niet in die afgelegen bergdorpen in het noordelijke deel van Centraal-Turkije. De Turken noemden ons Rüm. Ik had altijd gedacht dat dat 'Grieken' betekende, maar het betekende 'Romeinen'. Wij waren Pontisch Grieken, en onze geschiedenis voerde terug tot de tijd dat het Romeinse Rijk het land regeerde en zelfs verder, helemaal tot aan de achtste eeuw voor Christus.

Onze dorpen lagen hoog in de bergen ten zuiden van Fatsa en Ordu, aan de Zwarte Zee. Tegenwoordig is het maar een paar uur met de auto, maar in 1910 was reizen een stuk ingewikkelder. Ezels en *gamish*, een soort waterbuffels, ploeterden met hun karrenvrachten of zadeltassen vol proviand over stoffige kronkelpaden de berg op. Mijn vader en grootvader hadden het vaak over verafgelegen steden en soms gingen ze ernaartoe om voorraden te halen.

Op een dag kwam grootvader thuis met een nieuwe buit. Ze was een protestantse vrouw en ze kwam met al haar mooie spullen en richtte zich in. Ze had linnengoed bij zich en handdoeken… een echte luxe in ons kleine dorp. Mijn echte grootmoeder was een paar jaar eerder in het kraambed gestorven. Ze hadden haar in een wit kleed gewikkeld en opgebaard in de mooie kamer van ons huis. Vanuit al dat omringende wit staarde haar grijze gezicht met de kalme gratie die alleen de dood is toevertrouwd de wereld in. Nog jaren heb ik, te jong om alles tot in detail te kunnen begrijpen, gedacht dat ze haar ook ergens in huis hadden begraven. Dus toen mijn nieuwe grootmoeder kwam, vroeg ik me vaak af of ze op een dag, bij het schoonmaken of opruimen, bij toeval haar rivale zou vinden, koud en bewegingloos, met kiezelsteentjes op haar ogen om ze dicht te houden.

De Eerste Wereldoorlog was net het jaar daarvoor afgelopen. Het was een gruwelijke oorlog die vier jaar duurde en aan ten minste dertien miljoen mensen het leven kostte. Om de zoveel tijd hadden Turkse soldaten onze dorpen uitgekamd en onze mannen van akkers en wegen geplukt. Ze stuurden ze naar werkkampen om snelwegen aan te leggen en loopgraven te maken. De meesten zijn nooit teruggekomen.

Maar die zomer rook de lucht naar hazelnootvuurtjes en vers gebakken brood, en de takken van de perenbomen op de helling onder onze blokhutten bogen door onder het gewicht van hun vruchten. De heuvels en dalen lagen als een zee van groen om ons heen. Overeral waren maïsvelden en perenbomen, met daartussen onze geweldige tuin, die ons in leven hield. En de goudgele gerst- en tarwevelden wuifden in de stralende zon.

Hier en daar speelde een zanderig bergpad, waarlangs de koeien van stal naar weide sjokten en weer terug, kiekeboe met de blauwe lucht, en soms rezen grote witte wolken als sprookjeskastelen boven de bergtoppen uit.

Er waren drie Griekse dorpen in die bergen. Drie zusterdorpen, zou je kunnen zeggen. Ik herinner me niet hoe ons dorp of het andere kleine dorp heette, maar het grootste, waar de kathedraal stond, heette Iondone. Het lag aan de overkant, het dal beneden ons dorp door en de volgende helling weer op. Ons dorp telde dertig huizen en het andere achtentwintig, maar in Iondone waren er meer dan tweehonderdvijftig.

We hadden schitterende bossen in het noorden, maar alleen de Grieken bouwden blokhutten. In ons huis was de slaapkamer van mijn grootouders ook keuken, eetkamer en wat we onze woonkamer zouden mogen noemen. Daar had je de haard. Dan was er de mooie kamer, waar oom Constantine en zijn gezin sliepen, de bijkeuken of provisiekast, waar we onze voedselvoorraad voor het hele jaar bewaarden, en onze kamer, de enige andere kamer met een haard. De badkamer, zou je kunnen zeggen, was een soort buitengemak, maar dan binnen: een klein apart kamertje dat uitstulpte uit de buitenmuur en boven de grond hing. Je moest met je benen wijd boven een gat in de vloer staan, op z'n Turks, om je behoefte te doen op de koeienmest die eronder lag. De beesten zaten onder het huis. De opstijgende warmte van hun lichamen hielp de kamers erboven te verwarmen.

Een van mijn grootse bronnen van vreugde was mijn kalfje Mata. Ik heb haar wel bereden. Dat was niet iets wat ik gewoonlijk deed, maar op een dag klom mijn oudere zusje Christodoula op haar rug om haar naar huis te rijden. Ze wipte op en neer om Mata aan te moedigen.

'Vooruit,' zei ze. Maar Mata gooide haar kop in de nek en zette haar hoefjes schrap in het gras. Ik trok aan de vacht in haar nek om haar naast me te laten lopen, maar hoe harder ik trok, des te harder stribbelde ze tegen.

'Ik zal duwen,' zei mijn broer Yanni.

Hij zette beide handen tegen haar kont en duwde zo hard hij kon. Maar Mata verzette geen poot.

'Duw jij, dan trek ik,' zei ik. Ik rukte uit alle macht terwijl Yanni zijn rug tegen haar kont zette en zo hard duwde dat zijn hakken zich in het gras boorden. Maar Mata verzette nog steeds geen poot.

'Kom bij me zitten, Themía,' zei Christodoula. 'Misschien dat ze dan beweegt.'

Ik pakte een steen en legde hem naast Mata. Toen ging ik erop staan om mezelf een eindje op weg te helpen, maakte een sprongetje, landde met mijn buik op haar achterste en hees mezelf rechtop achter mijn zus. Ook ik ging op en neer wippen.

'Vooruit,' zei ik in de maat schoppend met Christodoula. 'Vooruit, kleine dondersteen.'

Maar Mata loeide naar de lucht en dat was het.

'Ik ga een tak pakken. Dan gaat ze wel vooruit,' zei Christodoula.

Ze zwaaide haar been over Mata's hoofd en liet zich naar de grond glijden. Maar ze had zich nog niet omgedraaid of Mata besloot ervandoor te gaan. Verrast en verrukt greep ik me vast aan haar vacht om te blijven zitten. Mijn benen zwiepten alle kanten op.

'Wacht!' riep Christodoula ons na, rennend zo hard ze kon. Yanni zat vlak achter haar. 'Wacht op mij,' riep ze.

Maar Mata rende en ik lachte, de hele lange weg de heuvel af en weer naar boven, richting huis. Ik lag voorover, hield mijn armen stijf om haar nek om niet te vallen en drukte een kus in haar vacht telkens wanneer mijn hoofd tegen haar aan botste.

# 8

## *Een karavaan koeien*

Het zou gemakkelijker zijn om uit te leggen wat er met de Pontisch Grieken is gebeurd als ik gewoon kon zeggen dat de Turken en de Grieken elkaar haatten, en dat de Turken daarom met ons hebben gedaan wat ze hebben gedaan, maar dat zou bezijden de waarheid zijn. Tenminste, waar wij woonden. Alle dorpen om ons heen waren Turks, en zo lang ik me kan herinneren hebben we altijd zonder grote problemen van wat voor aard dan ook naast elkaar gewoond, alleen af en toe wat problemen met de liefde. Maar dat was meer romantisch. Die laatste zomer ging een Grieks meisje uit een van onze dorpen ervandoor met een Turkse jongen om te trouwen. Dat heeft flinke opschudding gegeven. Volgens sommigen was ze ontvoerd, maar ik geloof niet dat iemand dat geloofde.

De dag dat we het hoorden lag ik 's avonds in mijn bed te vechten tegen de slaap, dat weet ik nog goed, en ik staarde naar de donkerte tussen de balken van het plafond. De kleine Nastasía sliep naast me. Haar warme voeten lagen stijf tegen mijn dij. Het geluid van haar ademhaling ging op en neer als de heuvels en dalen rondom de boomgaarden van onze vriendelijke boerderij. Christodoula sliep ook vlakbij en Yanni was tegen haar aan gekropen om warm te blijven.

In de andere kamer hadden mijn ouders en grootouders het over de jonge mensen die ervandoor waren gegaan. Ik spande me in om mijn ogen wijdopen te houden, alsof dat me zou helpen beter te horen in het donker. Tussen inademen en uitademen door pikte ik hele woorden op uit het lage geroezemoes van hun stemmen, dat zich samen met het flauwe schijnsel van het haardvuur onder de ruwe houten deur door wrong. Turk… kind… kapot… Griek. Ik vroeg me af hoe het zou zijn om weg te lopen en iedereen achter te laten – moeder, vader en alles wat me dierbaar was.

Tegen de ochtend was het voorbij. Ik was in slaap gevallen en keek verbaasd toe hoe het grijze ochtendlicht de kamer vulde. Het knappend haardvuur en de geur van koffie prikkelden mijn zintuigen. Ik ging rechtop zitten en door het raam kon ik alleen het hoogste topje van een paar perenbomen boven de mist zien uitsteken.

'Christodoula,' fluisterde ik, 'ben je wakker?'

'Nee,' zei ze, terwijl ze zich omdraaide en mij met haar achterste aanstootte.

Ik kroop over Nastasía heen en liet mijn voeten op de koele houten vloer tussen de matten zakken; ik had nog steeds mijn nieuwe schoenen van koeienhuid aan, die grootvader de dag tevoren voor me had gemaakt. Ik had ze niet uit willen trekken.

In grootvaders kamer was het vuur in de houten schouw al hoog opgestookt. Ze zaten allemaal rond de lange houten tafel die grootvader vele jaren geleden had gemaakt: grootvader, mijn stiefgrootmoeder, vader en moeder en oom Constantine en zijn vrouw. Ze zaten koffie te drinken en aten brood. Hun matjes en dekens lagen allemaal al keurig opgevouwen op hun plaats op de plank, om de vloer vrij te maken.

Ik liep stilletjes naar binnen, ging op een vrije stoel naast grootvader zitten en legde mijn hoofd tegen hem aan. Zijn sterke arm kwam als vanzelf om mijn schouder, en hij gaf me klopjes op mijn arm.

'De jongen is geslagen door de mannen van het dorp,' zei mijn vader. De frisheid van een vroegeochtendwandeling hing nog steeds in zijn kleren en haar. Moeder schonk hem koffie uit een kleine koperen pot, en ging toen verder met de gesmolten boter te verdelen over het platte brood dat ze had gebakken voor het ontbijt.

'Ze hadden niet weg moeten lopen,' zei grootvader. 'Zij is een christen en hij een moslim. Wat voor toekomst zouden ze samen hebben gehad?'

'Wat is er met het meisje gebeurd?' vroeg moeder, zich tot mijn vader richtend. Het was niet gepast dat een vrouw rechtstreeks tegen haar schoonvader sprak.

'Het meisje is naar haar ouders teruggebracht. Het is een akelige kwestie,' zei mijn vader.

Later die dag kwamen de vrouwen van het dorp bij elkaar om brood te bakken in de steenoven die grootvader vlak bij ons huis had gebouwd.

'Ik geloof er niks van, dat ze vrijwillig is gegaan.'

'Hij moet haar meegesleept hebben.'

'Je weet nooit wat er in het hart van zo'n jong meisje omgaat,' zei een derde vrouw zacht. Bijna onmiddellijk sloeg ze haar ogen neer en begon aan haar schort te frunniken, alsof ze aan een zondige kus dacht.

We leidden een eenvoudig bestaan en behalve dat ene incident hadden we die zomer geen moeilijkheden met de Turken. Er was maar één geval van geweld, maar dat kwam van iemand uit ons eigen midden. Het was zeldzaam in onze dorpen, maar goed en kwaad heb je overal, neem ik maar aan. Het overkwam mijn moeder. Mijn hart doet pijn als ik eraan denk.

We maakten onze dagelijkse wandeling naar de tuin, mijn moeder en ik, met z'n tweeën, toen we twee jongens bij onze tarwevelden zagen. Een zacht windje dat over de bergen uit het zuiden kwam, gaf het dorp een vredige stemming die elk gevoel van angst verjoeg. Het diepe en rijkgeschakeerde groen van de bergen was nog intenser dan anders en lag als een kunstig geweven deken over het landschap. Wilde bloemen piepten uit elke spleet en hoog boven ons hoofd dreven adelaars op de warme luchtstromen. Op zulke dagen was het moeilijk om te geloven dat er ooit oorlog was geweest of dat er gevaar op onze weg lag.

De jongens waren lang, met blozende gezichten en dicht zwart haar. De een was een jaar of zeventien, de ander een jaar of twee jonger. Ze hadden hun koeien ons tarweveld ingedreven om van onze tarwe te eten.

'Hé, jullie!' riep mijn moeder naar de jongens. 'Wat zijn dat voor manieren om jullie beesten in de tarwe te laten lopen?'

Moeder liep naar de jongens toe, en ik volgde haar op de voet. De prikkerige korenaren stootten zachtjes tegen mijn borst en bijna tegen mijn kin.

'Bemoei je met je eigen zaken!' riep een van de jongens. 'Doe jezelf een plezier en loop gewoon door.'

'Nou, dit zíjn mijn zaken,' riep mijn moeder. 'Wat zouden jullie ouders ervan zeggen als ze wisten dat jullie onze tarwe vernielden?'

Daarop kwamen de jongens dreigend naar ons toe gelopen en gingen uitdagend, schouder aan schouder, voor haar staan, zo dichtbij als mogelijk was zonder haar aan te raken. Moeder stak een hand naar me uit om me veilig achter haar rug te trekken. Mijn hart ging tekeer en mijn adem kwam niet verder dan mijn keel. Ik keek naar haar op, in afwachting van een soort teken. Donker en trots stond ze daar; een om haar lange zwarte haar geknoopte doek omlijstte haar mooie gezicht.

'Wie zegt er hier iets tegen onze ouders?' zei de jongen.

'Laat mijn moeder met rust!' riep ik, in een poging ze met mijn felheid te verjagen.

Maar de langste van de twee bracht zijn gladde, zelfgenoegzame gezicht vlak voor het gezicht van mijn moeder. Zijn ruige bouw en rode wangen pasten op de een of andere manier niet bij zijn gitzwarte haar en spottende boerenogen. Ik deed mijn best om me uit de beschermende greep van mijn moeder los te wringen, maar ze hield me stevig vast.

'Mijn vader zal jullie allebei vermoorden als jullie haar iets doen,' riep ik.

'Nou?' zei hij, terwijl hij zijn nek uitrekte om zijn gezicht nog dichter bij dat van mijn moeder te brengen. 'Wie zal het tegen onze ouders zeggen?'

Moeder wilde zich van hem afwenden, maar de jongen greep haar bij haar schouders en duwde haar tegen de grond.

'Rennen!' riep moeder. 'Rennen!'

En toen de jongen zijn hand opstak om haar te slaan, rende ik er inderdaad vandoor. Ik hoorde het geluid van de klappen in mijn oren suizen alsof ze op mijzelf terechtkwamen. Ik rende. Nee. Ik vloog als een vlinder boven de grond, op en neer in mijn vlucht over stenen en kuilen, hoger zelfs dan de tarwe, boven de uithalende aren die naar mijn lange, felgekleurde jurk graaiden, boven het steken en striemen van mijn zachte huid. Ik vloog naar het open veld, de heuvel op en langs het huis, naar de smederij van mijn vader. Ik stormde buiten adem naar binnen, mijn wangen gloeiden en waren nat van de tranen. Ik barstte los. 'Mama! Mama!' riep ik.

Mijn vader keek op van het vuur, waar hij met een grote stalen klauw een stuk ijzer in hield terwijl mijn grootvader de balg bediende.

'Het tarweveld… Ze slaan mama,' zei ik tussen mijn snikken door.

Vader liet zijn gereedschap los en stoof de deur uit. Ik rende achter hem aan, en pas aan de rand van het tarweveld gaven mijn voeten het op. Ik bleef hijgend en snikkend staan en keek mijn vader na, die met hoge sprongen door de tarwe achter de jongens aan ging.

Ze liepen lachend naast elkaar voort, totdat ze de woedende beer in het oog kregen die op hen af kwam denderen. Toen zetten ze het op een lopen, springend en struikelend door de tarwe als gieren die zwaar waren van een pasgenoten maaltijd. Ik stond daar en hoorde mijn vaders stem en zag zijn rechtervuist op de langste jongen neerkomen; ik stond daar en zag zijn linkervuist uithalen en de kaak van de ander raken, en ik stond daar en hoorde hun kreten terwijl de ene klap na de andere hun arrogante lachen verplettterde en de eer van mijn moeder herstelde. Toen hinkte ik naar de plek waar mijn moeder als een ellendig hoopje op de grond lag en legde mijn hoofd op haar borst.

De volgende morgen tijdens het ontbijt werd er op de deur geklopt. Mijn moeder zat naast me. Door de rode zwelling naast haar oog en op haar wang begonnen de kneuzingen zichtbaar te worden.

'Lumbo!' riep een stem door de zware houten panelen.

Mijn vader ging staan en liep naar de deur, negen paar ogen volgden hem. Niemand zei een woord. Hij deed de deur met een zwaai open.

'Mijn zoons zijn weg,' zei de man in de deuropening. Hij hield zijn hoed in de hand en richtte zijn blik niet op van de vloer. 'Ze zijn niet thuisgekomen gisteravond. Zou jij me kunnen helpen ze te zoeken?'

Vader keek naar ons om en wachtte af. Zijn blik bleef op mijn moeder rusten. Zij keek hem een ogenblik aan, sloeg haar ogen neer en knikte instemmend.

De jongens hadden zich verstopt in de bergen, uit angst om zich thuis te laten zien. Mijn vader wees de weg. Er werd met geen woord gerept over de ontvangen of uitgedeelde klappen. Zo ging dat in onze Griekse dorpen. Er was geen politie, we hadden geen rechters. Het was lik op stuk. Niemand die daar vraagtekens bij zette. Zelfs niet de familie van degene die gestraft was. Het was een erekwestie een fout te erkennen. Daardoor bleef de vrede bewaard.

Het is vreemd, zoals flarden van je leven soms door je hoofd kunnen schieten. Ik moest altijd moeite doen om me mijn leven in ons dorp voor de geest te halen, maar soms kwam het helemaal vanzelf. Soms kon een streep schuin naar binnen vallend zonlicht me aan thuis doen denken, aan de manier waarop de vroegeochtendzon langzaam grootvaders kamer binnenkwam, de tafelrand pakte en een gouden band langs de muur liet zakken die op mijn vaders viola bleef rusten.

Soms sleepten Christodoula, Yanni en ik onszelf nog voor zonsopgang uit ons bed en kleedden we ons in het donker aan. Moeder was dan al opgestaan om de haard aan te maken, de koeien te melken en het ontbijt klaar te zetten. We ontbeten bij het schijnsel van het haardvuur, joegen daarna onze tien koeien en mijn kalfje Mata naar buiten en dreven ze door het dorp. Christodoula moet toen een jaar of twaalf zijn geweest, want ze was drie jaar ouder dan ik. Yanni was acht, een jaar jonger.

'Hé, kinderen!' riep eens een broze stem uit een raam tijdens een van die tripjes. 'Waar gaan jullie op dit uur van de dag al naartoe? De hemel is nog donker.'

'We gaan naar de weide,' zei Yanni.

'Willen jullie mijn koeien ook meenemen?' vroeg de oude vrouw, terwijl ze met haar geaderde, magere hand nog wat meer graankorrels uitstrooide voor de kippen onder haar raam.

'Natuurlijk,' zei ik. 'We gaan naar de berg aan de andere kant van Iondone.'

'O, mooi!' De oude vrouw klonk blij verrast. 'Het gras is mals daar. Maar pas op dat de Turkse geesten jullie ziel niet te pakken krijgen.'

'Goed,' zei ik vlug, zonder te begrijpen wat ze bedoelde.

Ik stapte de onderbuik van haar huis in, waar de dieren werden gehouden. Christodoula volgde me op de voet. We namen de koeien van de oude vrouw mee naar buiten en vervolgden onze weg naar Iondone, waarna onze stoet van koeien nog een poos bleef aangroeien.

Terwijl we aan het eind van het dorp de laatste heuvel namen, mengde zich het gekwetter van vogels met het geloei van onze kudde. Een haan kraaide en toen een volgende, en een derde beantwoordde hun geroep. Een ezel balkte. Ergens ver weg in de bergen loeide een koe, en duizend vogels wipten van tak tot tak en tsjirpten en zongen om de ochtend te prijzen, totdat het hele dal en de omringende heuvels leefden van het concert van ezels, koeien, vogels en roodgestaarte hanen die hun gebied claimden. Als de hoorns van een jachtgezelschap bewerkten hun opruiende stemmen de bergkammen om de zon uit zijn schuilplaats te jagen, en ze bereikten een climax een zonsopgang waardig.

Als aangetrokken door een herfstdraad richtten mijn ogen zich naar het oosten, waar de zon net zijn stralende gezicht liet zien boven de berg. Voor mij vlamde het haar van mijn zus en een gouden licht overspoelde de heuvels. Mijn eigen hand bloedde een gouden licht dat de vacht van het kalf dat ik meevoerde doordrenkte. Zelfs het gras verschoot van kleur: eerst goudgeel, dan groen en dan weer goudgeel, in een koketterie met de zon. Toen steeg de zon boven de bergkam uit, bereikte zijn volle sterkte, zoog het goud weer in zich op en verruilde het voor zilver.

Toen we de helling naar Iondone afdaalden ontvouwde zich naast ons een tuin. De pompoenen waren al flink groot en de maïs stond in dichte, ondoordringbare rijen naast elkaar; de kolven hadden hun zijdeachtige bloeipluimen al afgeschoten. We zagen stokbonen, kool en een groente die we kenden als *lahana*, die moeder droogde voor 's winters in de soep. De overvloed van die zomer was alom.

'Aardappelen,' zei Christodoula, en ze wees naar een akkertje met lage, groene, bladerrijke planten. 'Zou het niet lekker zijn om wat aardappelen te poffen terwijl de koeien grazen?'

'Waar dan?' zei Yanni. 'Ik zie helemaal geen aardappelen.'

'Die zitten onder de grond,' zei Christodoula.

'Hoe weet je nou dat ze daaronder zitten?'

'Ik weet het gewoon,' zei ze. 'Dat zie ik aan de bladeren.'

'Nou, hoe komen we aan een paar?' vroeg Yanni.

'We zouden ze kunnen opgraven met een stok en met onze vingers,' zei ik, denkend aan een warme, boterzachte aardappel op mijn tong.

'Denk je dat ze het erg zouden vinden als we er een paar pakten?' zei Christodoula.

'Ieder een paar,' zei ik, 'dat zullen ze vast niet missen. Kijk hoeveel ze hebben.'

Daarop gingen we zonder verder nadenken aan de slag; wel gingen we op onze hurken zitten en maakten we ons zo klein mogelijk voor het geval er iemand zou komen kijken. Maar we wisten dat de eigenaars slechts zouden glimlachen. Christodoula en ik stopten onze aardappelen in onze schorten. Yanni deed die van hem achter de band van zijn broek en we gingen verder.

We wasten onze aardappelen in een stroompje dat uit een bergspleet kwam en volgden toen het pad dat in bochten en kronkels langs een afschrikwekkende diepte naar boven liep. Op de top spreidde zich een weelderige vlakte uit boven een ingesloten dal, waar een klein stenen huis, het enige in de wijde omgeving, zich koesterde in de zon. We lieten de koeien vrij om te grazen en lieten ons opgewekt in het malse groene gras neerploffen. We plukten wilde bloemen, deden spelletjes en gingen toen naar het nabijgelegen bos om hout voor een vuurtje te halen.

Op een vlak en stenig stuk maakten we een kuiltje en we wikkelden onze aardappelen in grote vochtige bladeren. Toen deden we ze in het kuiltje en legden een vuurtje aan op de aardappelen. Onze lucifers waren gemaakt van boompaddestoelen, waar net zo lang op geslagen was tot ze helemaal plat waren en die vervolgens waren gedroogd en in kleine reepjes gesneden. Ik hield er een tegen een wit steentje en gaf er toen een klap op met een ander wit steentje, en nog een, tot er vonkjes kwamen. Ondertussen hield Yanni er dor gras bij en blies om het vuur op gang te helpen.

Tegen de middag waren onze aardappelen gaar. We verslonden ze met smaak, braken ze open terwijl ze nog gloeiendheet waren en likten na elke hap onze vingers af om te blussen. Toen vielen we in slaap voor de smeulende resten van het vuur.

Ik dacht dat ik droomde van een treurige stoet in het zwart geklede vrouwen die hun bleke handpalmen ten hemel hieven. Mannen met gebogen hoofd kwamen achter hen aan, hun handen gevouwen voor hun buik. Klagende stemmen trokken over de heuvels als sluimerende walvissen over de deinende de zee. In zijn lijkwade, op een baar van stokken en stro, werd door zes mannen een dode meegedragen.

Ik sloeg mijn ogen op. Een bedroefd gevoel lag als een steen op mijn borst. Ginds in de verte bewoog zich het mottige zwarte lijntje van de stoet langs het groen van de weide. Ik liet mijn blik er niet meer van afdwalen en volgde de stoet naar het kleine stenen huis in het dal.

'Christodoula!' fluisterde ik, en ik gaf haar een por met mijn elleboog.

Ze wreef zich in haar ogen en kwam traag overeind. 'Wat is er? Wat moet je?'

Ik wees naar de stoet.

'Wat doen ze?' vroeg ze, de betekenis van het tafereel nog niet begrijpend.

De rouwenden bereikten het kleine huis en brachten het lijk naar binnen.

'Ze dragen iemand die dood is,' zei ik, zachtjes, alsof ze het anders zouden horen. We staarden gebiologeerd naar het huis, probeerden als het ware door de stenen muren heen te kijken.

'Wat denk je dat ze daar binnen aan het doen zijn?' fluisterde Christodoula.

'Ik weet het niet. Wil je gaan kijken?'

'Nee!' antwoordde ze snel. 'Misschien zien ze ons en moeten we ook daar naar binnen.'

'Als we heel stil zijn zullen ze ons niet zien,' zei ik, bijna bang om haar te overtuigen. 'We kunnen ons in het gras verstoppen als ze naar buiten komen.'

Ze dacht een hele poos na, berekende onze kansen. 'We zouden met de koeien kunnen gaan, en dan gaan we in het gras zitten als ze naar buiten komen. Dan doen we net of we alleen maar op de kudde aan het passen zijn.'

We wekten Yanni en legden hem het drama uit dat zich in het dal beneden ons afspeelde. Maar toen we ons opmaakten om te vertrekken, kwamen de rouwenden weer naar buiten en vertrokken in een lange rij over de bergrichel waarlangs ze gekomen waren. Aan hun kleren konden we zien dat het Turken waren. Het lijk was niet meer bij hen.

Toen ze uit het zicht waren renden we de heuvel af naar het huis en slopen tot vlak bij een klein raam aan de oostkant. Christodoula, de grootste van ons drieën, ging op haar tenen staan om naar binnen te gluren, maar ze kwam niet boven de vensterbank uit.

'Ik zie niks,' fluisterde ze.

'Laat mij proberen,' zei ik.

Ik klom langs de stenen die uitstaken terwijl Christodoula me bij mijn achterwerk omhoogduwde naar het raam. Yanni stond bangig op de uitkijk, zodat we niet verrast zouden worden.

'Denk aan wat die oude vrouw zei,' fluisterde Christodoula.

'Wat dan?' vroeg ik.

'Ze zei: "Pas op dat de Turkse geesten jullie ziel niet stelen." Denk jij dat ze het meende?'

Eindelijk had ik mijn kin op de vensterbank en zo wist ik mezelf verder omhoog te werken tot ik mijn ellebogen over de rand had. Toen tuurde ik naar binnen. Ik moest mijn ogen laten wennen aan het weinige licht dat door het raampje naar binnen drong.

Het lijk lag op een tafel en was in een doek gewikkeld. Het lijkkleed lichtte op in het flauwe licht, alsof het serene wezen dat daar koud en stil lag zelf een gloed uitstraalde. Ik was zo gespitst op dat lijk dat ik de man die op een kruk ernaast zat eerst niet eens zag. Hij was even roerloos als zijn stille metgezel. Even dacht ik dat hij ook niet meer leefde en was bevroren op zijn krukje, maar af en toe richtte hij met een schok zijn hoofd op om naar het lijk te kijken.

Ik liet mezelf zakken en vertelde fluisterend wat ik had gezien. Christodoula en Yanni keken ook. Toen zijn we de heuvel afgerend. We gingen het bos in, zochten aanmaakhoutjes en bonden ze op onze rug. Toen haalden we de koeien bij elkaar en gingen naar huis. Het lichtgevende lijk zweefde voor mijn ogen.

'Kom binnen, kinderen,' zei de oude vrouw wier koeien we naar de weide hadden gebracht. 'Ik heb wat kleine cadeautjes voor jullie.'

Toen we haar huis binnengingen hing er een pan met stamppot te borrelen aan een driepoot boven het vuur. De geuren vulden de kamer. De oude vrouw veegde haar handen af aan haar schort en schuifelde naar een mandje dat aan de muur hing. Ze haalde er een paar snuisterijen uit: armbanden en ringen.

'Kijk, dit is voor jullie, omdat je mijn koeien hebt meegenomen,' zei ze, terwijl ze ieder van ons een cadeautje gaf.

'We hebben een dode gezien,' flapte ik eruit. 'En naast hem zat een man, in een klein stenen huisje.'

De oude vrouw zette grote ogen op.

'O! Dan hebben jullie iets gezien wat niemand die ik ken in dit dorp ooit heeft gezien. En ik zie dat jullie nog steeds helemaal heel zijn. Ze zeggen dat de man die de dode bewaakt daar de hele nacht moet zitten om te zien of de dode wel echt dood is. Als de dode wakker wordt, moet de man die bij hem zit hem weer naar huis brengen. Als de dode echt dood is en de man naast hem overleeft de nacht, dan weten ze dat hij heel dapper is. Zo gaat dat bij de Turken hier in de bergen, heb ik gehoord. Maar,' voegde ze eraan toe, 'ze zeggen dat ze niet altijd zo gelukkig zijn de nacht te overleven.'

Toen we thuiskwamen zat vader naast het haardvuur op zijn viola te spelen. Grootvader speelde fluit. Ook in onze haard hing een pot met stamppot aan een ketting boven het vuur. Af en toe roerde moeder er even in.

Zoals altijd was het prettig om thuis te zijn. Mijn benen waren moe van het vele lopen en mijn slaperige ogen zagen nog steeds dat lichtgevende lijk. Ik zag het in de stoom die oprees uit de pan met stamppot. En die avond, toen ik in het donker in mijn bed lag, zweefde het op de muur.

# 9
## *Veldslagen en kerkklokken*

Meisjes in mijn land trouwden nooit op hun vijftiende. Althans niet de Griekse meisjes. De Grieken wachtten tot ze ouder waren. In mijn dorp waren twee jonge mensen die vroeg trouwden, maar niet omdat hun ouders dat wilden. Hun ouders hebben in feite jarenlang geprobeerd hen tegen te houden, maar ze waren vastbesloten.

Ze heetten Merlina en Dimitri. Ik kwam ze overal in het dorp tegen, tegen de muur van een schuur geleund of zittend op de een of andere steen, altijd hand in hand en naar hun voeten starend. Ze praatten nauwelijks, in ieder geval nooit als ik ze zag.

De eerste keer dat me hun geflirt opviel was in de kathedraal van Iondone, die laatste zomer. Terwijl de gemeente stond te bidden, zwierven mijn kinderogen door de kathedraal. Die fascineerde me altijd. Ik hield van het gewelfde plafond, de houten balustrades, de gekruiste spanten en de lange lijnen van de stenen muren. Mijn ogen dwaalden van de daksparren naar de kerkgangers en bleven als een magneet kleven aan de twee buurvingers die elkaar zochten. Merlina, een en al crème en vermiljoen, zong vol overgave mee om haar flirt te camoufleren. Haar bruine ogen glinsterden in het flakkerende kaarslicht en haar dichte zwarte krullen rolden als een waterval over haar rug naar de jeugdige rondingen van haar middel. Dimitri stond naast haar, lang en slank, en knap als een god.

Achter hen kon ik aan de afkeurende blikken van Merlina's moeder zien dat hun flirt was ontdekt. Ze wurmde haar plompe lichaam tussen het paar in en keek dreigend opzij naar Dimitri. Merlina verstijfde en trok haar hand terug. Dimitri wriemelde aan zijn sjaal. Toen de dienst was afgelopen greep Merlina's moeder met veel omhaal de hand van haar dochter en sleurde haar mee naar huis.

Op een dag na de dienst, tegen het eind van de zomer, zag ik ze weer. Wij kinderen gingen in het veld op in ons favoriete spelletje. Het was een soort honkbal, maar we hadden geen bal, en een slaghout hadden we ook niet. Als slaghout gebruikten we een rechte boomtak die we hadden gladgeschuurd, en als bal gebruikten we een stokje. We groeven een gat in de grond van ongeveer acht bij tien centimeter, en tien centimeter diep. Dan legden we het stokje over het gat en lieten het slaghout eronder glijden. Met een snelle haal wipten we het stokje omhoog en gaven het een mep. Dan vloog het de lucht in en moest het andere team proberen het te vangen voor het op de grond kwam. Als ze dat klaarspeelden, was het één uit. Als ze niet vingen, dan pakten ze het stokje op en renden ze achter de slagman aan terwijl hij of zij van het eerste naar het tweede en het derde honk rende, en dan naar het thuishonk. Net als bij honkbal. Voor de honks hadden we stenen, maar verder was het echt hetzelfde. Ik weet niet meer hoe we het leerden spelen. Ik weet ook niet meer of wij het van anderen leerden of anderen van ons. Het enige contact dat we met de buitenwereld hadden was als dorpsgenoten naar de stad gingen om voorraden te kopen of spullen te verkopen. De wereld leek een heel stuk groter toen. Maar onze wereld, zo groot als hij in onze ogen soms ook geleken mag hebben, was heel, heel erg klein.

Een van de jongens was net slagman geweest. Hij had het stokje omhooggewipt en een mep gegeven. Het buitelde door de lucht en twintig paar ogen, van jongens en meisjes van alle leeftijden, keken gespannen toe.

'Kom terug!' klonk een vrouwenstem over het speelveld. 'Kom nu terug, of je mag van je leven niet meer uit.'

Merlina's moeder rende zo snel als haar plompe lichaam het toeliet, daarbij amechtig hijgend. Voor haar uit renden Merlina en Dimitri de heuvel af.

Mijn vriendin Marigoula stak haar handen uit naar het vliegende stokje en kreeg het te pakken voor het de grond raakte, maar de rest van ons stond als aan de grond genageld te kijken naar het tafereel dat zich voor onze ogen afspeelde.

'Ze zijn die kant op!' riep iemand.

'Kom terug!' riep de moeder van Merlina aan één stuk door.

Haar ademhaling volgde het zware stampen van haar voeten in de zachte aarde. De jonge minnaars renden langs ons speelveld en keken niet links of rechts. Merlina struikelde, maar Dimitri ving haar op tijd op, greep haar hand en trok haar mee.

'Hou ze tegen,' riep Merlina's moeder.

We zagen hoe de ene volwassene na de andere bij de jacht betrokken raakte, totdat het leek alsof het hele dorp achter het vluchtende stel aan de heuvel af rende. In een opwelling sloten wij kinderen ons aan bij de jacht. We lachten en sprongen en holden uitgelaten mee. We renden door weilanden en perenboomgaarden. We renden door tarwevelden en langs de lange rijen maïsplanten. We renden het dal in en helemaal door naar Iondone, maar we kregen ze niet te pakken. Ze waren verdwenen, in rook opgegaan. Zo liepen ze nog hollend en struikelend voor ons, en zo waren ze weg.

Ik hield op met rennen en keek verward om me heen. Ik glimlachte nog steeds en mijn hart bonsde. Toen zag ik uit een ooghoek iets wits bewegen; het was een klein stukje van haar jurk onder een struik langs de kant van de weg. Het fladderde heel even in de wind en meteen kwam er een hand die het stukje stof greep en uit het zicht trok. Ik deed mijn mond al open om te roepen dat ik ze had gevonden, toen Dimitri's gezicht me plotseling zo smekend aankeek vanuit die struik dat ik geen geluid kon voortbrengen.

Tegen de avond werd de jacht afgeblazen. De mensen keerden huiswaarts en het dorp ging de nacht in zonder hun terugkomst. Maar Merlina's moeder bleef rondzwerven op zoek naar haar dochter, we hoorden haar geroep. De volgende dag ging het net zo en zelfs de daaropvolgende. Er werd druk gefluisterd.

'Waarom zoeken ze nou nog steeds naar ze?' vroeg ik een paar dagen later aan mijn moeder.

'Omdat ze zonder toestemming van hun ouders vertrokken zijn,' zei mijn moeder. Ze boog voorover om een volgend kledingstuk te pakken uit de berg die ze moest wassen en wreef het hardhandig schoon.

'Waarom zijn ze weggelopen? Waren haar ouders gemeen tegen haar?'

'Nee, dat geloof ik niet. Ze willen met elkaar trouwen en haar ouders zijn ertegen.'

'Maar als ze nou wil trouwen?' vroeg ik. Ik vroeg me af of ik er goed aan had gedaan ze niet te verraden.

'Ze zijn nog te jong om te trouwen,' zei mijn moeder. 'Haar ouders willen dat ze wachten totdat Merlina op z'n minst eenentwintig is. Dat hoort zo, vinden wij.'

Op de vierde dag, vroeg in de ochtend, hoorde ik opschudding verderop in de straat. Het opgewonden geluid van een vrouw die schreeuwde en huilde sneed ruw door het zachte tikken van de regen op het dak, en een mannenstem, hees van emotie, spuide boze en onsamenhangende verwijten.

Christodoula en ik renden de straat in en zagen de minnaars zwijgend in de regen staan, tegenover haar ouders. Ze staarden met gebogen hoofd naar de brekende weerspiegeling van de regenlucht in de voor hun voeten aanzwellende plassen. Dimitri had Merlina's ouders al langer dan een jaar lopen smeken hem met hun dochter te laten trouwen, maar ze wilden hun toestemming niet geven. Nu was het niet meer een kwestie van gehoorzaamheid, maar een erezaak.

'Ezel die je bent!' schreeuwde Merlina's vader. 'Als je nu niet met mijn dochter trouwt, dan zal ik je hart eruit rukken, met mijn blote handen.'

'En jij! Stom kind,' voegde haar moeder eraan toe, 'als jij niet instemt, kom je van je leven de deur niet meer uit.'

Merlina's schouders schokten van het snikken, maar haar blik, door haar gebogen hoofd aan het oog van haar ouders onttrokken, vond die van haar vriend, en een lieve en triomfantelijke glimlach gleed over haar lippen.

Op de dag van Merlina's huwelijk begonnen er voor het eerst na de oorlog dingen te veranderen. Niet in één keer, maar we hoorden dat er weer Pontiërs werden gedood aan de kust, en er hielden zich vreemde mannen op in de omgeving van onze dorpen.

De eerste keer dat ik ze zag was op de ochtend van Merlina's trouwen. Die ochtend liepen mijn moeder en ik samen naar onze tuin om groente te oogsten om te drogen voor de lange winter die eraan stond te komen. De pompoenen moesten geplukt en gehalveerd worden en in de zon gelegd om de schil week te laten worden, zodat het vlees gemakkelijker los zou laten. Daarna werden ze in lange stroken gesneden en te drogen gehangen. De lahana moesten in een grote pot met kokend water gedompeld worden en ook in de zon te drogen gehangen. Kool werd ingelegd in grote vaten en alle granen – maïs, tarwe en gerst – werden gedroogd of gedorst. Daarna werden ze in grote vaten, die een hele wand vulden, opgeslagen in de voorraadkamer van ons huis.

Als het kouder begon te worden werd er een dier geslacht. Ik keek er nooit naar. Een deel van het vlees ging altijd naar de buren. Het slachtafval stond urenlang in grote potten te koken en werd daarna voor de winter opgeslagen in vaten. We gebruikten het om soepen en sausen op smaak te brengen. Bovenop vormde zich een dikke laag vet die de inhoud van de potten beschermde tegen bederf.

Moeder en ik trokken langzaam door de tuin, ons af en toe bukkend om een pluk gras uit te trekken of een rijpe tomaat te plukken. Het was een zonnige en warme dag. De lucht was helder en het rook al een heel klein beetje naar herfst. Hier en daar plofte een kever van blad tot blad en een vlieg zoemde om mijn hoofd. Ik keek naar de gebogen gestalte van mijn moeder, zag hoe haar haar zich langzaam uit haar sjaal losmaakte.

'Al zo lang ik me kan herinneren houdt Dimitri van Merlina,' zei mijn moeder. 'Zelfs als klein jongetje bracht hij haar al veldboeketjes en stond hij naast haar zonder dat het hem iets kon schelen wat de anderen ervan dachten.'

Moeder plukte nog een paar bonen, richtte zich op, legde haar hand in de holte van haar rug en keek naar de lucht.

'Het is een mooie dag voor een bruiloft,' zei ze. 'Ik weet nog goed dat je oom Nicholas trouwde. Het was bewolkt en donker. Hij en zijn vrouw hebben niet veel geluk gehad.

'Mama. Waarom zeggen we "oom" tegen oom Nicholas?'

Een dag eerder had een jongen tegen me gezegd dat Nicholas mijn neef moest zijn als hij de zoon van mijn grootvaders broer was. Ik vertelde mijn moeder over mijn nieuwverworven kennis. Moeder glimlachte.

'Je oom Nicholas is niet je neef. Hij is niet echt de zoon van de broer van je grootvader. Hij is de zoon van je grootvader. Je vaders broer.'

'Maar waarom woont hij dan bij Grygorio en waarom noemt Grygorio hem zijn zoon?' vroeg ik, in de war door deze plotselinge wending.

'Grygorio en zijn vrouw konden geen kinderen krijgen,' zei moeder. 'Ze hebben het vaak geprobeerd, maar elke keer stierf het kind nog voor het geboren was, of kort na de geboorte. Dus toen Nicholas geboren werd, de derde zoon van je grootvader, gaf hij hem aan zijn broer, zodat die hem als zijn eigen kind kon opvoeden.'

Moeder bukte zich om nog een paar bonen van de struik te plukken. 'Het kan raar lopen in het leven,' zei ze, al plukkend. 'Toen Nicholas trouwde wilden zij ook veel kinderen, maar ze hadden evenmin geluk.' Ze gooide de bonen in mijn emmer.

'Waar zijn hun kinderen?' vroeg ik. Ik herinner me een aantal keren dat ze een kind hadden gekregen, maar het was steeds weer verdwenen.

'Zijn arme vrouw heeft veel kinderen gekregen, net als de vrouw van Grygorio, maar ze hebben nooit langer dan een paar dagen geleefd. Niemand weet waarom.'

Ik bukte me ook, om een pluk gras uit te trekken. Een worm kronkelde als een gek om weer in de grond te komen. Een mier sleepte met het karkas van een kever dat drie keer zo groot was als hijzelf en kleine groene rupsjes knabbelden van de malse randjes van een koolblad, een spoor van groene keuteltjes achterlatend. Overal waar ik keek wemelde de aarde van leven.

Moeder vertelde me over een ritueel dat ze mijn tante hadden laten ondergaan om haar meer pijn en wanhoop te besparen. Het was een ritueel dat zou voorkomen dat ze nog meer kinderen kreeg, want die bleven toch nooit in leven. De vrouwen namen een rond ding met een gat in het midden en legden er een schaar overheen. Toen smolten ze bijenwas en goten het door de opening in een pan met water die eronder stond. Toen de was een 'kikker' vormde, werd die naar het bos gebracht en daar begraven. Vanaf dat moment zou mijn tante nooit meer zwanger raken.

Vanuit mijn ooghoek zag ik iets aan de rand van de tuin. Een gehurkte figuur, gekleed op een manier zoals ik nog nooit had gezien. Hij zat stil te wachten; het enige wat er aan hem bewoog waren zijn ogen, die al onze bewegingen volgden alsof ze met een touwtje aan ons vastzaten, naar boven en naar beneden, naar links en naar rechts. Zelfs toen we wegliepen en naar huis gingen en allang uit het zicht waren, kon ik zijn ogen nog in mijn rug voelen prikken – griezelig gewoon, als de ogen van een of ander roofdier.

Merlina's huwelijk was in de kathedraal van Iondone. Zoiets moois had ik nog nooit gezien. Overal stonden kaarsen, die voorzichtig wedijverden met de stroom zonlicht die binnenviel door een bovenportaal. De priester zong de ceremoniële geloftes terwijl gemeenteleden, met tranen in de ogen, in stille aanbidding, toehoorden. Maar Yorgos, de vader van de bruidegom, keek zenuwachtig om zich heen. Uitdrukkingen van trots en angst schenen op zijn gezicht om voorrang te strijden. Dimitri's moeder stond met gebogen hoofd naast hem en sloeg het ene kruis na het andere, als iemand die een ritueel uitvoert om zich de duivel van het lijf te houden.

Merlina droeg een zwart hoedje met een kanten sluier, zoals voor bruiden gebruikelijk was. Dimitri droeg hoge zwarte laarzen met zijn broekspijpen erin, en een vest omsloot keurig zijn tengere borst. Om zijn middel had hij een stoffen band en op zijn hoofd prijkte een klein rond hoedje. Merlina's moeder wreef zich voortdurend in de ogen en bette haar bolle wangen. Maar Merlina staarde in de ogen van haar geliefde en haar lippen deden niets dan glimlachen.

Na het huwelijk ging buiten de traditionele schaal met in honing gedompelde tarwe en noten rond. De kinderen sprongen in het rond en hielden hun rokken op of vouwden hun handen tot een kommetje om hun deel te krijgen. Zelfs de volwassenen hielden hun hand op, terwijl de bruidegom door de menigte paradeerde en de bruid ingetogen stond te glimlachen te midden van haar vriendinnen.

'Varidimei!' schreeuwde Yorgos naar grootvader.

Grootvader keek om zich heen terwijl Dimitri's vader naar hem toe snelde.

'Roep de anderen op om vanavond bij elkaar te komen. Er zijn problemen,' zei Yorgos.

'Wat is er?' vroeg grootvader.

'De Turken vallen Griekse dorpsbewoners aan langs de kust van de Zwarte Zee.'

'Maar waarom? De oorlog is voorbij,' zei grootvader.

'Vanavond, als iedereen er is, zal ik je alles vertellen wat ik weet.'

Die avond, na het eten, kwam er een groep mannen naar ons huis en ze gingen rond de grote tafel zitten.

'Vooruit, Yorgos!' begon grootvader ongeduldig. 'Vertel ons wat je hebt gehoord.'

'Alleen dat de Turken uit de steden aan de kust Griekse dorpen hebben aangevallen. En dat ze veel slachtoffers hebben gemaakt.'

'Maar waarom? Waar gaan die gevechten over?' vroeg een van de mannen.

'Er is geen conflict met de Pontiërs, maar wel woede over de ondertekening van het verdrag. De sultan gaat mee in de eisen van de geallieerden en daar is het volk boos over. Turkije moet al zijn Europese gebieden afstaan en mag alleen een klein stukje rondom Constantinopel houden, en in Azië alleen Anatolië. In Smyrna zijn Griekse troepen geland.'

'Maar wat heeft dat te maken met de Pontiërs langs de kust?' wilde een man weten. 'Dit is net zo goed ons land. Wij zijn hier geboren. Onze ouders en grootouders zijn hier geboren, en hun grootouders voor hen.'

'Ik weet niet of ze boos zijn op alle christenen, of alleen op de Grieken, omdat de Grieken zich op het laatst van de oorlog bij de geallieerden hebben aangesloten. Misschien nemen ze het alle Grieken kwalijk, zelfs de Pontiërs,' zei Yorgos.

'Nee!' riep de man. 'Nou geen excuses voor ze gaan verzinnen. Dit is niet de eerst keer dat ze ons volk afslachten. Dit is gewoon een van de vele keren. De laatste keer deden de Grieken niet aan de oorlog mee en hebben ze nog steeds onze mensen afgeslacht. En als ze ons niet meteen vermoordden, verjoegen ze ons uit onze huizen of brachten ze ons naar die vieze kampen om als slaven te werken en lieten ze ons van de honger omkomen zonder behoorlijk te eten of onderdak.'

'Griekenland heeft geprotesteerd tegen de behandeling van de Pontisch Grieken en bescherming voor ze geëist,' zei Yorgos. 'De sultan heeft een generaal gestuurd, een zekere Mustafa Kemal. Die heeft in de oorlog gevochten. Hij moet het leger ontmantelen en de Pontiërs beschermen.

En de Engelsen hebben een commissie gestuurd die zal toezien op de ontwapening van de Turkse troepen.'

'Kemal heeft een slechte reputatie,' zei grootvader. 'Zal hij ons werkelijk beschermen?'

'Ik weet het niet. Hij heeft dapper gevochten in de oorlog en de meeste van zijn veldslagen gewonnen. Maar in Constantinopel willen ze van hem af. Ze vinden hem een lastpost. Hij is trots en wil niet dat de sultan zich neerlegt bij de eisen van de geallieerden.'

'Hij zal ons afmaken als de rest,' riep de boze man.

'Hoe weet jij al die dingen?' vroeg iemand anders aan Yorgos.

'Een neef van me is lijfwacht van de sultan in Constantinopel. En een andere werkt voor het telegraafkantoor in Ankara. Als ik mijn spullen naar Ankara stuur, sturen zij nieuwtjes terug.'

'Lopen wij hier gevaar?' vroeg grootvader. 'Hoe zit het met de Andartes? Zullen die ons beschermen?'

'Ik weet niet of ze dat kunnen. Ze hadden het alleen maar over de dorpen aan de Zwarte Zee. Fatsa. Ordu. Samsun. Maar dat is niet zo heel ver hiervandaan.'

Als reactie op de de slachtingen onder Pontisch Grieken en andere christelijke minderheden door de Turken in 1915, verschenen de eerste Pontische Andartes op het toneel. Ze werden oorspronkelijk gevormd door een paar duizend uit het Turkse leger gedeserteerde Grieken, en later voegden zich mannen, vrouwen en kinderen bij hen die een veilig heenkomen zochten voor de achtervolgingen. Zij probeerden de levens en de eer van de Pontisch Griekse mensen te redden.

Grootmoeder schommelde heen en weer zonder op te kijken, maar haar vingers waren verwoed bezig met haar breiwerk. Ze had familie aan de kust. Moeder stookte het vuur op en de schaduwen van de mannen dansten op de muren en het plafond, wat het tafereel een nog dreigender lading gaf.

'Ik moet gaan,' zei Yorgos, terwijl hij opstond. 'Misschien hoeven wij ons hier nergens zorgen over te maken. We hebben altijd goed met de Turken kunnen opschieten. Ik vond alleen dat jullie moesten weten wat er gaande is, zodat we voorbereid zijn als er moeilijkheden komen.'

De andere mannen schoven hun stoelen met veel geschraap over de vloer naar achteren, stonden ook op en volgden hem naar buiten.

'Wat denk jij?' vroeg mijn vader aan grootvader toen de iedereen weg was.

Grootvader schudde traag zijn hoofd en staarde naar de tafel.

'Ik weet het niet,' zei hij. 'Ik weet het niet.'

# 10

## *Het jaar van de slang*

Misschien wist mijn moeder dat ze me nooit weer zou zien toen ze me weggaf, maar ik had geen idee. Ik zou haar nooit hebben laten gaan. Ik zou duizend kilometer gekropen hebben, duizend keer de dood getrotseerd hebben om bij haar te blijven, had ik het geweten. Toen ze zei: 'Misschien moest je maar een poosje bij die vrouw blijven', zei ik ja, maar alleen omdat ik nooit nee tegen mijn moeder zei. Ik hield te veel van haar om nee te zeggen. Zelfs de Turken hielden van haar. Mijn moeder heette Parthena, maar de Turken noemden haar altijd Küzel, wat 'mooi' betekent, en dat was ze. Gewoon maar bij haar in de buurt zijn was als ademhalen. Ik hield zelfs nog meer van haar dan dat. Ik hield meer van haar dan van mijn eigen adem.

Ik weet zeker dat ze me heeft weggegeven om mijn leven te redden. Ik ben een keer bijna doodgegaan, maar dat was toen ik negen was, voor de verbanning. Het was bijna herfst. Ik zat rustig alleen in het veld te spelen, toen ik iets scherps aan mijn been voelde, een soort steek. Ik schreeuwde en voelde nog een steek. Daar zat ik, verlamd door de stekende pijn, en ik schreeuwde. Ik hoorde stemmen roepen. Mijn vader en moeder kwamen eraan gerend. Mijn vader pakte me op en droeg me naar huis.

Grootvader zorgde dag en nacht voor me. Hij was de dokter in ons dorp. De mensen gingen naar hem toe omdat er geen echte dokter in de buurt was. Op een dag kwam er een vrouw uit ons dorp met een grote cyste in haar borst. Grootvader sneed hem open en maakte het schoon, en ze was beter. Grootvader was zelfs onze tandarts.

Ik was drie dagen bewusteloos. Maar op de derde dag hoorde ik moeder zachtjes praten, alsof ze in een droom sprak, en ik voelde haar zachte hand over mijn voorhoofd strijken.

'Mijn kleine Themía,' zei ze met haar lieve stem. 'Lieve, lieve Themía van me, doe je ogen open.'

Ik deed mijn ogen open en zag dat ze geknield naast me zat. Ze had een bezorgde blik op haar prachtige gezicht. Grootvader stond naast haar naar me te kijken, zijn ogen smolten in tranen. Toen ik mijn ogen opende sloot hij de zijne, misschien om een schietgebedje te doen, of misschien om de emoties te verbergen die hij voelde voor zijn favoriete kind.

Sommigen zeiden dat ik door een slang was gebeten, maar niemand wist het zeker. Er zaten twee kleine schrammen op mijn been, die later littekens werden: de enige twee aandenkens die ik over heb uit een tijd toen het leven zich voor me uitstrekte als een eindeloze cyclus van gelukkige seizoenen, met de mensen van wie ik hield om me heen.

Moeder maakte een bed voor me op naast het vuur, zodat ik dicht bij haar kon zijn terwijl ze werkte. Ik keek toe hoe ze die dag een bijzonder brood bereidde, van het soort dat ze boven het haardvuur bakte in plaats van in de oven.

'Er hoort een verhaal bij dit soort brood,' zei mijn moeder.

Mijn hart was vol van liefde voor haar, die ik nooit volledig heb kunnen uiten.

'Er waren eens twee zusters,' begon ze. 'De ene was heel rijk en de andere was heel arm. Op een dag besloot de arme zuster brood te bakken, maar ze was zo arm dat ze as door het meel mengde om wat meer deeg te krijgen. Ze kneedde, veegde een stuk stenen vloer van de haard vrij en legde daar het deeg neer. Boven op het deeg legde ze een paar ficusbladeren en zo liet ze het bakken. Daarna werd er op de deur geklopt. Ze deed open en zag een arme oude man die er moe en versleten uitzag.

"Alstublieft," zei hij. "Hebt u iets te eten voor me? Ik heb verschrikkelijke honger en niets te eten."

"O!" zei de arme zuster. "Ik heb net een brood gebakken, maar ik heb het meel met as vermengd omdat ik niet genoeg meel had. Als u wilt mag u mee-eten."

Dus gaf ze de oude man een stuk van haar brood. Hij at het op en vervolgde zijn weg. Opnieuw klopte hij ergens aan om iets te eten te vragen. Deze keer was het bij de rijke zuster, die ook net een brood had gebakken. Ze had geen as door haar meel hoeven mengen, want ze was heel, heel rijk. Maar toen er op de deur werd geklopt, verstopte ze het brood dat ze zojuist had gebakken.

"Alstublieft," zei de oude man toen ze opendeed. "Hebt u iets te eten voor me? Ik heb verschrikkelijke honger en niets te eten."

"O!" zei de rijke zuster. "Het spijt me heel erg, maar ik heb niets om u aan te bieden. Ik heb ook honger en ik ben bang dat ik u niet kan helpen."

Dus ging de oude man verder zonder iets te hebben gekregen. Maar stukje bij beetje werd de rijke zuster armer en ziek, en de arme zuster werd rijker en rijker.'

Na de eerste dagen van mijn genezing verliep het verdere herstel voorspoedig. Ik zat buiten in de warme herfstdagen en staarde naar het diepe blauw van de heldere luchten. In het voorjaar had ik de perenbomen op de berghelling zichzelf zien versieren met zachte witte bloesems boven hun bleekgroene bladeren. Ik had het tere voorjaarsgroen zich zien verdiepen tot het zware groen van de zomer. En nu zat ik weer te kijken, terwijl de boomgaarden en bossen al hun groentinten inwisselden tegen het rood en goud van de herfst, alsof ze zich kleedden voor een allerlaatste uitspatting voor de ijzige winterwinden hun opsmuk naar de grond zouden blazen en met sneeuw bedekken.

Moeder zat naast me in haar schommelstoel zachtjes te schommelen en bonen af te halen voor het avondeten, toen er twee Turkse vrouwen uit een dorp in de buurt naar ons huis kwamen lopen. Ze waren gekomen om grootvader een paar oude metalen pannen te laten herstellen, en hij had ze naar ons huis gestuurd om een kop koffie te drinken terwijl ze wachtten. Dat was gewoonte bij ons thuis.

'Hoe gaat het, Küzel?' vroeg de ene vrouw, terwijl ze onze veranda beklommen.

'Goed,' antwoordde moeder met haar gebruikelijke warme glimlach. 'En hoe gaat het met jullie op deze prachtige dag?'

'O, Küzel, ik kan zien dat het deze keer een tweeling wordt,' zei de oudere vrouw.

Ze sloeg haar handen ineen en zwaaide ze goedkeurend heen en weer. Moeder lachte en tilde haar schort op. Nastasía, nog maar drie jaar oud, kwam lachend te voorschijn en legde haar hoofd in moeders schoot.

'O!' De vrouwen lachten en konden de grap wel waarderen. 'Maar,' ging de oudere vrouw glimlachend verder, 'toch zul je een tweeling krijgen, Küzel.'

Christodoula bracht koffie terwijl ik op het trapje van de veranda zat en mijn hoofd tegen de boomstammenmuur van ons huis liet rusten. Ik sloot mijn ogen en luisterde naar de stemmen van de pratende vrouwen. Hun lange zwarte jurken en witte sjaals gloeiden rood op achter mijn oogleden. Ze hadden het over de kinderen, de oogst en voorbodes van zware tijden in het jaar dat voor ons lag. De herfstzon hulde mijn huid in een dunne, warme en beschermende deken, zoals het geluid van mijn moeders stem, zacht en melodieus, mijn ziel omhulde.

De eerste winterkilte prikkelde de herfstlucht, en een zeemansmaan verlichtte de velden en deed de bergkammen scherp uitkomen tegen de avondhemel. Wij kinderen zaten bij het vuur en maakten ons huiswerk voor school terwijl moeder brood bakte in de haard, op de grote gebogen bakplaat die wij *sedge* noemden. Ze had de bodem van de sedge bedekt met natte as om te zorgen dat hij niet te heet zou worden en wilde juist de platte broden op de plaat leggen, toen het hele dorp losbarstte in geknal en geschreeuw.

Mijn vader legde de nieuwe viola die hij voor zichzelf had gemaakt neer en rende naar zijn geweer. Oom Constantine kwam binnenvallen uit zijn kamer, keek mijn vader een ogenblik aan en greep toen ook zijn geweer. Binnen een seconde waren ze vertrokken.

Het geluid van de schoten leek een eeuwigheid aan te houden. Het was vreemd om schoten in ons dorp te horen. Zelfs de krekels zwegen in die tijd van het jaar. Ik rende naar het raam om in het maanlicht te ontdekken wat er aan de hand was. Een witte, spookachtige verschijning schoot langs de helling. Figuren doken op in het maanlicht en verdwenen weer, en schreeuwen en schoten echoden tegen de bergruggen.

'Kom bij dat raam vandaan,' riep moeder. 'Straks raak je nog gewond.'

Ik kneep mijn ogen tot spleetjes om nog een keer het donker in te turen en ging met tegenzin bij de haard zitten. Christodoula zat stil in de gloed, een voet op een krukje. Alleen het hevige trillen van haar been verried dat ze doodsbang was.

'Gaat het?' vroeg moeder haar.

Maar Christodoula staarde in de vlammen en hoorde niets. Het was alsof ze de werkelijkheid nog even op afstand wilde houden, alsof luisteren en spreken de echtheid van de gebeurtenissen zouden versterken. Haar lichaam schokte heviger bij elk schot. Het deed me denken aan hoe ik me had gevoeld de keer dat ik in de stad was achtergelaten bij mijn tante en haar familie tijdens de hongersnood, toen de oorlog volop woedde en er elke dag en elke nacht schoten klonken.

Moeder legde de broden op de plaat, ging naast Christodoula zitten en sloeg haar armen om haar heen. Maar Christodoula bleef maar naar het vuur staren en haar benen trilden aan één stuk door. Ten slotte hield het schieten en roepen op. Het dorp werd weer rustig. Toen kwam vader binnenstormen en riep tegen grootvader dat hij mee moest komen, waarop beiden haastig weer vertrokken.

'Wat was er?' vroeg moeder toen vader weer thuiskwam. 'Wat is er gebeurd?'

'Een overval,' zei vader.

'Een overval? Hier?'

Hij zette zijn geweer tegen de muur, liep naar het vuur en ging vermoeid op zijn kruk zitten.

'Ze hebben Yorgos neergeschoten,' zei hij.

'Maar wie dan? En waarom? Wat wilden ze? En hoe is het met hem?'

'Het waren dieven,' zei mijn vader. 'Ze wilden de kist met Merlina's uitzet stelen.' Misschien hadden ze van het huwelijk gehoord. Hoe weet ik niet. Ze zijn het huis binnengeslopen terwijl de familie rond de haard zat. Ze stonden op het punt met de kist te vertrekken toen Yorgos ze zag. Hij schreeuwde naar ze dat ze moesten blijven staan. Een van de dieven loste een schot. Yorgos werd in zijn been geraakt en zijn vrouw begon om hulp te roepen.

Terwijl de dieven er met de kist vandoor gingen, rende Yorgos' broer naar zijn geweer. Xenophon probeerde de kist tegen te houden toen ze langsrenden, maar werd tegen de grond geschopt. De kleren vlogen alle

kanten op, ze vielen uit de kist toen de dieven ermee de heuvel af renden. Tegen die tijd kwam het hele dorp met zijn geweer naar buiten. Iedereen schoot. Ik geloof niet dat we ze geraakt hebben. De kist was te
zwaar om er lang mee te rennen, dus hebben ze hem ten slotte onder
aan de heuvel laten liggen en zijn in het donker verdwenen. Er lag een
spoor van kledingstukken over het veld.'

We zaten doodstil op onze stoelen, met open mond en ogen als theeschoteltjes. Ik voelde mijn nagels in mijn handpalmen steken; ze hadden een rij halvemaantjes in mijn vlees gedrukt, zo stijf had ik mijn
vuisten gebald.

'Wie waren deze mensen?' vroeg grootmoeder.

'Ik weet het niet. Ze kwamen niet uit een van onze dorpen en het waren ook geen Turken. Het was moeilijk te zien in het donker, maar ik geloof dat het Koerden waren.'

En er kwamen steeds meer van die vreemde mensen in onze dorpen.
Overal waar je keek zaten er wel een paar, in het veld of aan de rand van
het bos, alsof ze iets over ons lot wisten wat wijzelf nog niet wisten. Ze
hielden ons voortdurend in de gaten. Zaten altijd te wachten.

Een paar weken later kregen we de schrik van ons leven.

# 11
## *Ze nemen mijn vader mee*

Ik hoor nog steeds het schreeuwen van die vrouw toen ze naar ons huis kwam rennen.

'Parthena! Parthena!' Mijn moeder was in de keuken bezig het middageten klaar te maken. Ze verstijfde van schrik bij het wilde bonzen op onze deur.

'Parthena!' zei de vrouw toen moeder opendeed. 'Ze hebben Lumbo meegenomen.'

Moeders ogen werden groot van verbazing, en de onverhulde angst in haar stem maakte ons alert.

'Wie hebben Lumbo meegenomen?' riep moeder.

'De soldaten. Ze hebben alle mannen die ze konden vinden opgepakt en weggevoerd.'

Zonder op verdere uitleg te wachten rende mijn moeder langs haar heen de deur uit, met haar groentemes nog in de hand. Ze rende de straat in naar het midden van het dorp, en wij holden achter haar aan.

'Lumbo!' riep ze, terwijl ze zenuwachtig om zich heen keek. 'Lumbo!' Maar de mannen en de soldaten waren weg.

Vrouwen uit het dorp liepen radeloos heen en weer. Er werd geschreeuwd en gehuild.

'Waar hebben ze ze mee naartoe genomen?' huilde mijn moeder.

'Naar een werkkamp,' zei een oudere vrouw tussen haar snikken door. Ze wreef haar ogen droog aan haar schort en riep naar de hemel:

'Ze hebben mijn zoon meegenomen. Ze vermoorden hem daar. Ze vermoorden hem!'

'Mijn man heeft in zo'n kamp gezeten,' zei een andere vrouw. 'Het is waar. Mijn man was erg verzwakt toen hij ontsnapte. Er was geen eten en ook geen goed onderdak.'

Nadat ze haar man hadden meegenomen, had die vrouw elke dag op de weg op hem staan wachten. 'Ik maak een nieuwe jurk voor de eerste de beste die me komt vertellen dat mijn man er weer is,' had ze gezegd. En op een goeie dag zag ik hem aan komen lopen over de weg. Ik rende naar haar toe om het te vertellen, hopend dat ik de eerste was die haar het goede nieuws bracht.

'Maar de oorlog is voorbij,' zei moeder. 'De oorlog is voorbij.'

Elke dag verwachtten we hem in de deuropening te zien, maar elke dag verstreek als de vorige. Steeds vaker ging grootvader naar zijn smederij in de Turkse stad aan de voet van de berg. Het was stil in huis zonder hen. Soms ging ik naar buiten en bleef ik voor de smidse staan om het vertrouwde *kling, kling, kling* van metaal op metaal en het *woesj, ahhh, woesj* van de grote blaasbalg te horen. En als er dan alleen maar stilte was, wat altijd het geval was, ging ik langzaam naar binnen met mijn ogen gesloten, om ze dan snel open te doen in de hoop dat ik mijn vader zou zien staan met een hoefijzer of een oud ijzeren stuk gereedschap in zijn hand en zijn gezicht knalrood van de hete sintels, terwijl grootvader de lawaaierige luchtstoten in het vuur joeg met de blaasbalg.

Een paar maanden nadat vader was meegenomen ging ik met mijn vriendin Marigoula naar de molen om tarwe te malen. Er was nooit tijd om niets te doen of zelfs maar te rouwen, want anders zou de winter ons verrassen.

Het was druk bij de molen. We gingen in de zon zitten, dik ingepakt om warm te blijven, en wachtten onze beurt af. Ik liet mijn hoofd tegen de koele stenen muur van de molen rusten en luisterde naar het water, dat gorgelde en bruiste terwijl het reusachtige molenwiel eindeloos ronddraaide en met zijn schoepen water opschepte en weer uitspuwde. Binnen in de molen draaide een enorme steen, die plat op eenzelfde steen lag, ook eindeloos in de rondte, malend over de onderste.

'Zou het niet leuk zijn om in een van die schoepen te zitten en rondjes te draaien?' zei Marigoula, en ze lachte. Haar ogen trokken tot spleetjes en het kleine gat dat tussen haar lippen verscheen waar ooit een tand had gezeten, gaf haar lieve en kwajongensachtige gezicht iets extra ondeugends.

'Ja. Zou dat niet leuk zijn?' zei ik.

'Is je vader al thuisgekomen?' riep een vrouw bij de molensteen naar me.

Ik schudde mijn hoofd. Nee. Hij was niet thuisgekomen, en elke dag zakte onze hoop een stukje verder weg. De vrouw klakte met haar tong, schudde haar hoofd en hervatte haar werk bij de molensteen. Ze tilde de zoom van haar jurk op en stopte hem in de band om haar middel, om meer bewegingsvrijheid te hebben. Haar overtollige vlees stulpte over de banden van haar schort toen ze haar tarwe in een gat naast het midden van de grote bovensteen goot. Het meel stroomde uit een tuit meteen in een klaarstaande zak. Ze neuriede tijdens haar werk; doordat ze het vaak deed was ze als een vis in het water in die molen. Ook de andere vrouwen waren druk in de weer terwijl hun kinderen aan hun schort hingen. Samen met zijn zonen had grootvader die molen gebouwd voor wie hem maar gebruiken wilde en ik was trots op de stevige muren en dat reusachtige toverrad.

Toen ik thuiskwam was de lucht alweer kil geworden. Ik ging naar de haard om mijn verkleumde handen en voeten te warmen. Moeder nam mijn zak met meel en goot de inhoud in het grote houten vat dat ze gebruikte om desem te maken. Binnenin maakte ze een kleine vestingwal van meel rondom een lege put. Het restje desem van het vorige baksel, waarmee de nieuwe desem op gang gebracht werd, lag al in de week in lauw water om het zacht te maken.

Stukje bij beetje vulde ze de put met het desemwater en af en toe duwde ze een gedeelte van de vestingwal naar binnen, om het dan met haar handen te mengen. Weer goot ze er water bij en weer duwde ze een stukje van de wal naar binnen enzovoort, totdat de wal weg was, de put gevuld en zich een grote gladde bal had gevormd waar twaalf broden uit konden. Ze voegde het laatste restje oude desem erbij en kneedde ook dat erdoor. Toen bedekte ze het met een doek en liet het op een warme plaats rijzen.

Het was moeders beurt om de oven aan te maken, en haar dag om hout te halen. We hadden al een stapel hout voor haar klaargezet. Moeder maakte een vuur in de oven. Toen de oven heet was verschoof ze het vuur tot vlak bij de ingang en liet ze de logge broden die ze had gekneed met een grote, platte houten spaan naar binnen glijden. Als haar baksel klaar was kwamen er altijd andere vrouwen om de nagloeiende oven te benutten voor hun brood, en als het nodig was stookten ze het vuur nog wat op.

Toen ik die avond in bed lag en de zoete lucht van het warme brood die het huis vulde inademde, hoorde ik moeder huilen in de andere kamer. Ik stond op om te zien wat er aan de hand was. Christodoula volgde me op de voet.

Vader stond halfbevroren in de deuropening. Zijn voeten bloedden van verse snijwonden. Moeder deed snel de deur achter hem dicht en keek hem huilend aan. Zijn kleren waren gescheurd en zijn haar was geklit en vies.

'Raak me niet aan,' zei hij toen ze dichterbij kwam. 'Ik zit onder de luizen.'

'Hoe ben je hier gekomen? Hebben ze je laten gaan? Wat zal ik eens voor je halen?'

Ze haastte zich om een krukje bij het vuur te zetten.

'Kom bij het vuur zitten om warm te worden. Ik ga iets te eten voor je pakken.'

Hij hinkte naar het vuur en liet zich langzaam zakken, alsof elke beweging een pijnlijke onderneming was.

'Nee. Ze hebben me niet laten gaan,' zei vader. 'Ik ben ontsnapt. Je moet tegen niemand zeggen dat ik thuis ben. Als de buren het ontdekken zeggen ze het misschien tegen de soldaten. Veel van hun mannen zitten nog steeds opgesloten in die smerige werkkampen.'

Moeder schepte hete soep in een kom en bracht die hem.

'De kampen zijn koud en zitten vol ongedierte. We moesten dag en nacht werken zonder voldoende te eten of een fatsoenlijke plek om te slapen, en wassen kon je je ook nauwelijks,' zei vader. 'In sommige kampen laten ze de Grieken gewoon zonder iets aan hun lot over om dood te gaan. Ook toen de oorlog nog aan de gang was lieten de Turken de Grieken al zitten, zonder wapens om zich te verdedigen, of proviand. Ik geloof dat dat is wat ze willen: dat we allemaal omkomen.'

Moeder bedekte haar gezicht met een punt van haar schort en haar schouders schokten van het snikken. 'Hoe kan dit in vredesnaam gebeuren?' vroeg ze.

We stonden als verlamd in de deur van de slaapkamer. Ik voelde de tranen opwellen in mijn ogen. Hij zag eruit zoals ik hem nog nooit had gezien, als een vreemde, in zijn bebloede vodden en met dat geklitte haar.

'Papa?' zei ik.

Moeder droogde snel haar tranen.

'Ga de wastobbe eens halen, Themía. En Christodoula, haal water, zodat je vader zich kan wassen. En dan naar bed jullie. Morgenvroeg zie je je vader weer.'

We deden snel wat ons gevraagd was.

'Gaat het goed met je, papa?' vroeg ik toen we klaar waren. Ik kon mijn ogen niet van zijn bebloede voeten losmaken.

'Nu wel weer,' zei hij, 'nu ik weer bij jullie thuis ben. Ga nu gauw slapen. Jullie moeten naar school morgenvroeg. Ga slapen en droom over iets moois.'

Het werd een lange nacht. Ik deed mijn uiterste best om niet in slaap te vallen, bang dat hij er de volgende ochtend niet meer zou zijn.


Onze school was gebouwd van boomstammen, net als onze huizen, maar er was geen stal onder. Er was één groot klaslokaal. In een hoek stond een kanjer van een potkachel. Iedere leerling nam elke dag een bundeltje hout mee om hem aan de praat te houden.

Voor de kleintjes, zoals Yanni, die toen nog op de kleuterschool zat, had grootvader het alfabet in een plank gebrand met een gloeiende ijzeren staaf. De plank had een handvat om hem mee naar school te dragen. Zo leerden wij het alfabet. Voor de oudere kinderen had hij een groot vel papier gekocht met woorden en plaatjes erop. Ik weet niet hoe hij eraan gekomen was – waarschijnlijk op de kop getikt in een van de stadjes waar hij voorraden ging halen, want in onze dorpen waren geen winkels. Hij vouwde het vel op een speciale manier een aantal keren om. Toen naaide hij het middenin dicht en sneed het langs de randen open, zodat er een boek ontstond.

Soms, wanneer onze lerares niet in de klas was, pakten we een van de kleine boekjes met plaatjes erin en legden een van die plaatjes op de hete potkachel. Dan legden we er een schoon stuk papier boven op en wreven erover met een walnoot, net zo lang tot de olie uit de walnoot de voorstelling uit het boekje overbracht op het schone stuk papier.

Eén meisje was heel erg dol op school. Despina, heette ze. Ze was een van de oudere meisjes. Ze rende altijd meteen naar het midden van het lokaal en ging recht tegenover de lerares zitten. De oudere kinderen zaten voorin. De jongere zaten achterin. Hoe verder naar achteren, hoe jonger de kinderen. De allerkleinsten zaten op de achterste rij. Despina liet zich niet afleiden zoals wij. Ze luisterde eerbiedig naar de lerares. Ze was gek op lezen. Ze las alles wat ze maar te pakken kon krijgen. 'Jij zult het nog ver schoppen,' zeiden de mensen tegen haar, ervan overtuigd dat haar hang naar kennis haar op een goede dag tot grote dingen zou brengen. Dan straalde haar lieve gezicht van trots en enthousiasme.

Maar de meesten van ons kinderen, mijzelf inbegrepen, luisterden maar met een half oor naar de lerares zodra de zon door het raam naar binnen piepte. Wanneer we buiten een kind hoorden lachen, wilden we ernaartoe en meedoen.

'Wat is er?' vroeg de lerares als iemand in de achterste rijen zijn vinger opstak.

'Mag ik even naar de wc?' vroeg een dun stemmetje heel verlegen.

Als onze lerares toestemming gaf, vloog de leerling de deur uit, maar de terugreis verliep vaak een heel stuk trager. Met de snelheid van een schildpad in een vat met stroop sleepte hij zichzelf weer naar de klas. Iedereen die dit excuus gebruikte rende meestal als een vrijgelaten gevangene naar buiten om zich de rest van de dag niet meer te laten zien.

Soms ook renden we naar buiten, gingen in de zon staan en keken naar de grond rond onze voeten. Als we op onze eigen schaduw konden staan zonder dat er nog een stukje uitstak, wisten we dat het middag was. Dan holden we weer naar binnen om stralend het goede nieuws te vertellen.

'Sorry juf,' zeiden we dan, moeite doend ons enthousiasme tot een minimum te beperken. 'Maar het is twaalf uur. Tijd om te gaan eten.'

Dan kwam er een begrijpende glimlach op haar jonge gezicht. Langzaam liet ze een hand in haar zak glijden en, zo mogelijk nog langzamer, haalde ze haar kleine gouden horloge te voorschijn. Ze wipte het dekseltje open om naar de wijzers eronder te kijken en keek dan langzaam de klas rond.

'Goed, een uur voor het middageten.'

De uittocht was snel en wild.

Als ik me goed herinner, gingen we het hele jaar door naar school, behalve in de zomer. Grootvader probeerde ons ook thuis het abc en het onzevader te leren. Dan zaten we geduldig naar hem te luisteren totdat we moesten opstaan om hem na te zeggen. Vaak kregen we uit pure verlegenheid de slappe lach. Dan probeerde hij het opnieuw, maar met hetzelfde resultaat. Ten slotte haalde ook hij een schitterend gouden horloge te voorschijn, wipte het deksel open om de wijzers en cijfers te kunnen raadplegen, schudde mismoedig zijn grijze hoofd en liet ons aan onze lachbui over. Ik herinner me dat horloge nog goed, met zijn drie kleine knopjes en de gouden ketting die in grootvaders vestzak begon en over zijn buik naar een zakje aan de andere kant liep.

Hoe vaak heb ik sindsdien niet in stilte het onzevader gebeden.


Behalve de vreemde mensen, van wie er steeds meer in onze dorpen begonnen rond te hangen, hoorden we die herfst niets over nieuwe problemen. Moeder stond onder het afdak boter te maken toen mijn vader en oom uit het bos terugkwamen met hun buit tussen hen in.

'Mama!' riep ik. 'Daar komen ze. Ik geloof dat ze iets hebben gevangen.'

Ze onderbrak het karnen en hield haar hand boven haar ogen tegen de zon.

'Ja,' zei ze, en ze richtte zich weer op haar werk. 'Het ziet ernaar uit dat ze iets hebben gevangen. Ze zullen wel moe zijn. Ga ze snel koel water brengen om te drinken.'

Ik pakte de waterkruik en rende naar de dorpskraan. Een groepje kinderen rende met me mee. Toen we terugkwamen, de zware waterkruik meesjorrend, stond moeder in de keuken een potje voor ze op te warmen. Vader en oom liepen net naar de schuur. Tussen hen in, bij zijn enkels aan een dunne stok, hing een enorm en griezelig uitziend beest met een wilde, ruwe vacht. Uit zijn bek, één aan elke kant van zijn kaken, staken twee reusachtige tanden die met een grote bocht naar de hemel wezen. Met een afwezig gebaar – ik kon mijn ogen niet van het beest afhouden – reikte ik mijn vader het eerste kommetje water aan. Vader dronk het in één teug leeg.

'Wat is het?' vroeg ik, gebiologeerd.

'Het is een wild zwijn,' zei vader. Hij lachte, waarschijnlijk om de blik op ons gezicht.

'Wat is een wild zwijn?' vroeg een jongetje.

'Een soort varken, alleen een stuk gevaarlijker.'

'Valt het mensen aan?' wilde mijn vriendin Marigoula weten.

'Ja,' zei vader.

Ik gaf mijn oom ook een kommetje water te drinken. Toen hesen ze het wilde zwijn op en maakten het vast aan twee palen om het in stukken te verdelen voor onze familie en naaste buren, zoals de gewoonte was. Grotere beesten werden onder meer mensen verdeeld. Het was een gebaar van vriendschap dat waarschijnlijk al duizenden jaren oud was, want vlees was een schaars goed. Als we eens een stukje op ons bord kregen hadden we geluk; meestal diende het alleen om het eten op smaak te brengen.

'Kom, was mijn handen eens, Themía,' zei vader. Hij knielde neer en vouwde zijn handen laag boven de grond tot een kommetje. Daarna knielde oom Constantine en deed hetzelfde. Toen liepen we samen naar huis en vader liet zijn sterke hand in mijn nek rusten.

De andere kinderen bleven nog een poosje naar het wilde zwijn staan staren en renden vervolgens, nog steeds met grote ogen, naar huis.

Bij het licht van het haardvuur vertelde vader over zijn avontuur. Hij zag een wild dier waarvan hij dacht dat het heel klein was, totdat het plotseling opsprong en angstaanjagend groot werd. Na zijn verhaal te hebben gedaan pakte hij zijn viola en zette hem op zijn knie. Met zijn stevige smidshand liet hij de mooi gevormde strijkstok over de tere, strakgespannen snaren van de viola gaan. Op zijn gezicht lag een uitdrukking van tevreden vermoeidheid. Grootvader deed mee op zijn fluit, die altijd warm in een uitsparing in de grote stenen schoorsteen klaarstond voor gebruik. Toen deed mijn vader zijn ogen dicht en vulde zijn zoete stemgeluid moeiteloos de kamer. Het was een Turks liedje dat hij vaak zong:

*Eh sini, sini, sini*
*Galailarum eh sini nanagigum*
*Senesever Turkidamam*
*Banaina alduda hedge guremaim*
*Aski halima savedamaim nanegigum*
*Senesaver Turkidamam*

Een paar weken na die avond gingen twee andere mannen uit ons dorp erop uit om op wilde zwijnen te jagen. Toen ze niet terugkwamen, gingen andere mannen uit het dorp naar hen op zoek. Ze troffen ze dood aan, in stukken gereten door het zwijn waarop ze jacht maakten.

# 12

## *Het hongerjaar*

We waren geen rijke mensen, maar arm waren we ook niet. We bezaten drie huizen: ons vaste woonhuis, een huis in de Turkse stad en een huis hogerop in de bergen, dat we in de zomervakanties gebruikten. En we hadden twee smederijen, dus we hadden een goed inkomen, al werd een deel van het werk in natura betaald. Dat was een manier om de armere mensen toch van dienst te kunnen zijn als ze geen geld hadden om te betalen. Dan kwamen ze ons helpen met het klaarmaken van de akkers in het voorjaar, of ze gaven ons wat ze maar konden missen. Dat is de manier waarop de Turken, en zelfs onze buren, ons soms betaalden: door ons te helpen op de akkers.

Ik kan me maar één periode van armoede herinneren, maar dat jaar waren de meeste mensen arm. Het was het jaar van de grote hongersnood. Ik moet een jaar of zes zijn geweest. Ik geloof dat het in 1916 was. Dus de Eerste Wereldoorlog woedde nog steeds volop. Dat was een afschuwelijk jaar voor mijn volk.

De eerste paar jaar van de oorlog was Turkije aan de winnende hand, maar omstreeks 1916 begon het tij te keren. In het begin van de oorlog werd er door de Jonge Turken en splintergroepen sporadisch wreed opgetreden tegen Pontiërs en andere christelijke minderheden, maar na de massamoord op de Armeniërs in 1915 kregen we te maken met serieuze vervolgingen. Onder de gruwelijkste omstandigheden vonden massadeportaties plaats. Duizenden kwamen om tijdens lange marsen, en als onderdeel van een militaire mobilisatie werd alle mannen tussen twintig en vijftig jaar gevraagd zich te melden. Op weigering stond de doodstraf. De meeste christenen werden ingedeeld bij de beruchte Amele Tabourou, werkeenheden die stenen moesten kloppen en door heel Turkije wegen aanleggen voor het Turkse leger. Sommigen werden helemaal naar Bagdad, Mesopotamië of de Kaukasus gestuurd, waar ze zich letterlijk doodwerkten zonder voldoende eten, warme kleding of onderdak.

In de zomer van 1916 werd de hele Griekse bevolking van Sinop, een stadje aan de Zwart Zee, uitgemoord. En eenzelfde lot trof de Grieken in Samsun, ook een kustplaats. Onder voorwendsel van een razzia op Pontische deserteurs werden achtentachtig Pontisch Griekse dorpelingen verbrand. Een campagne van intimidatie, verkrachting, diefstal en moord kostte tussen 1914 en 1918 aan ten minste 100 000 Pontisch Grieken het leven. Veel anderen zijn in die tijd het land ontvlucht.

Toen de grote hongersnood het land in zijn greep kreeg, raakten veel van onze koeien ziek. We brachten de zieke koeien hogerop in de bergen ter bescherming van de gezonde, maar sommige vielen domweg dood neer in de weide. Ogenblikkelijk doken er dan enorme aasgieren op, die met hun brede vleugels een geluid als donderslagen maakten en de kadavers van de gevallen dieren aan stukken trokken.

De akkers hadden niets geproduceerd. Het verdorde gras, van zijn heerlijke groene kleur ontdaan, wees geknakt in alle richtingen. Waar eens onze tuin was, staarden nu omgewoelde kluiten aarde, hier en daar onderbroken door een verlepte stengel van het een of ander, machteloos naar de hemel.

Er was nog een andere Nastasía toen. Drie jaar oud. De gebrekkige voeding had haar ziek gemaakt, net als veel andere kinderen in het dorp dat jaar. Kinderen werden ziek en stierven in een onrustbarend tempo en als gevolg van de oorlog waren voedsel en medicijnen overal schaars. Op een dag kwam grootvader van de smederij en zag Nastasía in het gras voor ons huis zitten. Ze knabbelde op de hoef van een koe die ze ergens op de grond had gevonden. Grootvader zei tegen haar dat ze het ding moest loslaten, maar ze staarde hem aan met een glazige blik. Dus pakte hij een steentje op, dat hij naar haar toe gooide om haar aandacht te trekken. Het raakte haar voet. Zachtjes. De volgende dag was ze dood.

Door tragedies zoals de onze stelden families die grotere voorraden hadden hun huis open voor kinderen die anders misschien niet genoeg te eten zouden krijgen. De kinderen bleven een week in een gastgezin om bij te komen. Ik werd naar Iondone gestuurd, naar een groot huis naast de kathedraal. Die mensen waren handelaren in stoffen, geloof ik, en hoewel ze het goed bedoelden en ik best weet dat ze aardig waren, kan ik me niet herinneren ooit zo'n honger te hebben gehad als juist daar. Ik lag 's nachts op mijn matje naast de andere kinderen en dan knorde mijn maag van de honger. Ik lag te woelen, kon de slaap niet vatten, luisterde naar de ademhaling van de anderen en vroeg me af of zij ook zo'n hongergevoel hadden.

Op een nacht stond ik zo stil als ik kon op terwijl alle anderen lagen te slapen, en ging op mijn tenen naar de kamer waar ze hun voorraden hadden. Ik was doodsbenauwd dat iemand me zou betrappen. Overal in huis was het donker, alleen de gloeiende kooltjes in de haard gaven een flauw schijnsel en door de ramen in de kamer viel gefilterd maanlicht. Ik vond de deur en deed hem voorzichtig open. Mijn hart klopte in mijn keel. Ik vond de weg naar het meelvat en stak er mijn hand in. Ik haalde een handvol meel op. Daar stond ik, meel happend. Ik had me wel kunnen verslikken en stikken. Maar mijn honger en wanhoop waren me te machtig. Toen de pijn in mijn maag luwde zocht ik mijn weg terug door de donkere kamers en viel op mijn matje in slaap. Wat was ik blij toen mijn ouders me weer kwamen halen.

Op een dag kwam grootvader thuis met de kop van een kalf. Met die honger in het land was dat een hele luxe. Hij gaf hem aan mijn moeder om klaar te maken voor de familie en ging naar zijn smederij. Zij deed de kop in een grote pan en goot er water bij. Daarop hing ze hem boven het vuur. Toen de kop gaar was zette moeder hem op tafel en Christodoula, moeder en ik gingen naar het bos om kruiden te zoeken. Moeder mengde vaak kruiden door het meel om wat meer brooddeeg te krijgen. Ieder van ons zocht een bundeltje kruiden. We bonden ze op onze rug en gingen naar huis. Toen we aankwamen stond de kop van het kalf nog steeds op tafel, alleen de beste stukken, de wangen, waren verdwenen.

'Waarom heb je niet gewacht tot iedereen thuis was voor je aan het kalf begon?' schreeuwde grootvader tegen mijn moeder.

'Maar ik heb er niet van gegeten,' zei ze tegen mijn vader. 'Het was al zo toen we uit het bos kwamen.

'Ik weet dat je het hebt gepakt om aan je kinderen te geven,' zei grootvader.

Mijn moeder boog haar hoofd en begon te huilen.

'Nee,' zei ze.

'Als ze het niet heeft gedaan,' zei vader, 'dan heeft ze het niet gedaan. Ze liegt niet.'

'Ik duld geen mensen onder mijn dak die eten stelen terwijl anderen honger lijden. Haal je gezin bij elkaar en verlaat dit huis.'

'Maar waar moet ik heen?' wierp vader tegen. 'Hoe weet je nou of iemand anders het niet heeft gedaan?'

'Omdat zij kinderen heeft. Ik weet zeker dat ze het vlees aan hen heeft gegeven,' zei grootvader. 'Wie anders zou zoiets doen?'

'Waarom vraag je het niet ook aan Constantine en zijn vrouw?'

Die zeiden natuurlijk nee, maar tot op de dag van vandaag geloof ik dat zij een stuk van die kalfskop hebben opgegeten, maar dat ze te bang en beschaamd waren om het toe te geven.

De volgende ochtend pakten mijn vader en moeder onze spullen en we verlieten het huis. De dorpsbewoners zagen ons gaan. Omdat mijn moeder zwanger was en langzaam moest lopen, leek de wandeling de berg af wel een eeuwigheid te duren.

Terwijl mijn ouders naar een plek om te wonen zochten, parkeerden ze mij bij mijn tante, die met haar man en schoonfamilie in een grote stad woonden waar Grieken en Turken door elkaar heen woonden. Tijdens de oorlog waren de spanningen tussen de Grieken en de Turken in die stad opgelopen. Er waren gewelddadigheden. Bijna elke nacht vlogen de kogels door de straten. Ik voelde me akelig, zo achtergelaten bij mensen die ik niet kende, en toen er vlak achter het huis een Griekse man werd neergeschoten, werd ik ook bang. Maar een paar dagen na mijn aankomst, toen er niemand anders in de buurt was, kwam de schoonvader van mijn tante naar me toe.

'Je moet betalen voor het eten dat je hier krijgt,' zei hij. 'Wat dacht je? Dat je ouders je zomaar hier kunnen laten en dat wij je eten betalen?'

Ik keek hem stomverbaasd aan.

'Maar ik heb helemaal geen geld,' zei ik, niet wetend wat ik anders moest zeggen of doen.

'Nou, laat je ouders je dan maar komen halen. Of vertel ze anders dat ze moeten betalen om je hier te laten logeren.'

Ik rende helemaal overstuur het huis uit en ging toen ergens zitten huilen.

'Wat is er aan de hand?' zei een stem. 'Waarom huil je?'

Ik keek op en door een waas van tranen zag ik mijn tantes man naar me staren.

'Heeft iemand je pijn gedaan?'

'Uw vader zei dat ik voor mijn eten moet betalen, maar… ik… heb… helemaal… geen… geld,' huilde ik, struikelend over elk woord.

'Die moet zich nergens mee bemoeien. Je bent onze gast. Wij willen dat je bij ons blijft,' zei hij. Hij klopte me zachtjes op mijn kleine, schokkende schouder. 'Maak je vooral geen zorgen over zulke dingen. Ik ga wel met hem praten. Hij zal je niet meer lastigvallen.'

Toen ging hij naar binnen. Algauw hoorde ik zijn boze stem door het open raam.

'Hoe durf je zo tegen een kind van zes te praten? Ze is onze gast, niet die van jou. Ik betaal voor haar eten en jij zegt nooit meer zoiets tegen haar. Begrepen?'

'Ja hoor, al goed,' probeerde de oude man zijn zoon te sussen.

Niet lang daarna kwamen mijn ouders me halen en gingen we naar ons nieuwe huis. Mijn vader had een smederij geopend in een Turkse stad met brede straten en lage gebouwen. Iedere dag brachten de Turken ons te eten om ons in hun midden welkom te heten, zoals hun gebruik het voorschreef. Elke ochtend, wanneer de zon nog nauwelijks de kans had gehad om de hemel te verlichten, klonk het geluid van mijn vaders hamer, staal op staal, al door de wijk. Dat beviel de Turken aan hem, en omdat hij een muzikant was, mochten ze hem nog meer.

'Lumbo!' riepen ze vaak 's avonds na het eten. 'Kom wat spelen.' En mijn vader, altijd vriendelijk voor wie er vriendelijk tegen hem was, pakte zijn viola en ging de deur uit om te spelen.

Soms sleepte hij zich om drie uur in de ochtend naar huis om een paar uur later weer op te staan.

'Nee!' riep hij op een avond toen we ze hoorden roepen. 'Zo kan ik niet doorgaan. Ze willen dat ik elke avond kom spelen. Ik krijg nooit genoeg slaap of tijd om aan mijn familie te besteden.'

Hij stond op van zijn stoel, nam zijn viola, smeet hem tegen de muur en gooide hem in het vuur.

'Misschien dat we nu wat rust krijgen.'

We hebben een maand of vijf in die stad gewoond, geloof ik. De tweede Nastasía is er geboren. Het was bij ons gewoonte om een kind naar een overleden kind te noemen.

Christodoula was een heel mooi meisje, en hoewel ze nog steeds maar een kind was, begonnen de jonge Turken naar haar te kijken zoals mannen naar vrouwen kijken.

'Ze is te jong, ze zouden zo nog niet naar haar moeten kijken,' zei vader op een dag tegen moeder. 'Het wordt tijd om naar huis te gaan.'

'Zal je vader ons terugnemen?' vroeg moeder.

'Ja, hij zal ons terugnemen. Het zaaiseizoen breekt aan en zijn boosheid zal sowieso wel weggeëbd zijn. Hij heeft tijd genoeg gehad om af te koelen.'

En dus pakten we onze spullen en gingen naar huis. Toen grootvader ons zag moest hij huilen.

# 13
# *Wintervertellingen*

De sneeuw lag in grote hopen die winter. De sparren op de heuvel hadden een witte jas, als Assepoester die naar het bal ging. Soms kreeg een windvlaag vat op een sneeuwduin en liet hem in de rondte tollen als een witte tornado, om hem ten slotte tegen de kobalten hemel te verstuiven.

De eerste sneeuw was opwindend voor ons kinderen. We renden op onze blote voeten de deur uit om ons erin te rollen. We zwaaiden met onze armen om een engel te spelen, of we lagen daar maar gewoon, met onze armen wijd, en lieten met ons warme lichaam een spookachtige afdruk achter in dat wollige sneeuwbed. Dan raceten we lachend weer naar binnen om bij het vuur te zitten, met tintelende voeten van de kou. Maar hoe koud en guur de wind buiten ook was, binnen was het knus en warm.

Grootmoeder nam zelden deel aan de dagelijkse overlevingsroutine. Zij scheen boven zulk slavenwerk te staan. Misschien is dat de reden waarom ik me zo moeilijk iets van haar herinneren kan. Het was een troost voor me om toe te kijken als moeder deeg kneedde, brood bakte of voor het vuur stond en in de pan met winterkost roerde, haar gezicht rood van de vlammengloed. Haar bewegingen leken nooit gehaast of onhandig. Ze bewoog zich zwevend door het huis of over het veld, één en al flair en efficiëntie.

Als grootvader 's avonds thuiskwam van zijn werk, waste moeder zijn voeten. Zelfs dan waren haar bewegingen gracieus en waardig; na het wassen drukte ze een lichte kus op zijn wreven. Ze richtte zich nooit rechtstreeks tot grootvader. Als ze iets tegen hem wilde zeggen, deed ze dat via vader. Het was haar schoondochterlijke plicht om de vader van haar man met zulk respect te behandelen. We zullen het maar opvatten als een teken van dankbaarheid voor het geboden onderdak, de warmte en het dagelijks brood. Maar ik geloof dat het altijd de vrouwen waren die het hardst werkten.

Wij kinderen hielpen ook mee, niet zozeer in huis, maar bij de koeien en de kippen – kleine dingen die ook leuk waren om te doen. Soms gingen we naar het dorp met een groot twintiglitervat om water te halen. Mannen uit de stad hadden een pijp aangelegd waardoor water uit de bergen in een klaarstaande emmer stroomde. Het overtollige water kwam in een reusachtige stenen of cementen bak, waaruit de dieren konden drinken. Water was schaars en kostbaar.

Af en toe gingen we ook naar het bos om brandhout voor de haard te zoeken. Dat namen we dan in bundels op onze rug mee terug. Maar gewoonlijk gingen de mannen met een kar om een hele lading in één keer op te halen.

De haard was van het grootste belang in ons bestaan. Hij bracht warmte, kookte onze maaltijden en verschafte ons zelfs verlichting na zonsondergang. Misschien dat we ook een lantaarn hadden, maar ik herinner me niet er ooit een gezien te hebben. Als je 's avonds naar buiten wilde, of zelfs van de ene kamer naar de andere, dan stak je een stuk nog sappig dennenhout aan en gebruikte dat als toorts. Het sap werkte als een soort brandstof om de vlam langer aan de praat te houden.

Hoewel ze onder hetzelfde dak woonden, trokken oom Constantine en zijn gezin maar weinig op met de rest van de familie. Hij was nog jong en was buitenshuis of zat met zijn vrouw en kleine kind in de andere kamer.

Uit die periode is er een avond die ik me heel levendig herinner. Nastasía, Christodoula en ik zaten op de vloer voor de haard en speelden met onze poppen, die we zelf hadden gemaakt van lappen, stokjes en stukjes hars. De hoofden maakten we van oude knopen die we met een stuk stof omwikkelden. Takjes, gaffels, deden dienst als benen, en voor de voeten kneedden we de hars tot schoenen met hoge hakken. Ik weet niet waarom we schoenen met hoge hakken maakten. Ik had zulke schoenen nog nooit gezien, maar we maakten ze. De gezichtjes verfden we met houtskool, en met de kleurtjes die we maakten uit planten die we in het bos vonden.

Moeder, alweer met een dikke buik, zat ook bij het vuur en haakte een truitje. Vader en grootvader zaten op hun vaste plaatsen. Grootmoeder zat als een prinses in een hoekje, in die mooie kleren van haar, en Yanni lag opgerold als een kat op de vloer te slapen.

Het was een moment van verademing: ons kleine schip hernam zijn oude koers. Dit waren verleidelijke en hoopvolle momenten die elk gevoel van naderend onheil verdreven.

'Er waren eens twee verschrikkelijk stomme broers,' begon grootvader.

Hij leunde naar voren, met zijn ellebogen op zijn knieën, sloeg zijn handen in elkaar en tuurde in de vlammen. Mijn handen waren bezig met mijn lappenpop, maar ik spitste mijn oren, want ik wist hoe het begin van een verhaal klonk.

'Er waren nauwelijks mannen in het dorp waar ze woonden, maar toch kon hun moeder geen bruid voor ze vinden. Niemand wilde met ze trouwen. Ze hadden hun hart verpand aan de twee mooiste jonge meisjes van het dorp. Maar toen ze om hun hand gingen vragen kregen ze van de vader van de meisjes te horen dat ze op het punt stonden te trouwen met twee knappe jongens uit de grote stad op de andere berg. Dus op een dag besloten de jongens naar die verafgelegen stad te reizen om er zelf naar een vrouw op zoek te gaan.

"Wat moeten we meenemen?" vroeg de jongste broer, want ze waren nog nooit op reis geweest.

"Ik weet het niet," zei de oudste broer.

"Jullie zullen een bijl nodig hebben," zei hun moeder, "dan kunnen jullie hout kloven voor een vuurtje."

"Goed," zeiden de broers.

"En jullie moeten een lantaarn meenemen om te zien waar je loopt als je eens in het donker moet reizen," zei de moeder.

"Goed," zeiden de broers weer.

"En vergeet niet dekens mee te nemen en eten en lucifers om het vuur aan te steken," zei de moeder. Zij was de enige slimmerd van de drie.

En zo bereidden ze zich voor op hun vertrek de volgende dag en ze wikkelden hun proviand in kleine tassen, die ze op hun rug zouden dragen.

De dag die ze voor hun vertrek hadden uitgekozen begon rustig en kalm, maar ze waren de houten brug over het diepe ravijn dat hun dorp van de buitenwereld scheidde nog niet overgestoken, of de wind begon te gieren. Hij floot door de spleten tussen de rotsen en hij floot door de takken van de bomen. "Wat was dat voor geluid?" vroeg de jongste broer. Hoe verder ze van huis kwamen, hoe banger hij werd.

"Welk geluid?" vroeg de ander. "Het is maar de wind in de bomen," zei hij. Maar hij was ook bang.

Ze liepen verder, en maakten een sprong bij elk geluid dat ze hoorden. Ten slotte besloten ze bij een beekje te stoppen om hun avondmaal klaar te maken. De lucht begon donker te worden en de wind loeide almaar harder. Ze maakten een vuur, aten en gingen op hun matjes liggen om te slapen.

"Geloof jij in spoken?" vroeg de jongste broer.

"Nee!" zei de oudste. Maar hij keek wel om zich heen om te zien of iemand hem kon horen.

"Maar wat zat er dan aan mijn oor?"

"Ik weet het niet," zei de oudste. "Hoe voelde het?"

"Als de koude vinger van de dood," zei hij, en zijn stem trilde terwijl hij sprak.

"Het was de wind maar," zei de oudste. Maar zijn ogen werden groot als theeschoteltjes, en hij keek nogmaals om zich heen in het donker om te zien of er iets in de buurt was.

"Wat was dat?" riep de jongste opnieuw.

"Wat?"

"Er likte iets aan mijn elleboog."

"Dat was de wind," zei zijn broer. Maar deze keer was hij niet zo zeker. De oudste trok de deken over zijn hoofd om zich te verstoppen, en toen hij dat deed kwam zijn grote teen bloot. De wind floot harder en harder.

"Wat was dat?" riep de oudste broer deze keer. Hij trok zijn teen naar binnen en ging rechtop zitten.

De jongste sprong overeind. "Wat?' schreeuwde hij bijna.

"Er likte iets aan mijn teen," zei de oudste broer, en ook hij sprong op. Zijn haar stond recht overeind.

De broers pakten snel hun spullen bij elkaar en bonden ze op hun rug. Toen staken ze de lantaarn aan zodat ze wat konden zien tijdens hun nachtelijk gereis. Maar ze hadden de lantaarn nog niet ontstoken of er doemde een reus voor hen op.

"Wat was dat?" riep de jongste broer.

"Ik weet het niet," riep de oudste.

Ze sloegen een andere richting in, maar ook daar verscheen een reus. Daarop lieten ze de lantaarn vallen en renden richting huis. Ze renden en renden, struikelend en stommelend over stenen en takken die op de grond lagen. Omkijken durfden ze niet. Ze dachten dat het spook hen zou vangen als ze dat deden. Uiteindelijk bereikten ze de brug over de kloof die hun dorp scheidde van de buitenwereld en ze renden erover.

"Geef me de bijl," riep de oudste broer zodra ze aan de overkant waren. "Ik hak de brug door en dan zijn we eindelijk veilig."

"Ja," zei de jongste. "Dan kan de reus ons niet achternakomen naar huis."

En dus hakte en hakte de oudste broer in op de touwen die de brug droegen, tot deze ten slotte met veel kabaal in het diepe ravijn plofte.

De broers kwamen vroeg in de ochtend thuis, nog voor er iemand in het dorp wakker was. Ze gingen meteen naar bed en zijn een heel jaar lang niet meer opgestaan. Hun moeder schaamde zich zo toen ze het verhaal te horen kreeg dat ze niemand over hun vroege thuiskomst vertelde.

Uiteindelijk besloten de broers op te staan en een wandelingetje door het dorp te maken. De dorpsbewoners waren er erg van onder de indruk dat ze in de grote stad waren geweest en na zo lange tijd waren teruggekomen. Ze organiseerden een groot feest om de broers welkom thuis te heten, alsof ze helden waren. Het feest duurde maar liefst drie dagen. De broers geneerden zich net als hun moeder en zeiden evenmin iets over wat er werkelijk was gebeurd.

Op de derde dag meldde de vader van de twee mooie dochters zich bij de broers en vroeg of ze nog steeds met zijn dochters wilden trouwen.

"Ja!" riepen ze tegelijk. "Maar waarom bent u van gedachten veranderd?"

"Tja,' zei de vader, zo onverschillig mogelijk. "Nu jullie beiden mannen van de wereld zijn, zou ik het een eer vinden als jullie met mijn dochters trouwden."

Maar wat de vader niet zei, was dat de twee knappe jongens die met zijn dochters zouden trouwen nooit waren komen opdagen. En de twee domkoppen zeiden natuurlijk niet dat ze de enige brug waarover die twee hadden kunnen oversteken hadden vernield.

En zo kwam het dat twee dorpsgekken met twee dorpsschonen trouwden.'

Iedereen lachte. Ik giechelde en trok aan de armen van mijn kleine lappenpop. 'O, maar grootvader,' zei ik. 'Er bestaan geen spoken.'

'... Nee toch?' voegde ik er snel aan toe, toen er iets tegen de buitendeur sloeg.

Weer moest iedereen lachen, en vader stond grinnikend op en ging naar de deur.

'Geef mij Themía maar,' zei grootvader.

Hij trok me naar zich toe en sloeg met een lief gebaar zijn armen om me heen. Toen wreef hij zijn stoppelige kin tegen mijn wang totdat ik niet meer kon van het lachen.

'Jullie mogen de rest wel houden,' zei grootvader. 'Als ik mijn Themíaatje maar krijg.'

Toen de deur openging maaide er een koude windvlaag door de kamer. Mijn twee ooms, Constantine en Nicholas, stonden verkleumd in de deuropening en ondersteunden een man die zich amper kon bewegen.

'Breng hem bij het vuur,' zei vader.

Hij hielp ze vlug met de vreemdeling terwijl grootvader nog een blok op het vuur legde; de vonken vlogen alle kanten uit. Mijn ooms hadden de grootste moeite met de man. Hun vingers waren blauw en stijf van de kou en net als die van de man waren hun haren en kleren bijna als van ijs. Moeder haastte zich naar de provisiekamer en kwam terug met drie kopjes met een bodem siroop. Toen lengde ze de siroop aan met heet water uit de ketel die boven het vuur hing en gaf oom Constantine en oom Nicholas ieder een kopje om warm te worden. Vader trok de man zijn schoenen uit en wreef voorzichtig over zijn voeten terwijl moeder een deken over hem heen legde en een kussen onder zijn hoofd schoof.

Ze deden zijn handschoenen uit en wreven zijn handen en wangen totdat hij eindelijk begon te bewegen. Ik was volledig gebiologeerd door de vreemde verkleumde man die languit op onze vloer lag. Zijn grote blote voeten werden langzaam weer roze door de warmte van het vuur.

'Wat heeft-ie een grote voeten,' flapte ik eruit.

'Ssst,' deed mijn moeder. 'Zoiets zeg je niet.'

Toen we aan de bewegingen van de man zagen dat hij bij bewustzijn was, hielp mama hem de hete limonade drinken terwijl vader zijn hoofd en schouders ondersteunde.

'Waar komt hij vandaan?' vroeg vader.

'Ik weet niet uit welk dorp hij komt,' zei oom Constantine. 'Het is een Turk. We hebben hem in de sneeuw gevonden. Hij was te koud om verder te lopen, dus is hij maar gaan liggen om te sterven. Hij moet verdwaald zijn in de storm.'

'Maar goed dat je hem hebt laten lopen,' zei grootvader. 'Dat heeft zijn bloed in beweging gehouden.'

Terwijl wij de kamer uit gingen hielpen zij de vreemdeling uit zijn natte kleren. Toen maakten ze een bed voor hem klaar voor het vuur, en daar heeft hij de nacht doorgebracht. Mijn ooms hadden bevriezingsverschijnselen aan hun tenen, zeiden ze later, maar ze hebben er niets aan over gehouden.

Mijn droom die nacht ging over kille heuvels,
twee mannen vochten zich door wervelsneeuw.
Ze leunden in de wind met ijzige gezichten,
hun kleren vroren tot een dunne schelp van ijs.

En achter hen verrees een dolende dode
die met zijn koele vinger hen tot snelheid maande,
waarop zij onder een deken van sneeuw,
als een geruste slaper, iemand vonden.

Een Turk met een masker van ijskristal
lag zwijgend en stijf in zijn zachtwitte bed.
Ze pakten de man en dwongen hem tot staan,
en hebben hem naar huis gebracht,
door de blauwe adem van de nacht.

Toen ze boven bij een bergkloof kwamen,
sloeg die gapend voor hun voeten open.
Een broze brug van sneeuw hing naar de overkant:
een weg naar de veiligheid voor hun dapper streven.

Maar toen ze overstaken, brak hij achter hen in twee,
een wit waas wervelde uit de diepte op;
een glinsterende vlokkenpluim die als sterren
zich verspreidde in het donkere nachtgewelf.

Kerst bij ons was een heerlijke tijd. Onze cadeautjes waren eenvoudig: een handvol noten en rozijnen, met liefde gegeven. Moeder pakte zelfs graankorrels en pitjes in een zakdoek voor Yanni en mij, om naar het dal te brengen voor de vogels. We strooiden ze uit langs de beek, vlak bij waar het water de molen passeerde. Dan deden we een paar passen terug en gingen met knalrode neuzen van de kou staan kijken of er ook vogels op ons kerstcadeautje afkwamen.

Achter in de haard werd een dennentak gehangen, op zo'n manier dat het vuur slechts de naalden en het sap in de tak verwarmde en een zoete geur het huis vulde.

Kort na Kerstmis kreeg moeder haar eerste weeën. We kwamen net uit school toen ik moeder hoorde kreunen in de kamer waar wij altijd sliepen. De vroedvrouw liep bedrijvig door het huis. Grootmoeder stookte het vuur op en kookte water. Vader liep te ijsberen. Al die drukte en het kreunen van mijn moeder maakten me bang.

'Wat gebeurt er?' vroeg ik.

'Ssst!' zei de vroedvrouw, en met zachte hand duwde ze Christodoula en mij de deur weer uit. 'Ga buiten zitten en hou je rustig.'

We deden wat de vroedvrouw ons vroeg. Christodoula en ik keken elkaar aan en snikten. Bij elke kreet die door de deur tot ons doordrong dacht ik dat mijn hart zou ophouden met kloppen. Ik kneep mijn ogen stijf dicht om het geluid buiten te sluiten, alsof die kleine daad van verzet mijn moeders pijn zou verlichten.

Ik herinner me een andere keer, een paar jaar daarvoor, dat mijn moeder ook op het punt stond een kind te krijgen. Het was zomer en wij kinderen zaten in het gras te spelen. Moeder zat op haar knieën op de veranda de afwas van het middageten te doen, toen een van de koeien helemaal gek werd en op ons af kwam stormen. Moeders angstkreet doorsneed de stille berglucht. Ik keek op van mijn pop en zag haar komen aanrennen, met een pan nog in haar hand. We wisten niet dat er gevaar dreigde. We schrokken van haar angstgeroep en als verstijfd keken we toe hoe ze met haar onhandige figuur onze kant op racete. Ik draaide me om om te zien waar ze zo bang voor was. Er kwam een koe op ons af. We sprongen op, maar moeder verstapte zich en duikelde voorover in het gras. Ze probeerde weer op te staan om haar missie te voltooien, maar dat mislukte. Toen veranderde de koe van richting en kalmeerde terwijl wij naar moeder renden. Ze lag daar maar en kreunde op precies dezelfde klagerige manier terwijl ze haar dikke buik met beide handen vasthield. Christodoula rende weg om hulp te halen en ik bleef naast moeder zitten. Ik huilde en aaide haar haar. Vader kwam, droeg haar naar huis en legde haar in bed, terwijl Christodoula en ik de vroedvrouw gingen halen. Ik stond snikkend voor de slaapkamerdeur naar vaders troostende stem te luisteren en voelde mee met elke pijnscheut van mijn moeder. Toen de vroedvrouw kwam werden Christodoula en ik, net als nu, naar de veranda gestuurd, met als enige troost onze eigen tranen. We wisten niet dat moeder zwanger was. Over zwangerschap werd niet gesproken in die tijd. Pas later, toen we ouder waren, vertelde moeder ons dat ze die keer een miskraam had gehad.

Nu luisterden we naar het heen-en-weerhollen van de vroedvrouw. Ik duwde mijn voorhoofd tegen de deur en kneep mijn ogen stijf dicht om met mijn oren te kunnen zien wat mijn ogen werd onthouden. Ik hoorde de stem van de vroedvrouw mijn moeder beurtelings aansporen en troosten. Ik hoorde moeders vermoeide stem, en tussendoor haar gekreun. En ten slotte, na wat een eeuwigheid leek, kwam er een derde stem de kamer binnen, door een of andere geheimzinnige, privé-ingang. De stem van een baby.

Ik deed mijn ogen wijd open en ik voelde mijn hart in mijn keel kloppen toen ik me realiseerde wat het geluid betekende. Moeder zuchtte en we hoorden haar zachtjes lachen. Christodoula en ik keken elkaar door onze tranen heen aan. Toen begon moeder opnieuw te kreunen.

'O,' zei de vroedvrouw. 'Daar komt er nog een.' En algauw voegde zich een vierde stem bij de andere drie.

Het was in de herfst, moeder zal niet meer dan een paar maanden zwanger zijn geweest, toen de twee Turkse vrouwen naar ons huis kwamen om hun pannen te laten maken. Het was bijna niet voor te stellen hoe iemand had kunnen weten dat ze zwanger was, en toch zagen die Turkse vrouwen het in één oogopslag, niet alleen dat ze zwanger was, maar ook dat ze een tweeling zou krijgen.

De dag nadat mijn zusjes geboren werden – Mathea en Maria – deed moeder het huishouden alweer. Mijn vader maakte een prachtige wieg voor de baby's. Hij was ongeveer een meter hoog, ovaal van vorm en kon schommelen. Net iets uit het midden van het wiegje zat een gat, waar de plas en poep van de baby's doorheen vielen, zodat het bed niet vuil werd. Ze sliepen zonder luiers onder een deken. De baby's kregen ieder een breed plantenblad tussen hun benen, dat alles door het gat in de bodem naar een po onder de wieg leidde.

Om ze te voeden knielde moeder naast de wieg, hield hem schuin naar zich toe en gaf haar baby's een voor een de borst, eerst aan de ene kant van de wieg en dan aan de andere. En zelfs dan waren haar handen nog bezig met andere dingen. Ze had geen tijd om zich te ontspannen en haar baby's rustig op de arm te nemen. Er moest altijd wel iets gebeuren.

# 14
## *De verdronken man*

Voor sommigen kwam Pasen zonder de gewoonlijke vrolijkheid. De Turkse soldaten hadden tijdens de oorlog alle mannen die ze maar te pakken konden krijgen geronseld, en nog eens tijdens de razzia in de herfst, waarbij ze ook mijn vader hadden meegenomen. Degenen die er net even niet waren of die zich wisten te verstoppen toen ze de soldaten zagen naderen, bleven gespaard. En degenen die ontsnapt waren, zoals mijn vader, begonnen net voorzichtig weer uit hun schuilplaatsen te voorschijn te komen. Het voorjaar was de tijd om te zaaien en te planten, en niemand kon gemist worden om een goede oogst voor de lange winter zeker te stellen. Voor hen die in de dorpen waren achtergebleven, begon het leven zijn normale ritme te herkrijgen. Niemand verwachtte wat er komen zou.

Ook al had elk dorp zijn eigen kleine kerk, op Goede Vrijdag gingen de inwoners van beide dorpen naar de avondmis in de kathedraal in Iondone. Het was traditie dat we de paasdienst in onze prachtige kathedraal hielden. Het kunstige houtsnijwerk van de balkons en spanten gaf ons een gevoel van trots. Overal stonden zelfgemaakte kaarsen van bijenwas. Ze stonden op het altaar, in standers en op de vloer, en iedere kerkganger droeg er een in de hand. Iedereen uit de twee dorpen daalde de helling naar Iondone af, en ze hadden allemaal hun eigen kaarsen bij zich.

In de kerk zaten we niet, maar we stonden rechtop in gebed en bogen af en toe voorover om met drie vingers als een soort driepoot de vloer aan te raken. Dan kwamen we weer overeind en raakten ons voorhoofd en onze borst aan in de vorm van een kruis. 's Avonds hielden we een processie en liepen met ontstoken kaarsen drie rondjes om de kathedraal. De afwezigheid van veel mannen in de kerk dat jaar gaf de heilige dag voor ons allemaal een heel persoonlijke betekenis. Moeders hadden hun zonen verloren, vrouwen en kinderen hun mannen en vaders. Het verdriet op hun gezichten, verlicht door het flakkerende schijnsel van de kaars in hun hand, was bijna even groot als dat op het gezicht van de Heilige Maagd zelf.

Als de dienst voorbij was vormden de mensen, weer op weg naar huis, een lichtend pad van kaarslicht, dat zich halverwege de heuvel vertakte naar de twee dorpen. De kerkgangers werden een processie van twinkelende lichtjes in het donker, flonkerend op de rand van de heuvel, zwevend in de met sterren bezaaide nacht.

De paasviering duurde drie dagen en het was de taak van de kinderen om de eieren te rapen die de kippen her en der legden. Christodoula, Yanni en ik, en zelfs de kleine Nastasía, liepen eieren te zoeken. Een van onze kippen had de gewoonte haar eieren op de vreemdste plekken te leggen en soms konden we ze niet vinden. Dus verborg ik me achter de schuurdeur en wachtte af. De oude Romeinen vonden de kip een verstandige vogel omdat ze het leggen van haar ei aankondigde, maar die paasochtend zag ik juist het tegenovergestelde. De kip keek om zich heen om te zien of er iemand in de buurt was, en kneep er toen tussenuit om haar ei te leggen. Maar toen ze klaar was moest ze wel opscheppen over haar prestatie. Ik ging kijken op de plek waar ik haar had gehoord en daar, weggestopt in een holletje dat ze had gemaakt in de hooistapel, lag een hele berg eieren. Moeder kookte ze en verfde ze in alle kleuren met verfstoffen die ze maakte uit uienschillen en kruiden. Ze kookte ook maïs, voor de kinderen die op paasochtend aan de deur kwamen zingen.

*Ella, ella, kalispera*
*Galgevado mula robo*
*yabia crió neró*
*Kali sas espera erhone*
*Anine erismosa*

Vooruit, vooruit, hallo, hoe gaat het?
Kom, dan gaan we ezeltje rijden
en koel water drinken.
Het is een mooie dag om te gaan
als God het wil.

Als ze klaar waren met zingen, stopte de vrouw des huizes ieder kind een gekookte maïskolf en een geverfd ei in zijn mandje – tenminste, als ze nog wat over had om uit te delen. De mannen, vooral de jonge mannen, maakten hun eigen eieren klaar, op een heel speciale manier. Ze legden hun eieren in de hete as in de haard en zetten er een schaal overheen. Op deze manier vormden de eieren bij het koken geen luchtbel bovenin. Als hun eieren klaar waren, gingen de mannen van huis tot huis en daagden iedereen uit voor een eiertikwedstrijd. Het was een mooie gelegenheid om mensen op te zoeken en weer eens uitbundig plezier te maken na de lange saaie winter.

'Aha,' zei vader. Hij tikte een van de eieren die hij had gekookt tegen zijn voortanden. Aan het geluid dat het gaf kon hij horen of het een goed wedstrijdei was. 'Dit is een goeie. Niet te verslaan, dit ei,' zei hij tegen mijn ooms. 'Het is precies goed gekookt.'

Oom Constantine lachte. 'Nee hoor! Je zult me niet verslaan. Mijn ei is veel harder, een echt kampioensei.' Ook hij tikte met zijn ei tegen zijn voortanden.

'Jullie kletsen maar wat,' zei oom Nicholas. 'Vandaag win ik.'

En zo zette zorgeloos het voorjaar in, maar daarna zou alles afgelopen zijn.

Op een van die dagen, toen de bergen in één nacht hun vale oker- en roestkleuren hadden verruild voor het tere groen en karmozijnrood van het voorjaar, en een laat zonlicht op de bergtoppen speelde, liepen mijn vriendin Marigoula en ik over de weg naar Iondone. Af en toe huppelden we wat en hier en daar plukten we een paar blaadjes van een struik, die we in onze zak lieten glijden. Het was een speciale struik. Uit de bladeren haalden kinderen een kleurstof waarmee ze hun nagels rood konden verven.

'Kijk!' riep ik naar Marigoula.

Op de weg lag een bankbiljet. We renden er beiden naartoe, maar net toen ik me bukte om het op te pakken, kwamen twee bereden Turkse soldaten op ons af gedraafd. Ik kwam instinctief overeind en zette mijn voet op het biljet om het aan het oog te onttrekken. We zagen zelden soldaten in onze dorpen.

'Waar gaan jullie naartoe?' vroeg een van de soldaten.

We bleven allebei stokstijf staan, mijn voet nog steeds boven op het geld.

'We zoeken alleen maar blaadjes,' antwoordde ik in mijn gebroken Turks.

'Het is al laat,' zei de soldaat. 'Jullie moeten snel naar huis gaan.'

'Goed,' zei ik, maar ik hield mijn voet op z'n plek.

Terwijl ze in draf wegreden keek ik zenuwachtig over mijn schouder, en daar, met hun rug tegen een boom, zaten twee mannen in een soort kleren die ik pas de zomer daarvoor voor het eerst had gezien. We waren zulke mannen steeds vaker gaan zien in onze dorpen. Hun taal was nieuw voor ons en ze hingen altijd zo'n beetje rond aan de rand van het dorp en deden niets dan wachten en toekijken, als roofvogels. Het was griezelig, zoals ze plotseling uit het niets naar onze dorpen waren gekomen. Ze sliepen in de bossen of in het veld en waar je ook keek, daar zaten ze.

Tijdens de hongersnood kwamen de gieren ook altijd zomaar uit het niets zodra er een ziek dier neerviel. Dan doken ze krijsend en klapwiekend met hun gigantische vleugels op hun prooi. Zonder mededogen rukten ze het vlees van het pasgevallen dier – soms zelfs nog voor het zijn laatste adem had uitgeblazen – en vochten onderling om het beste stuk. Het gebeurde wel dat we ze stil in een boom zagen zitten, wachtend tot het verzwakte dier om zou vallen, net als deze vreemde mensen nu ook zwijgend zaten te wachten.

Ik keek even naar de vreemdelingen en vroeg me af wat ze zouden doen. Ze deden niets. Pas toen de soldaten een eindje weg waren, bukte ik me om het geld op te pakken. Ik vond het leuk om geld te hebben dat helemaal van mij alleen was, ook al kon ik het nergens uitgeven.

Het was al bijna donker toen Marigoula en ik onze laatste bladeren plukten en naar huis gingen. We liepen vlug en passeerden overal wachtende vreemdelingen.

Onderweg stopten we, pletten onze geplukte bladeren met een steen, spuugden erop en maakten er al roerend een soort pasta van. Toen verfden we onze vingernagels met de felrode kleurstof en paradeerden pronkend met onze prachtige nagels naar huis.

Toen we er bijna waren hoorden we een stukje verderop mannen en vrouwen huilen. We renden erheen om te zien wat er aan de hand was en troffen oom Nicholas en twee andere mannen aan die met gebogen hoofd voor een groepje treurende mannen en vrouwen stonden.

'We konden niets doen,' zei een van de mannen. 'We hebben gedaan wat we konden om hem te redden, maar het is ons niet gelukt. Toen we een stam bij hem in de buurt kregen ging hij al voor de vierde keer onder.'

'We kunnen geen van drieën zwemmen,' zei de andere man. 'Anders waren we wel achter hem aan gesprongen.'

'Waarom?' riep de vader van de verdronken man. 'Waarom? Wat deed hij in het water?'

We stonden er met onze ogen en mond wijdopen bij en probeerden de details tot ons te laten doordringen. We voelden ons gegrepen door die geheimzinnige, onwezenlijke halfwerkelijkheid die de dood altijd met zich meebrengt.

'Hij zag een bloem aan de overkant van de vijver,' zei oom Nicholas, duidelijk aangedaan. 'Hij wilde hem plukken omdat hij zo mooi was. Dus pakte hij een boomtak die hij daar vond en legde hem over het water naar de andere kant. Maar toen hij erover liep, brak de tak en viel hij erin.'

'Dat stuk van de vijver is heel diep,' zei de eerste man. 'Hij kon er niet staan en hij kon niet zwemmen.'

De mannen bewogen nerveus heen en weer terwijl de moeder van de verdronken jongen met geheven handen een jammerklacht tot de hemel richtte.

Ik keek naar mijn pasgeverfde nagels en dacht aan de felgekleurde bloem, aan zijn spiegelbeeld in het rimpelloze water van de vijver terwijl hij onschuldig in de zon stond, onwetend van het verdriet dat zijn verraderlijke schoonheid had veroorzaakt.

Ze hadden een hele tijd geprobeerd hun vriend te redden, zeiden ze. Maar na boven te zijn gekomen en naar lucht te hebben gehapt, telkens weer, tussen het steeds opnieuw wegzinken door, was hij ten slotte als een steen gezonken. Na die laatste keer hadden de mannen vele uren gewacht tot hij weer zou bovenkomen, maar dat was niet gebeurd. Uiteindelijk waren ze naar huis gegaan.

De volgende dag gingen mannen uit het dorp, onder wie mijn ooms, terug naar de vijver om naar het lichaam te zoeken. Ze legden een stam over de vijver op de plek waar de vriend van mijn ooms was verdronken, maar vonden niets en keerden zonder hem terug. Dit herhaalde zich enkele dagen.

Een dag of vier na het gebeurde hoorden we opnieuw geweeklaag. Uit kinderlijke nieuwsgierigheid renden we naar buiten om te zien wat er aan de hand was. De man was boven komen drijven, deze keer bewegingloos; zijn longen waren niet meer op zoek naar lucht en zijn armen spartelden niet meer. Hij was aan een zijtak van de boomstam blijven haken en wachtte geduldig, met zijn gezicht in het kalme water, op de terugkeer van de anderen.

Ze zeiden dat hij na een paar dagen opnieuw zou zijn gezonken als ze hem niet waren komen halen. Alsof de vijver zijn familie een laatste kans gunde om hem mee te nemen alvorens hem voor zichzelf op te eisen en hem voor altijd in zijn modderige bodem te laten wegzinken.

De mannen droegen de verdronken man op een draagbaar van stokken en stro door het dorp. Zijn gezicht en armen, het enige wat we van hem zagen, waren gerimpeld als een droge pruim, alsof al zijn levenssappen uit hem weg waren gezogen en alleen zijn weke, geplooide buitenkant nog over was. Het leek zo onrechtvaardig dat iemand in het voorjaar moest sterven, juist wanneer de hele natuur weer tot leven kwam. Maar mijn god, wat waren wij klein, naast hem!

Het was bij ons gebruik de dode meteen de volgende dag al te begraven. De verdronken man werd opgebaard in een wit lijkkleed te midden van talloze brandende kaarsen. De rouwenden huilden en baden en knielden voor hem neer. Toen droegen ze hem naar de begraafplaats aan de rand van ons dorp en legden hem in de grond. Later zou er een grafsteen gemaakt worden en op zijn graf worden geplaatst. De traditionele tarwe voor de begrafenis werd gekookt, door de familie van de verdronken man met noten en suiker besprenkeld en toen op een groot bord, een *sini*, gedaan, met een appel of een peer in het midden. Misschien was de tarwe een symbool van de levenscyclus. Na de begrafenis zegende de priester de tarwe, ging buiten op éen soort trapje staan en hield het bord op voor ieder die wilde. De rouwenden hielden hun schort op of vouwden hun handen tot een kommetje om hun deel te ontvangen.

Die avond schaarde onze hele familie zich rond het haardvuur en werd er over de verdronken man gepraat. Zelfs oom Constantine en oom Nicholas en hun vrouwen waren erbij.

'Er is een plek in de hemel waar mensen wonen,' begon grootvader. 'Ze hebben ogen boven op hun hoofd en ze kunnen naar alle kanten tegelijk kijken. Als je een van hen de hand schudt, zal je hand aan die van de ander blijven plakken en je komt nooit meer los. Een jonge man liep op een dag door het bos, toen er plotseling een wild dier vanachter een struik te voorschijn sprong om hem aan te vallen. De jongen kreeg de doodschrik en zette het op een lopen. Het dier rende hem achterna en kwam steeds dichterbij. Ten slotte bereikte de jongen een boom en hij klom erin om aan het dier te ontsnappen. Maar het dier begon ook te klimmen.

"Help!" riep de jongen, met zijn blik op de hemel gericht. En plotseling werd hem vanuit de hemel een hand toegestoken, en de jongen greep hem beet. Zijn hand zat vast aan de andere hand en hij werd in veiligheid getrokken, net op het moment dat het dier hem aan stukken zou scheuren.'

Niet lang daarna was grootvader in zijn smederij in de Turkse stad. Soldaten marcheerden nog steeds door de straten in de steden.

'Varidimei! Varidimei!' riep een vrouw op straat naar hem. 'Kom naar buiten en zie wat er gebeurt!'

Hij liep zijn smederij uit om te zien waar de opschudding over ging en voor hij wist wat hem overkwam, grepen de soldaten hem en voerden hem weg. Het nieuws van zijn gevangenneming bereikte ons in het dorp. Het was alsof hij was verzwolgen en waar hij eens had gelopen, gezeten en geslapen, was nu een groot gapend gat. Elke dag tuurde grootmoeder naar de heuvel, in afwachting van zijn vertrouwde verschijning. En elke avond ging de zon onder als de avond daarvoor, zonder dat grootvader had zitten fluitspelen bij het vuur.

Niet lang na grootvaders verdwijning haalde grootmoeder al haar fijne linnengoed uit de kast en spreidde het uit op de vloer. Toen riep ze ons kinderen een voor een bij zich en nam ons de maat.

'Wat doe je?' vroeg moeder, terwijl grootmoeder de schaar in de fijne stof zette.

'Ik maak kleren voor de kinderen,' zei ze.

'Maar je mooie linnengoed,' zei moeder.

'Wat heb ik daar nou nog aan?' zei grootmoeder. 'Alles is afgelopen. Ik kan er maar beter iets nuttigs mee doen. Opsmuk hebben we nu niet nodig.'

# 15
## *Vanaf het begin der tijden*

Het was nooit bij ons opgekomen dat we ons paradijs ooit zouden moeten verlaten. Onze geschiedenis ging te ver terug om zoiets te geloven en we hadden al bijna drieduizend jaar de ene invasie na de andere en de ene slachting na de andere overleefd. Ten tijde van de korte heerschappij van Alexander de Grote, tussen 336 en 323 v.C., hadden de Grieken al meer dan achthonderd jaar in Klein-Azië, oftewel Ionia, gewoond. Alexanders verovering van het Perzische Rijk bracht het gedachtegoed en de cultuur van de Grieken en het Nabije Oosten naar het grote gebied dat zich uitstrekte van de Middellandse Zee tot India. Na de dood van Alexander maakte de vergriekste Perzische heerser Mithridates de Bouwer gebruik van de ontstane onrust en stichtte in 301 v.C. het onafhankelijke koninkrijk Pontus – in het Pontisch Gebergte en langs de zuidkust van de Zwarte Zee. Pontus kwam tot bloei en werd een belangrijk centrum voor handel en onderwijs. Na tientallen jaren van oorlog werd het koninkrijk Pontus ten slotte in 63 v.C. door de Romeinen veroverd. Maar de Griekse cultuur bleef van grote invloed. De overwonnenen droegen hun cultuur over op de overwinnaars.

De Romeinse keizer Hadrianus, die hield van alles wat Grieks was, bracht veel tijd door in Klein-Azië en het gebied aan de Zwarte Zee. Hij heeft zelfs een korte periode vanuit Byzantium, het latere Constantinopel, geregeerd. In de stad Nicomedia, in Klein-Azië, heeft hij tijdens een rondreis omstreeks het jaar 125 zijn beeldschone jonge Griekse knaap

Antinous ontmoet. Antinous vereerde hem en Hadrianus nam Antinous als minnaar en metgezel mee op zijn vele reizen. Hij liet talloze standbeelden van Antinous maken, en toen Antinous op de prille leeftijd van tweeëntwintig jaar tijdens hun reis naar Egypte verdronk, stichtte de diepbedroefde Hadrianus in dat land de stad Antinoopolis, als eerbetoon aan zijn jonge vriend. Antinous kreeg een graftombe en zelfs, tot misnoegen van veel van Hadrianus' landgenoten, een munt met zijn beeltenis.

De Grieken en Romeinen aanbaden vele goden in die dagen, maar al in het jaar 35 bracht de apostel Andreas het christendom naar Pontus. Omstreeks het jaar 312 verscheen de Romeinse keizer Constantijn een engel in zijn droom. En die engel vertelde hem dat hij de oorlog tegen Maxentius zou winnen als hij christen zou worden. Constantijn liet de schilden van al zijn soldaten merken met de letters x p, die het christendom symboliseerden, en niet lang daarna versloeg zijn leger dat van Maxentius; het hele Romeinse Rijk was nu van hem. Uit dankbaarheid gaf Constantijn, als eerste Romeinse keizer, de christenen in het jaar 313 vrijheid van godsdienst. In het jaar 330 maakte Constantijn Byzantium tot de nieuwe hoofdstad van het christelijke Romeinse Rijk en hij hernoemde de stad naar zichzelf: Constantinopel.

Hoewel Pontos bij het Byzantijnse Rijk hoorde, maakten plaatselijke Griekse feodale heren er in de elfde en twaalfde eeuw de dienst uit. In het begin van de elfde eeuw probeerden de (Turkse) Seltsjoeken Pontos binnen te dringen, na eerst het gebied van de Kaukasus onder de voet te hebben gelopen. Maar Pontos hield goed stand. De Seltsjoeken richtten daarop hun energie op centraal Klein-Azië en versloegen het Byzantijnse leger tijdens de Slag bij Mantzikert in 1071. Ze stichtten het sultanaat Iconium, dat tegenwoordig Konya heet. Pontos bleef nog steeds overeind.

In 1204 stichtte het Byzantijnse keizerlijke geslacht Comneni het onafhankelijke Pontische keizerrijk Trebizonde – een Grieks bastion op de oevers van de Zwarte Zee, dicht bij de Russische grens – dat 257 jaar standhield.

Met de komst van het Turkse stamhoofd Timur Lang (Timur de Kreupele), beter bekend als Tamurlane, in 1369, begon een nieuwe heerschappij van terreur tegen de christelijke bevolking. Tamurlane, die beweerde een afstammeling van Dzjengis Kahn te zijn, was een groot hater van alles wat christelijk was. Toen Tamurlane zijn troepen in 1380 naar Perzië dirigeerde, liet hij zijn mannen bij de stad Isfahan een piramide van 70 000 menselijke schedels bouwen, en bij Bagdad een van 90 000 – dit om de bevolking te waarschuwen geen verzet te plegen. De Assyrische stad Tikrit werd belegerd en de inwoners werden afgeslacht. Tegen het eind van zijn terreurbewind, in 1404, was de christelijke bevolking van Perzië, Centraal-Azië en China zo goed als uitgeroeid.

De Ottomaanse Turken vielen aan het eind van de dertiende eeuw binnen. Maar zelfs na de val van Constantinopel, in 1453, hield Pontos nog een achttal jaren stand, tot 1461. Het was het laatste Griekse gebied dat in handen van de Turken viel.

Massamoorden en massale ontvoeringen van jonge jongens vonden geregeld plaats om de christelijke bevolking voor de islam te winnen. Ondank alles bleef Pontos toch trouw aan zijn Griekse wortels en in een aansluitende periode van 450 jaar werden talloze kerken, kathedralen, kloosters en scholen gesticht.

Na een machtige periode onder Süleyman de Grote, van 1520 tot 1566, beleefde het Ottomaanse Rijk een gestage neergang, die uiteindelijk tot het einde van de Ottomaanse militaire suprematie leidde. Onder zwakke sultans en corrupte bureaucraten begon het gezag van de overheid af te brokkelen. Tegen 1800 had het Ottomaanse Rijk zich de bijnaam 'de zieke man van Europa' verworven. Tussen 1822 en 1826 werden 90 000 Grieken vermoord, van wie 50 000 alleen al uit Chios en 25 000 uit Constantinopel.

Pas in 1840 kwam er een eind aan de meedogenloze heerschappij van de islamitische *derebeys*, ook wel bekend als 'de heren van de vallei'; de Griekste cultuur in Pontos en overal in Klein-Azië maakte een grote opleving door. Van 1839 tot 1856 hernam de centrale overheid haar gezag, voerde hervormingen door en herstelde de orde, wat voor ontspanning bij zowel de etnische minderheden als de islamieten zorgde. Historische handelsroutes van Trebizonde naar Tabriz werden heropend. De internationale afzetmarkt voor de Turkse tabak van Pontos werd uitgebreid, en van Samsun aan de Zwarte Zee werd een handelsroute geopend tot zelfs aan Bagdad. Het sluiten van de mijnen van Argyroupolis (Gümüshane), een gebied in Pontos, leidde tot een massale Griekse migratie. De

Pontische metaalwerkers uit Argyroupolis die over het Pontisch Gebergte trokken, groeven tijdens hun tocht zaden van de wilde hazelnoot op en zaaiden ze later uit langs de Zwarte Zee. Net als de teelt van tabak ontwikkelde ook de cultivering van de hazelnoot zich tot een belangrijke bedrijfstak voor de Pontiërs. Zelfs de doppen werden verhandeld, als brandstof. Pontisch Grieken uit veel van de berggebieden, waar ze zich eerst op de vlucht voor de tirannie hadden gevestigd, trokken terug naar de kust en van oostelijk naar westelijk Pontos. Ze migreerden ook naar de onder Russisch bestuur staande Kaukasus en naar pasverworven Russische gebieden langs de Zwarte Zee, en weer terug.

Gedurende deze periode beleefde de Pontisch Griekse gemeenschap een buitengewone culturele, politieke, sociale en economische vernieuwing. Er werden meer dan duizend kerken gebouwd. Het oecumenisch patriarchaat erkende het groeiende belang van de Pontische gemeenschap en stichtte zeven kerkdistricten in Pontos, met aan het hoofd van elk een aartsbisschop. Ook werden er duizend Griekse scholen gebouwd, waaraan in 1900 ruim 85 000 leerlingen stonden ingeschreven. Talrijke kranten en boeken werden in het Pontisch uitgegeven en tevens ontstonden overal wetenschappelijke en culturele verenigingen. In minder dan vijftig jaar hadden de Pontiërs zich de economische suprematie in hun land van herkomst verworven.

Toen Abdul-al-Hamid II in 1876 aan de macht kwam, voerde hij hervormingen door en hij vestigde tevens een liberale grondwet die een korte periode van culturele vernieuwing teweegbracht. Maar hij herriep al snel zijn eigen grondwet en hervatte een traditie van onderdrukking en moord, in het bijzonder onder christelijke minderheden, en werd bekend als 'de bloedige tiran'. In een periode van achtentwintig jaar, van 1876 tot 1904, werden 255 000 christenen vermoord, door het hele rijk, van Bulgarije en Griekenland in het westen, Armenië in het oosten, tot Egypte in het zuiden. En zijn oorlogen brachten Hamid II grote verliezen.

Drieduizend jaar lang hadden de Pontiërs en andere christenen in Klein-Azië standgehouden onder oproer, moordpartijen en tirannie, onder een lange reeks veroveraars. Hoe hadden we kunnen weten dat we het deze keer niet zouden redden?

# 16
## *Bevel tot ballingschap*

De gevangenneming van grootvader had het einde ingeluid van zelfs de korte momenten van ontspanning. Plannen voor en de voorbereiding van het feest van Panagia – Maria-Hemelvaart – waren al begonnen, maar zouden worden opgeschort tot na het zaaien.

Panagia was een prachtig feest, heel anders dan het oogstfeest. Het oogstfeest was in de herfst, op de dorsvloer vlak bij ons huis. Er werd een dier geslacht, en het vlees deelden we met de andere dorpsbewoners. Het was de tijd om dankbaar te zijn voor de oogst, en de tijd om je voor te bereiden op de lange winter die voor de deur stond; een tijd van conserveren en opslaan van vlees, groente en graan.

Panagia, in augustus, werd hogerop in de bergen gevierd. Mensen uit alle drie de dorpen deden eraan mee. Ze kwamen bidden tot de Heilige Maagd om daarna te dansen, te zingen en te feesten. Mensen kwamen van heinde en verre om ons feest bij te wonen. Er werd een koe uitgekozen om te worden geslacht; er werd brood en gebak gemaakt en op het altaar van de Maagd werden kaarsen ontstoken.

Op de dag van het feest renden alle dorpskinderen naar de dorpspomp om een emmer water te halen. Moeder verwarmde het op het vuur en zette ons vervolgens een voor een op een krukje om ons voor het vuur te wassen. Ze wreef ons in met een ingezeepte doek en goot het warme water over ons heen om ons af te spoelen. Ik genoot ervan wanneer ze me waste. Ik hield van het gladde, zuigende gevoel van zeepsop tussen mijn tenen en in elke plooi van mijn lichaam; en dan gleed dat heerlijke warme water zijdezacht over me heen, voor de stralende gloed van het vuur. Ik hield van haar handen. Haar lieve, zachte aanrakingen.

Aan het eind van de ochtend op de dag van het feest ging het hele dorp en masse de berg op naar de kleine kapel op de top. Het altaar in de kapel was beschilderd met een voorstelling van Maria. De mensen uit het dorp staken kaarsen aan, zetten ze rondom het altaar en knielden dan om te bidden.

De mannen namen de koe mee naar boven. Ze groeven en grote kuil van ongeveer twee meter lang, een halve meter breed en een halve meter diep. Daarin legden ze het vuur aan, waarboven ze de koe aan het spit hingen om te roosteren. Iedereen mocht ervan eten.

Het was een geweldig feest. Vader speelde op zijn viola en grootvader speelde fluit, terwijl de mensen uit alle drie de dorpen dansten en zongen en zich vermaakten tot lang na zonsondergang. En de kinderen renden rond en speelden krijgertje, 'honkbal' of andere favoriete spelletjes.

Ik herinner me het voorlaatste feest: mijn moeders mooie gezicht in het volle zonlicht terwijl ze onze dingen op het gras uitstalde: een deken om op te zitten, brood, en een schaal voor ons deel van de geroosterde koe. Ze neuriede mee met de muziek en glimlachte naar mij, die naast haar zat.

'Kom dansen, Themía,' riep Christodoula.

Ik keek op en zag haar, Yanni en de andere kinderen dansen en lachen, en de danspasjes van de volwassenen nadoen. Zelfs de kleine Nastasía sprong in de rondte en probeerde met haar vingers te knippen en haar benen in de lucht te gooien. Terwijl ik naar hen toe rende om mee te doen, klonk er een lange reeks plofjes van voetzoekers, en het geschrokken gelach van de dansende meute ging over in eenzelfde soort kleine plofjes toen verderop op de heuvel het knallen, ploffen en sissen van voetzoekers klonk.

Mijn vriendin Marigoula was er ook en naast mij danste de zoon van een koopman. Terwijl mijn vrienden en ik met onze benen en magere heupen de muziek probeerden bij te houden en aan één stuk door schaterlachten, plaagde de koopman me met zijn zoon. Het was een robuuste man met een flinke buik, die in een heel groot, witgeverfd huis woonde. Hij glimlachte me goedkeurend toe en knikte met zijn hoofd.

'Jij trouwt nog eens met mijn zoon,' riep de koopman me toe. Toen lachte hij breeduit en voegde eraan toe: 'Je zult een goede partij voor hem zijn.'

'O, nee hoor,' zei ik, blozend van zelfs maar de gedachte aan trouwen. Samen met mijn vriendinnen maakte ik me door de dansende menigte uit de voeten en we kregen verschrikkelijk de slappe lach.

'O, ja hoor,' riep hij me achterna, en hij lachte nog wat. 'Let maar op. Op een dag zul je met hem trouwen.'

Maar daar moesten we alleen maar meer om giechelen.

Van het feest van 1920 hadden we ons veel voorgesteld. De oogst van het jaar ervoor was goed geweest en het weer beloofde mooi te worden. Maar plotseling zou alles veranderen. Er zou niet gedanst worden, er zouden geen kinderen lachen en vreugdevuren zouden niet naar de wolken reiken.

De dag dat de soldaten kwamen waren mijn vader en ooms, samen met wat Grieken en Turken uit de buurt, bezig het land zaaiklaar te maken. De Griekse en Turkse arbeiders kwamen in alle vroegte met grote manden aan hun brede schouders, klaar om hun plicht te vervullen als tegemoetkoming voor de in de loop van het jaar aan hen bewezen diensten. Ze liepen naar de berg mest en vulden hun mand om ermee de heuvel af te lopen en hem over de akkers te verspreiden. Heen en weer ging het, volscheppen en verspreiden, scheppen en verspreiden, zonder te stoppen om naar de hemel te kijken of het zweet van het voorhoofd te vegen.

Waar de mannen het veld al hadden bemest liep mijn vader in de diepe voor achter de ossen en stuurde de grote ploeg die de aarde openhaalde en omgooide. Lange rechte voren, de ene naast de andere, bestreken de volle lengte van het veld, tot aan een muurtje of de plek waar een ander vorenpatroon hun weg kruiste. De aarde werd doorsneden door een wirwar van lijnen, die slechts stopten waar ze de grensstenen van ons land bereikten.

Mijn moeder sorteerde het zaaizaad en wij kinderen hielpen haar. Zelfs de kippen werkten: ze klokten en krabbelden en pikten naar de krioelende wormen en talloze kleine kevers die uit de grond omhoogkwamen waar het leger van arbeiders met de hak op de aarde losging. De werkers hakten de kluiten tot kleine korrels en egaliseerden de akker van de ene rand tot de andere. En vanaf die randen en de paden, of geleund tegen een boom, staarden de vreemdelingen ons aan, met hun lege blik.

Met geschokt ongeloof in haar ogen en Mathea stevig aan haar borst geklemd, riep moeder naar mijn vader op het veld: 'Lumbo!'

Mijn vader en ooms keken op van hun ploeg en zagen een soldaat aan de deur van ons huis. Zijn geweer was op mijn moeders hart gericht. Constantines vrouw stond in de deuropening – haar dochtertje hield zich stevig vast aan haar schort – en grootmoeder stond met Maria, de andere helft van de tweeling, op de arm voor het raam. De mannen lieten de leidsels vallen en renden naar moeder toe.

Vader moest zijn best doen om niet te hijgen. 'Wat is er aan de hand?' vroeg hij aan de soldaat.

De soldaat fronste zijn voorhoofd en hield zijn geweer op mijn moeders borst gericht. Zo flink als hij kon zei de soldaat: 'Neem uw familie mee naar het dorp en u zult horen wat u te doen staat.'

Vader probeerde nog steeds zijn ademhaling en gezicht onder controle te krijgen. 'Maar wat is het probleem?' vroeg hij.

'We hebben niets verkeerd gedaan,' zei oom Constantine.

'Ga!' riep de soldaat. Hij hief zijn geweer alsof hij oom Constantine een klap zou geven.

'Nee!' schreeuwde de vrouw van Constantine uit de deuropening.

Oom Constantine deed een stap terug en stak zijn hand op om aan te geven dat hij niet op een gevecht uit was.

'Ga!' bulderde de soldaat nogmaals.

Moeder droeg Mathea. Nastasía hield zich vast aan moeders rok en staarde met angstige ogen omhoog naar de soldaat. Haar kleine bruine krullen dansten op haar hoofd, ze moest rennen om bij te blijven. Mijn vader legde zijn hand in Yanni's nek en zo liepen we met z'n allen naar het midden van het dorp, zoals ons was opgedragen.

Daar aangekomen zagen we meer soldaten met geweren in de hand. Er was iets anders aan deze invasie in ons dorp, anders dan toen de soldaten waren gekomen om onze mannen te ronselen voor de werkkampen. Ze bonsden met de kolf van hun geweer op de deuren terwijl andere soldaten in een kring rondom het dorp op de uitkijk stonden, alsof ze weerstand tegen hun aanwezigheid verwachtten. Ze hadden een lege blik in de ogen. We wisten niet waarom ze waren gekomen, maar hun aanwezigheid was bedreigend.

De soldaten schreeuwden dat de mensen uit hun huizen moesten komen. Oude ogen tuurden door ramen en deuropeningen. Anderen kwamen aarzelend naar buiten en gingen in groepjes bij elkaar staan. Ook kinderen kwamen toegestroomd om te luisteren naar de proclamatie van een officier, die stijf naast zijn paard stond. Ondertussen groepeerden andere soldaten zich met het geweer in de aanslag rondom de dorpsbewoners.

'Jullie moeten dit dorp verlaten,' schreeuwde de officier. 'Jullie hebben drie dagen om jullie spullen te pakken. En jullie nemen niet meer mee dan je dragen kunt.'

'Waar moeten we naartoe?' vroeg een oude man.

'Jullie moeten hiervandaan,' herhaalde de officier, deze keer strenger. 'Ik ben niet gekomen om vragen te beantwoorden. Zorg dat je klaarstaat als de soldaten jullie komen halen.'

'Maar wij wonen hier,' huilde een vrouw terwijl de officier en zijn mannen hun paarden bestegen en in draf richting Iondone reden.

'Wij wonen hier,' riep de vrouw hem achterna. 'Jullie kunnen ons niet zomaar uit onze huizen jagen en ons wegsturen als landlopers of bedelaars met onze eigendommen op onze rug. Wij horen hier. Dit is net zo goed ons land. Wij horen hier! Wij horen hier!'

Ik keek van het ene verbaasde gezicht naar het andere, en toen zag ik de vreemdelingen. Ze zaten vanachter de huizen naar ons te staren of wachtten op hun hurken af in het veld. Altijd dat wachten.

# 17
# *Wacht op mij*

De daaropvolgende twee dagen werkte moeder zonder ophouden, zocht voor ieder van ons om de beurt wat kleren uit en deed zonder klagen het hele huis. Ze bond wat tarwe in een grote doek en zette die naast de stapel gekookte maïs en gerst die ze al had klaargemaakt. En een gedeelte van de dag bracht ze door met het bakken van broden om mee te nemen op onze geheimzinnige reis. De vriendelijke blos was van haar wangen verdwenen en in de zachte huid tussen haar wenkbrauwen zag ik een nieuwe rimpel.

Vader maakte een diepe kuil achter ons huis en begroef onze potten en pannen voor de dag dat we weer thuis zouden komen. Mijn kalf Mata stond stijf tegen haar moeder aan in de wei. In de verte kwamen grijze donderkoppen over de bergen rollen terwijl boven mijn hoofd de zon met korte tussenpozen vanachter de wolken te voorschijn piepte.

Ik rende de heuvel af naar de molen in de kloof om tarwe te malen, mijn taak. Ik goot hem in het gat in de bovenkant van de steen en keek hoe het fijne beige poeder in de open zak viel die ik had klaargezet. Ik ging altijd graag naar de molen. Ik keek met plezier naar het eeuwig ronddraaiende rad met zijn vaten die het water opschepten en uitspuugden, met altijd een volgend vat dat het weer opschepte, en nog een en nog een, altijd maar door. Het was geruststellend om naar die eindeloos rondgaande beweging te kijken, naar dat rad dat nooit stopte, niet voor oorlog, dood, geboorte of verdriet, alsof het leven altijd zijn zoete lieve gangetje zou blijven gaan. En zelfs nu ik intens verdrietig was, draaide het nog steeds zijn rondjes.

'Wat is een landloper, mama?' vroeg ik toen ik weer thuiskwam.

'Dat is iemand die geen huis heeft,' zei mijn moeder toen haar stem weer rustig was.

'Komen we hier terug?' vroeg ik.

'Ik weet het niet,' zei ze, bijna fluisterend.

Die avond zaten we rondom de haard en staarden in de vlammen. Het was bijna niet te geloven dat we de volgende ochtend zouden vertrekken. Onze familie had waarschijnlijk al duizend jaar op dit land gewoond; we waren aan deze aarde ontsproten, eruit geboren als een boom of een bloem, diepgeworteld, niet met onze voeten maar met ons hart.

Ik staarde in de vlammen en in gedachten was ik weer bij het Panagia-feest. Vader zat samen met de andere mannen te lachen bij de dorsvloer, die was vrijgemaakt om te dansen. Zijn grote zwarte snor accentueerde zijn brede glimlach. Hij bespeelde zijn viola terwijl andere mensen dansten. Zelfs moeder danste, en ze hield met beide handen het eind van een sjaal omhoog. Mijn tante en een andere vrouw hadden het andere uiteinde vast. Zeven vrouwen dansten in een rij, zachtjes heupwiegend en hun voeten optillend als dansers op een Griekse vaas. In mijn herinnering walste zelfs grootvader over de dorsvloer. Zijn sierlijke bewegingen deden zijn leeftijd vergeten. Hij danste gearmd tussen twee vrienden, die ook ieder iemand aan de arm hadden. Ze bewogen voortdurend heen en weer van links naar rechts, waarbij ze een buiging naar voren maakten, langzaam maar zeker hun knieën optilden en vervolgens hun hakken met een harde tik op de grond lieten komen. Zelfs de kleine Nastasía danste. Haar hoofd en schouders veerden op en neer terwijl ze op goed geluk met haar voeten stampte en vooral het oogcontact met moeder niet verloor.

Christodoula, die heel voorzichtig vrouw begon te worden, stond verlegen met haar vriendinnen aan de kant en wierp snelle blikken in de richting van een groepje jongens. Andere jongens stapten rond als pauwen, met hun dichte zwarte haar in losse lokken over hun voorhoofd en hun schouders krampachtig naar achteren om hun trotse borst beter te laten uitkomen. Yanni rende eromheen en speelde krijgertje. De lucht rook naar brandend hout en koe aan het spit. De zon stond te branden maar een koel briesje speelde met de wijde jurken van de vrouwen en blies hun haar in de war.

'We moesten maar gaan slapen,' zei moeder, me ruw uit mijn droomwereld halend. 'We zullen onze krachten wel nodig hebben morgen.'

Het duurde even voor we in beweging kwamen. Alleen de kleine Nastasía en de tweeling lagen rustig voor het vuur te slapen. Het was alsof we door naar bed te gaan zouden toegeven dat het afgelopen was; afgelopen met het zwerven door veld en bos en het inademen van de tintelende berglucht waar we allemaal zo van hielden; afgelopen met lekker bij de haard kruipen en naar verhalen en liedjes luisteren; en afgelopen met een wereld die nooit meer zou terugkomen.

Ik kroop onder mijn deken in de donkere slaapkamer en luisterde naar het zachte, scherpe, eentonige lied van de kleine voorjaarskikkers die ons door het open raam een serenade brachten. Ik dwong mezelf mijn ogen wijd open te houden en staarde naar de vlekken en kronkelvormen die op mijn netvlies dreven. Ik liet ze dansen op het ritme van vaders viola en grootvaders fluit. Ik liet ze sierlijk duikelen en buitelen in het donker. Ik liet ze lachen, rennen en paraderen als ontluikende jonge meiden, net zo lang tot het beeld dat zich aan mij had opgedrongen over onze droevige stoet, over hoe we met onze bundels op de rug de weg af sjokten, weer was verdreven.

Het regende in vlagen, net voor ik in slaap viel. Zware druppels hamerden op het dak en sloegen tegen de ruiten. Bliksemschichten doorkliefden het donker en een machtige donder rolde door de nacht.

's Morgens was het rustig. Een grijs licht vulde de kamer, bijna zonder een spoor van schaduw; mist rolde als rook van de hellingen en liet de bergtoppen versmelten met de loden lucht. In de andere kamer hoorde ik moeders efficiënte bewegingen terwijl ze het ontbijt klaarmaakte. Onze spullen stonden in een droevig hoopje stoffen bundels naast de deur.

'Maak de anderen wakker,' zei moeder toen ik de kamer binnenkwam. 'We weten niet wanneer de soldaten komen.'

Ze stond aan tafel en goot gesmolten boter over het brood. Vader zat en dronk zijn koffie. Grootmoeder zorgde voor de tweeling.

'Waarom moeten we weg, mama?' vroeg ik.

Ze zette de kan met boter op tafel en wendde haar hoofd af om haar tranen te verbergen. Ik keek mijn vader aan, maar die klemde zijn kaken zo stijf op elkaar dat ik de spieren in zijn gezicht zag trillen. Toen sloot hij zijn ogen om zich in zijn hulpeloosheid voor de wereld te verstoppen.

'Omdat ze ons zullen vermoorden als we het niet doen,' zei moeder ten slotte, met een bijna vlakke stem. 'Schiet nou maar op en wek de anderen.'

Ik ging terug naar onze kamer en keek naar mijn slapende broer en zussen. Nastasía lag knus in de wieg van Christodoula's opgekrulde lichaam, haar ruggetje tegen Christodoula's borst. Yanni sliep als een roos, met zijn armen en benen wijd.

Toen ik me vooroverboog om Christodoula met een rukje aan haar schouder te wekken, begonnen de planken onder mijn voeten te trillen. Het geluid van stampende laarzen in de andere kamer deed Christodoula opveren en haar ogen flitsten open. Ik rende terug om te zien wie er was gekomen. Daar stond oom Nicholas. Hij had zijn bundel bij zich en ademde zwaar.

'Ik ga niet,' zei hij. 'Mijn vrouw staat te wachten aan de voet van de boomgaard. We gaan niet.'

Op moeders gezicht lag een uitdrukking van hoop en angst. 'Hoe bedoel je, we gaan niet?' vroeg ze.

'Wat wil je zeggen?' zei vader.

'Ik ga niet. En jullie moeten ook niet gaan.'

'Maar hoe kun je nou blijven?' vroeg vader. 'Ze schieten je dood als je blijft.'

'Ik ga niet van mijn land. Dit is ons land. Wij horen hier thuis. Ik laat me door hen niet van mijn grond jagen.'

'Maar verdomme! Ze vermoorden je,' zei vader. 'Ze vermoorden je.'

'Nee! Ik begeef me onder de Turken tot het weer veilig is,' zei oom Nicholas. 'Die zullen mij en mijn vrouw wel beschermen. We hebben altijd goed met de Turken kunnen opschieten. Ze zullen jullie ook beschermen als jullie blijven.'

Moeder keek vader aan, nu voor het eerst met iets van hoop in haar blik.

'Denk je dat echt?' vroeg ze.

'Ze maken hem af,' riep vader. Hij stond op en smeet zijn kopje in het vuur.

'Hoe kun je nou vertrekken?' schreeuwde oom Nicholas nu ook. 'Hoe kun je alles domweg achterlaten?'

Moeder keek van de een naar de ander terwijl mijn vader zwijgend in het vuur staarde. In de deur van de slaapkamer stonden Christodoula, Yanni en Nastasía eveneens stil te staren.

'Nou?' riep oom Nicholas, harder nu, toen hij geen antwoord kreeg.

'Jij bent alleen,' schreeuwde vader ten slotte terug. 'Jij bent alleen en kunt je misschien tussen de Turken verstoppen. Maar wij zijn met velen. Hoe moet ik een oude moeder en een vrouw en zes kleine kinderen verbergen? Leg het me uit en ik doe het. Zeg het maar.'

De hoop verdween uit moeders ogen en pas toen moest ze huilen. Ik rende naar haar toe en sloeg mijn armen stevig om haar heen om het verdriet uit haar te knijpen.

'Het komt wel goed, mama,' zei ik, terwijl ik mijn eigen tranen probeerde te bedwingen en hard moest slikken tegen het dikke speeksel dat mijn keel verstopte. 'Op een dag komen we hier terug. Dat zul je zien.'

Ze nam me in haar armen en liet haar hoofd op het mijne rusten. Ik voelde haar warme tranen op mijn haar vallen en tot mijn hoofdhuid doordringen toen ze mijn gezicht tegen haar borst duwde.

'Zeg het me en ik doe het,' zei vader, nu op vriendelijker toon. 'Vertel het me maar.'

Vader en oom Nicholas keken elkaar recht in de ogen. Toen sloeg oom Nicholas zijn blik neer.

'Ik wil jullie niet in de steek laten,' zei hij, 'maar ik kan niet meegaan.'

'Dan moet je niet meegaan. Blijf, als je denkt dat je het redt. Blijf en God sta je bij.'

Mijn vader stak zijn armen uit naar oom Nicholas en oom Nicholas sloeg zijn armen om hem heen.

'Kijk of je kunt ontdekken hoe het met onze vader is,' zei mijn vader toen ze zich eindelijk van elkaar losmaakten. 'Hij is oud en de kampen zijn wreed. Ik geloof niet dat hij het volhoudt. Hou je oren open voor nieuws over hem.'

Oom Constantine en zijn vrouw kwamen uit hun kamer en staarden naar oom Nicholas.

'Dus jullie weten het zeker, jullie blijven?' vroeg oom Constantine.

'Ja. We blijven.'

'Ga maar gauw, voor de soldaten komen,' zei vader. 'Neem afscheid van jullie oom, jongens.'

We vlogen op hem af en hij nam ons allemaal tegelijk in zijn armen. Hij gaf moeder een kus op haar voorhoofd. Toen kuste hij mijn tante, omhelsde oom Constantine en het volgende moment was hij verdwenen.

Ik rende naar de veranda om hem na te kijken. In minder dan geen tijd was hij tussen de perenbomen op de berghelling verdwenen. De mist was opgetrokken en de hemel was helder geworden. Van de ene dag op de andere was de appelboom naast ons huis gehuld in een tere roze bloesem en stonden de perenbomen te pronken in het wit. Mijn kleine kalf Mata stond vast aan de appelboom. Haar ruige vacht was gladder geworden. Ik ging naar haar toe en legde mijn armen om haar nek. Ik drukte mijn wang stevig tegen haar bruine, harige kop. Haar vacht voelde warm tegen mijn huid.

'Ik kom terug,' zei ik. 'Wacht op me.'

Mata gaf een lang, laag antwoord.

Toen ging ik op de grond liggen, drukte mijn gezicht in het koele gras en strekte mijn armen uit om de aarde te omhelzen. Ik wilde het allemaal in me opzuigen, ik wilde de geuren in me opnemen, hoe fris het gras voelde aan mijn gezicht, en het vrolijk ruisen van de wind in de bomen. Ik wilde de tijd terugzetten, opkijken, en dan vader zien werken op het veld en moeder zien zitten in haar schommelstoel op de veranda met de kleine Nastasía die aan haar rokken hing. Ik wilde de heuvel afrennen met mijn kleine kalf, en Christodoula en Yanni achter ons aan horen komen. Maar toen ik opkeek waren ze op de veranda bezig onze bundels op een slordige hoop in de zon te stapelen.

Ik ging naar binnen en liep nog één keer een rondje om alles in mijn geheugen vast te leggen. Alle kamers waren piekfijn in orde. In grootvaders kamer, onze woonkamer, smeulden nog kooltjes in de haard. De grote pan, geblakerd door al die jaren boven het vuur, hing nog steeds aan zijn ketting. De schalen stonden op de planken, naast elkaar langs de muur met hun glanzende binnenkant naar voren. En rond de lange houten tafel stonden alle krukken keurig op hun plek. Zelfs het kleed dat moeder had gemaakt lag voor de haard. Het zag eruit als altijd. Moeder had de kamers opgeruimd alsof we met vakantie gingen naar ons zomerhuis.

Op dat moment realiseerde ik me dat ik ons huis nog nooit had gezien zonder iemand erin. Er gebeurde altijd wel iets: moeder kneedde deeg of roerde in de pan met soep boven het vuur; grootmoeder zat te haken of was met de tweeling bezig terwijl grootvader op zijn fluit speelde. Ik had het nooit zo kaal gezien als nu, behalve misschien een enkele keer, heel even, als we van ons zomerhuis terugkwamen en ik de eerste was die de deur binnenstormde. Dan vond ik het stil, met de zon die door de ramen viel en alles op z'n plek, precies zoals het nu was, en dan kreeg ik dat vreemde en onbehaaglijke gevoel dat er iets niet goed was. Maar meteen daarop gonsde alles weer van het familiegedoe: lachende kinderen, een huilende baby en potten en pannen die werden klaargezet voor het avondeten. Dan haalde ik opgelucht adem en was mijn ongemak verdwenen.

De soldaten waren gekomen. We hoorden de paarden en een menigte stemmen iets verder op de weg, en het geluid van een huilende vrouw dreef onze kant op.

'Kom, Themía,' riep moeder vanaf de veranda. 'We moeten gaan.'

Ik deed zachtjes de deur van grootvaders kamer dicht, alsof er iemand lag te slapen, alsof ik vooral de herinneringen niet wilde verstoren, opdat ze zouden wachten tot we terugkwamen, opdat ze zouden onthouden dat dit ons huis was, zelfs als er iemand anders in het bed kroop waarin ik ooit sliep, of ging zitten waar vader zijn ogen sloot en een lied aanhief of ging staan op de plek voor het vuur waar in mijn herinnering mijn moeder hoorde te staan.

Moeder wikkelde Maria in een dekentje en bond haar op Christodoula's rug. Mathea bond ze op mijn rug. Maria was een tenger kind met een zwakke gezondheid, maar Mathea was een lachebekje. Toen ik het trapje afging voelde ik hoe ze haar lieve gezicht tegen mijn oor legde en haar neusje in mijn schouder duwde. Ze waren amper vier maanden oud. Christodoula was twaalf, geloof ik; Yanni was acht; Nastasía was vier.

Het was het voorjaar van 1920. Ik weet niet of ik toen al tien was.

Langzaam trok moeder de deur van ons huis dicht; toen leunde ze er met haar voorhoofd tegenaan en sloot haar ogen als in gebed. Ze boog voorover, raakte met drie vingers de vloer aan en sloeg een kruisje. Daarop draaide ze zich langzaam om, om zich bij ons te voegen terwijl Nastasía – haar dunne enkeltjes en kleine voetjes kwamen net onder haar lange gebloemde jurk vandaan – stevig moeders blouse vasthad.

Toen wij in het midden van het dorp kwamen, stond bijna iedereen daar al klaar. Ze hadden een lange rij gevormd, in tweeën en drieën naast elkaar, ongeveer drieduizend mensen uit alle drie de dorpen. Ze begaven zich sjokkend over de bochtige weg, die over heuvels en door dalen naar Iondone en verder voerde.

Het geluid van huilende baby's mengde zich met het gezang van de vogels. De oude vrouw wier koeien we vaak naar de wei brachten, viel op in de stoet: krom en mager als een dode tak in haar lange zwarte jurk; met haar broze, knokige hand hield ze zich stevig vast aan de arm van haar zoon.

Terwijl sommige soldaten van huis tot huis renden en de deuren met hun geweerkolven forceerden om binnen te kijken, riepen andere soldaten te paard bevelen naar de mensen die nerveus in de zon heen en weer schuifelden. Toen kwam het moment dat de soldaten te paard riepen dat we moesten gaan lopen.

Hebben we zwijgend, in alle stilte, onze bundels opgepakt om aan de tocht te beginnen? Die eerste traumatische stap is uit mijn herinnering weggevaagd.

We liepen de weg af naar Iondone, de zon in de rug. Er hing een griezelige stilte over Iondone. Er speelden geen kinderen op straat. Er waren geen vrouwen die de was ophingen. Uit de schoorstenen kwam geen rook en op de velden werd niet gewerkt. De spookachtige gestalte van een Koerd die naast een boom gehurkt zat of ons vanachter een verlaten huis met lege blik opnam was het enige teken van leven, en dat was nauwelijks leven te noemen. Ze waagden zich dichterbij dan ooit. Te oordelen naar hun kleren waren het arme mensen. De ontbering stond in hun ogen te lezen. Ik vroeg me af waarom de soldaten hun niet ook opdroegen om te lopen; waarom bleven zij achter in een dorp dat niet van hen was terwijl wij uit onze huizen werden verdreven?

Aan de andere kant van Iondone, waar het bos tot aan de weg kwam, was de lucht nog vochtig. De buien van de afgelopen nacht hadden de rottende bladeren op de grond doorweekt en ze verspreidden een aangename, zoetige geur, die ik vele, vele jaren niet meer zou ruiken. Ik zoog mijn longen vol. Vogels fladderden door het gebladerte van de bomen langs de kant van de weg terwijl de lange stoet voor mij over de weg naar beneden slingerde, het volgende dal tegemoet.

Net voor we de helling die onze dorpen voor altijd aan ons oog zou onttrekken zouden afdalen, draaide ik me om en keek nog een laatste keer naar het landschap dat me zo lief was. Ik keek naar de bloeiende boomgaarden en de roestkleurige aarde, en naar de grazige weide bezaaid met wilde bloemen die glansden in het zonlicht. Mijn blik volgde de grijze blokhutten met hun aanleunende schuren langs de lange slingerweg terug, en ik keek naar het bleekgroen van de bergen tegen het diepblauw van de hemel. Toen sloot ik mijn ogen om die kleuren op te slaan in mijn hoofd. Maar het groen was in rood veranderd en het blauw in geel. Ik zag lavendelkleurige heuvels en een oranje lucht.

# BOEK DRIE

## Verbannen

Op mijn verre reizen
zag ik zovele levens ontrafelen,
als was zo'n leven een gehaakte sjaal.
En keer op keer zag ik die eerste steek
van waaruit je je eigen ontwerp begint
van de pen glijden,
naast de haker in het stof.
Ik zag het weefsel van mijn eigen leven
steek voor steek losraken,
tot alle kostbare stukjes van mijn wereld
achter mij op de weg lagen
als een nutteloze kronkeldraad.
Maar míjn eerste steek, die van God,
hield stand om mij opnieuw te laten beginnen.
Gods plan voor mij bleef een groot raadsel.

In 1908 werd een revolutionaire partij opgericht die de naam Comité van Eenheid en Vooruitgang droeg, in de volksmond: de Jonge Turken. Met als slogan 'Vrijheid, Rechtvaardigheid, Gelijkheid, Broederschap' werden ze in alle geledingen van de Ottomaanse gemeenschap met open armen ontvangen, ook de christelijke minderheden. Gesteund door het leger dwongen de Jonge Turken de heersende sultan Abdul-al-Hamid II een nieuwe grondwet aan te nemen ter vervanging van de grondwet die hij had ingetrokken. Het droombeeld van de Jonge Turken bestond uit een serie hervormingen om de economische dominantie van de joodse, Griekse en Armeense minderheden in het Ottomaanse Rijk terug te dringen en om een burgerklasse in te stellen onder de Turkse moslims.[1] Dit als onderdeel van een reeks andere, meer internationale, agendapunten zoals het hoofd bieden aan westers imperialisme en het versterken van de militaire macht van het eigen rijk.

In het begin leek het erop dat de Jonge Turken alle etnische en religieuze groepen in hun utopische regering wilden opnemen om een multinationale, multiculturele federatie te vormen. Zelfs christenen kregen het recht van vertegenwoordiging in het parlement. Na honderden jaren van Ottomaanse overheersing bracht een liberaler gestemd bewind nu een euforisch gevoel teweeg. De Pontische gebieden kwamen opnieuw tot bloei en de Pontiërs verworven een nieuw gevoel van identiteit en eigenwaarde. Echter, aan deze periode van opgetogenheid zou op wrede wijze een einde komen.

Hoewel Griekenland zijn onafhankelijkheid al in het begin van de negentiende eeuw op het Ottomaanse Rijk had bevochten, bleven gebieden waar de Griekse bevolking de meerderheid vormde, lijden onder de tirannie van de Ottomaanse heerschappij. Al in 1910 werd het de Grieken, Bulgaren en Serviërs duidelijk dat ze niet zouden profiteren van de nieuwe grondwet. Massale arrestaties, gruwelijke martelingen en moord op christenen, in het begin vooral op intellectuelen en geestelijken, vonden in heel Macedonië plaats. Deze lukrake vervolgingen waren een belangrijke aanleiding voor de minister-president van Griekenland, Eleutherios Venizelos, om een alliantie te vormen met Bulgarije en Servië en de oorlog te verklaren aan Turkije.[2] In de eerste Balkanoorlog (1912-1913) veroverde Griekenland oude gebieden, zoals Kreta, terug. Tijdens de tweede Balkanoorlog (1913) won Griekenland stukken van Macedonië terug op Bulgarije.

Na de Balkanoorlogen nam een groep binnen de Jonge Turken, geleid door Enver Pasha en Talaat Bey, de macht over in de regering en met de nieuwe slogan 'Turkije voor de Turken' begon in 1914 de confiscatie van Griekse eigendommen en de massamoord op en verbanning van de Griekse bevolking in Anatolië – een geografische naam voor Klein-Azië. Zoals altijd waren het de prominenten in de steden en dorpen, de geestelijken, leraren en zakenmensen, die het eerst gearresteerd en naar het binnenland verbannen werden of ter plaatse werden omgebracht.

De consul-generaal van de Verenigde Staten in Smyrna, George Horton, deed verslag van een algemene boycot die in 1914 werd uitgevaardigd tegen Griekse bedrijven en producten in Anatolië, en die de Grieken tot faillissement dreef. De regering liet wrede lithografieën met uiterst gewelddadige afbeeldingen drukken, die het deden voorkomen alsof de Grieken Turkse vrouwen en baby's doodden en verminkten. Deze afbeeldingen werden opgehangen in moskeeën en scholen, om de Turkse bevolking aan te zetten tot het doden van Grieken. Ook krantenartikelen moedigden aan tot haat jegens de 'Griekse heidenen'. Er braken rooftochten tegen Grieken uit, die zich verspreidden langs de kust van de Zwarte Zee en langs de westkust van Pergamus, tot Lidja. George Horton bevestigde het feit dat enkele honderdduizenden van hun boerderijen of uit hun dorpen verdreven waren. Alleen al in Phocea, een havenstad niet ver van Smyrna, werden achtduizend Griekse inwoners vermoord of mishandeld en uit hun huizen verdreven; hun bezittingen werden gestolen. Honderdduizenden werden van de plek waar ze sinds mensenheugenis hadden gewoond verbannen naar eilanden in de Egeïsche Zee.[3]

In die periode werd het bondgenootschap tussen Duitsland en het Ottomaanse Rijk versterkt en in datzelfde jaar, 1914, begon de Eerste Wereldoorlog met de oorlogsverklaring van de Duitsers.

Voordat de Russen in 1916 het gebied rondom Trebizon in Pontos bezetten, gaf de Turkse gouverneur Mehmet Kemal Azmi Bey de leiding over de stad aan de bisschop Chrysantos, een lokaal Grieks vooraan-staand persoon. Deze overdracht ging gepaard met de verklaring: 'Van de Grieken namen we de stad, en aan hen geven we hem terug.'[4] Het Pontische gezag was echter kort van duur. In 1917 trok een uitgeput Rusland zich terug uit de oorlog. De tsaar trad af en de bolsjewieken, onder leiding van Lenin, grepen de macht.

Grote verliezen, economische achteruitgang en een voorstel van president Woodrow Wilson dat in de volksmond de 'veertien punten' heette, brachten Duitsland ertoe de nederlaag te erkennen, waardoor er in 1918 een einde kwam aan de Eerste Wereldoorlog. Op 30 oktober 1918 werd door de belangrijkste geallieerde machten in Mudros een wapenstilstand met Turkije ingewilligd. Maar ook na de wapenstilstand werden de Pontiërs nog steeds afgeslacht en gingen de lange marsen door. Mustafa Kemal ging door waar de Jonge Turken waren gestopt.

Pontiërs die naar Rusland waren gevlucht organiseerden zich om de zaak van het Pontisch hellenisme te behartigen en namen moties aan die het de Pontiërs mogelijk zouden maken om naar hun geboortegrond terug te keren. Echter, de laatste golf van beloften van de regering, gevolgd door afslachtingen en deportaties – weer begonnen bij de intellectuelen en geestelijken – bewezen opnieuw dat garanties voor de christelijke minderheden in Turkije geen waarde hadden. Inziend dat volledige autonomie of een onafhankelijke Pontisch Griekse staat hun enige zekerheid tegen dergelijke afslachtingen zou zijn, kwamen Pontiërs, tot helemaal uit de Verenigde Staten, op het eerste Pan-Pontische Congres in Marseille bijeen. Constantine Constantinides, een rijke Pontische koopman uit Marseille, werd tot voorzitter gekozen. Het congres stelde een resolutie op – net als Pontische groepen in Constantinopel, Thessaloniki en Athene – en wendde zich tot Rusland. In een telegram aan Trotski vroeg het congres om ondersteuning van de resolutie voor Pontische onafhankelijkheid.[5]

Tijdens de Vredesconferenties in 1919 kwamen Engeland, Frankrijk, Griekenland, Italië, Bulgarije, de Serviërs, Kroaten, Azerbeidzjanen, Armeniërs, Arabieren, Koerden en zionistische joden allen met hun eigen claim op het Ottomaanse Rijk. Zelfs de Pontiërs kwamen om hun eisen te stellen, zonder succes. Een opeenvolging van niet-nagekomen beloften, misleidingen en Brits gekonkel gaf aanleiding tot conflicten die tot op heden voortduren. De Franse premier Georges Clemenceau beklaagde zich destijds hardop over de gang van zaken: 'Wat een begin voor de Volkenbond.'[6]

Italië, vastbesloten om te krijgen wat het in een niet tot uitvoering gebrachte overeenkomst van 1917 was beloofd, begon in maart 1919, twee maanden na de conferentie, met de landing van troepen in zuidelijk Anatolië. Om een overname van delen van Anatolië door Italië te beletten, vroegen Engeland, Frankrijk en de Verenigde Staten aan Griekenland om troepen aan land te zetten in Smyrna, wat op 15 mei 1919 plaatsvond. Deze bezetting zou de basis vormen van de Grieks-Turkse oorlog van 1919-1922. Die zou een beslissende rol spelen in Mustafa Kemals succesvolle overwinning op rivaliserende politieke groeperingen in Turkije en zou hem uiteindelijk de titel bezorgen van Atatürk, letterlijk 'vader van de Turken'.

In juni 1920 voerden de nationale troepen van Kemal een aanval uit op Britse eenheden bij Constantinopel. Kemals actie, samen met zijn recent behaalde overwinning op Franse eenheden in Marash en Celicia, en zijn geflirt met de Russen, alarmeerden de Engelsen. Omdat ze zelf geen troepen beschikbaar hadden om de hoofdstad te verdedigen, vroegen de Britten aan de Grieken om troepen naar Constantinopel te sturen. Ze zeiden tegen de Grieken dat de verdediging van de voorwaarden van het binnenkort te ondertekenen Verdrag van Sèvres in Griekse handen lag. Griekenland verklaarde zich bereid, onder voorwaarde dat het kon oprukken vanuit Smyrna. Zowel Engeland als Frankrijk stemde in met deze voorwaarden.

Voor Griekenland was de missie duidelijk: het terugnemen van gebieden die het eeuwen geleden was kwijtgeraakt. Engeland en Frankrijk wilden niets anders dan Kemals nationale eenheden ervan weerhouden de geallieerden eruit te gooien. De Griekse aanval slaagde. Begin juli, slechts enkele weken nadat men met de opmars was begonnen, veroverden de Griekse troepen Brusa, een groot gedeelte van West-Anatolië en Oost-Thracië en overwonnen ze de tegenstand bij Constantinopel.[7]

Zoals beloofd door president Wilson, kende het Verdrag van Sèvres, ondertekend op 10 augustus 1920, gebieden en soevereiniteit toe aan de minderheden in Turkije, zoals de Armeniërs en de Koerden. Aan Griekenland werd Oost-Thracië gegeven, en de meeste eilanden in de Egeïsche Zee. Het verdrag erkende ook het recht van Griekenland om Smyrna en omgeving, in Anatolië, gedurende vijf jaar te bezetten. Daarna zou de vergadering van de Volkenbond het gebied voorgoed kunnen toekennen aan het Koninkrijk Griekenland, of een referendum onder de inwoners houden waarbij die voor een permanente overheersing door Griekenland zouden kunnen kiezen.

In zijn officiële verslaggeving verklaarde George Horton dat het kortdurende Griekse regime in Smyrna 'het enige geciviliseerde en liefdadige regime [was geweest] dat dat land sinds historische tijden had gekend'.[8] De Griek Aristedes Sterghiades werd benoemd als gouverneur van Smyrna en omgeving. Hij getuigde van zijn intenties om ook de Turkse inwoners te dienen door de Grieken hardvochtig te straffen toen Turkse weerstand tegen de Griekse eenheden en oude woede onder de Grieken over vroegere afslachtingen en berovingen tot geweld leidden. Drie Grieken werden berecht en ter dood gebracht. Echter, een bizarre wending van het lot veranderde de loop van de geschiedenis.

Op 25 september 1920 werd de Griekse koning Alexander, die welwillend stond ten opzichte van de geallieerden, gebeten door een aap en hij stierf binnen een maand. De troon werd overgedragen aan Alexanders vader, de eens afgezette koning Constantijn 1. In dezelfde periode werd de zegevierende Venizelos weggestemd als minister-president en vervangen door de banneling Demetrios Gounaris. Zowel Constantijn 1 als Gounaris was de geallieerden vijandig gezind.

De in de ogen van de geallieerden overduidelijke overwinning van Griekenland was voor Mustafa Kemal geen stimulans om in te stemmen met de Britse condities tijdens de Conferentie van Londen in maart 1921. Boos op Groot-Brittannië vanwege het niet-nakomen van vroegere territoriale overeenkomsten, zetten Frankrijk en Italië Kemal onder druk om de Britse eisen te verwerpen. De Britse premier, Lloyd George, negeerde veranderingen in de Britse publieke opinie en moedigde Griekenland in het geheim aan om de militaire actie tegen Kemal te continueren. Zoals eerder al gebeurde, gingen ook deze aanmoedigingen niet vergezeld van fysieke of financiële ondersteuning. Griekenland interpreteerde Lloyd Georges boodschap als een volmacht van Groot-Brittannië om de oorlog voort te zetten.

De Grieken boekten een verrassende vooruitgang met hun offensief, en wonnen de ene veldslag na de andere. Ondanks aanvankelijke tegenslag kwamen de Grieken in korte tijd tot vlak bij Ankara – Kemals nationale hoofdkwartier in Centraal-Anatolië en de toekomstige zetel van de Turkse regering. Met het Griekse leger aan de winnende hand werd Mustafa Kemal benoemd tot hoofdcommandant van het Turkse leger. Via een slimme politieke kunstgreep riep Kemal een geheim overleg van de Nationale Vergadering bijeen; hij stelde voor dat men hem voor een periode van drie maanden tot dictator zou aanstellen, een periode waarin hij naar eigen zeggen het Griekse leger zou kunnen verdrijven. Alhoewel de meningen verdeeld waren, gaf de Nationale Vergadering gehoor aan Kemals verzoek, waarmee de weg naar de macht voor hem werd vrijgemaakt.

De overwinning van Griekenland beviel de Griekse bondgenoten niet; integendeel, zij verontrustte hen. Uit angst dat Griekenland verwachtte dat men de op de Turken veroverde gebieden mocht behouden, en de gallieerden met lege handen zouden komen te staan, lieten Groot-Brittannië, Frankrijk en Italië Griekenland in de steek op het moment dat ondersteuning het meest nodig was: een Griekse nederlaag kon niet uitblijven. In feite sloten Frankrijk en Italië afzonderlijk overeenkomsten met de Turken en ze begonnen hen te voorzien van geld en legers. Een afzonderlijke overeenkomst met Rusland bracht Turkije gelijksoortige ondersteuning.

Te zeer verspreid en afgesneden van bevoorradingsroutes, verliet het Griekse leger het gewonnen gebied in Anatolië en trok zich terug. Alleen Lloyd George moedigde de Grieken nog aan om tot het bittere einde door te vechten; zijn aanmoediging had feitelijk echter geen steun van zijn regering of de Britse bevolking.

Door drie regimenten en twee bataljons uit Anatolië terug te trekken en er Constantinopel mee te belegeren, hoopte koning Constantijn I te bereiken dat de geallieerden in de Grieks-Turkse oorlog zouden ingrijpen en oplossingen zouden aandragen. Hij veronderstelde minstens dat zijn troepen door Constantinopel konden trekken om zich te verenigen met zijn troepen in Anatolië. Hoewel de geallieerden later bitter zouden klagen dat ze zwak zouden lijken als Turkije erin slaagde om de geallieerden uit Constantinopel te verdrijven, verhinderden ze het Griekse leger om de stad in te gaan tegen de tijd dat het aan zijn poorten stond.

De verloochening door de geallieerden, gevolgd door een finale aanval van Kemals eenheden op de verzwakte Griekse linies, lieten de Grieken geen andere optie dan zich terug te trekken naar Smyrna, vanwaar ze gekomen waren. Ten slotte verlieten ze de Turkse bodem helemaal, een uitgebrande stad achterlatend. De Turken beschuldigden de Grieken en Armeniërs van de brand van Smyrna, maar een correspondent van de *Chicago Daily News* bracht verslag uit vanaf de catastrofale scène in september 1922: 'Met uitzondering van de smerige Turkse wijk, is Smyrna opgehouden te bestaan. Er bestaat geen twijfel over de oorzaak van de brand... De fakkel was gehanteerd door Turkse soldaten.'[9]

De eerste branden waren aangestoken in de Armeense wijk; daarna gingen de Griekse en Europese wijken in vlammen op. Toen het vuur van de stervende stad zich richting zee verspreidde, dromden de wanhopige Griekse en Armeense inwoners van Smyrna smekend om redding bijeen op de kade, waar zevenentwintig Amerikaanse, Britse, Italiaanse en Franse oorlogsschepen lagen te wachten. Vastbesloten om 'strikte neutraliteit' te tonen, gaven de Amerikanen en de geallieerden het bevel om alleen hun eigen landgenoten aan boord te nemen. Maar naarmate de week verstreek, sloeg de wanhoop zelfs over op de gezagvoerders en de bemanning, die gedwongen waren werkeloos toe te zien hoe de vlammen het eens zo mooie Smyrna verslonden en hoe de inwoners in paniek raakten op de kades.

Wat bijdroeg aan de paniek, was het feit dat Turkse soldaten de Armeniërs achtervolgden en doodknuppelden. Door het bloedbad onder de Armeense en Griekse stedelingen raakten de straten bezaaid met lichamen, die 's nachts met behulp van vrachtwagens werden afgevoerd. Ook dreven er lichamen van Grieken en Armeniërs in de haven. Sommigen hadden zelfmoord gepleegd door in zee te springen. Anderen waren in zee gesprongen om de oorlogsschepen te bereiken, in de hoop aan boord te worden getrokken.[10]

Uiteindelijk vaardigde Mustafa Kemal het bevel uit dat alle gezonde Griekse en Armeense mannen tussen de achttien en vijfenvijftig jaar als krijgsgevangenen moesten worden behandeld en afgevoerd naar het binnenland. Alle andere Grieken en Armeniërs moesten het land voor 1 oktober hebben verlaten; eenieder die bleef zou ook naar het binnenland gevoerd worden; een afkondiging moest worden opgevat als een doodvonnis. In feite werd van de meeste mensen die naar het binnenland werden gestuurd nooit meer iets gehoord.

President Wilson toonde grote betrokkenheid bij de bescherming van de christenen en van de missionaire seminaries in Turkije, en hij zette zich in voor de democratische rechten van de volkeren van het Midden-Oosten. De prioriteiten van zijn opvolger, president Warren Gamaliel Harding, lagen elders. Oliebelangen en handel met Turkije kregen prioriteit boven de humanitaire politiek van Wilson.

Amerikaanse kerkelijke groeperingen, zoals de Methodist Episcopal Church, verzochten de Amerikaanse regering dringend militaire maatregelen te nemen om de slachtingen onder Turkse christenen te stoppen. Echter, maar weinig Amerikanen doorzagen de gevolgen van Hardings starre wil om handel te drijven met Turkije. Harding, naar wiens beleid later een onderzoek zou worden ingesteld vanwege de Teapot Dome-affaire en andere schandalen aangaande olieovereenkomsten, klaagde bij zijn minister Charles Evans Hughes: 'Om eerlijk te zijn, het valt me moeilijk om steeds maar geduldig te moeten zijn met onze goede kerkvrienden, die zich vol overgave op de verbreiding van de vrede storten, behalve wanneer het aankomt op strijd met iemand van een concurrerende religie…'[11] Hughes was zelf topman bij Standard Oil in New Jersey geweest voordat hij naar het ministerie van Buitenlandse Zaken ging.[12]

Aartsbisschop Chrysostomos van Smyrna schreef een wanhopige smeekbede aan de afgezette minister-president van Griekenland, Venizelos, die geen macht had om hulp te bieden: 'De Griekse beschaving in Klein-Azië, de Griekse staat en het gehele Griekse volk dalen nu af naar de hel, en geen macht zal in staat zijn om hen daaruit te doen oprijzen en hen te redden.'[13]

De uitspraak van de aartsbisschop dat hij mogelijk niet meer in leven zou zijn wanneer Venizelos zijn brief onder ogen zou krijgen, bleek een paar dagen later profetisch; zo ook zijn verklaring dat hijzelf, en de Grieken van Klein-Azië, 'bestemd [waren] voor opoffering en martelaarschap'. Aartsbisschop Chrysostomos werd voorgeleid bij de Turkse generaal Noureddin en kreeg te horen dat hij al eerder bij verstek was veroordeeld tot de doodstraf door een revolutionair tribunaal in Angora (Ankara). Chrysostomos werd vervolgens overgeleverd aan een

Turkse bende, met als begeleidend commentaar: 'Geef hem waar hij recht op heeft!' Ze wierpen zich met messen op hem, sneden zijn oren en neus af, staken zijn ogen uit en gingen door met hun slachtpartij tot Chrysostomos aan de verminkingen stierf.[14]

Ten gevolge van president Hardings olie- en handelsbelangen in het Ottomaanse Rijk, werd het politiek gezien opportuun om de hartverscheurende beelden van de slachtpartijen onder de Grieken, Armeniërs en Assyriërs, waarvan verslag werd gedaan door consuls en missionarissen, uit het bewustzijn van het Amerikaanse volk te wissen. Admiraal Mark L. Bristol, aangesteld als eerste afgevaardigde voor Turkije, was de ideale man om de veranderde politiek van de Verengde Staten ten opzichte van Turkije aan de man te brengen. Tussen 1920 en 1921 maakte hij, in samenwerking met de Amerikaanse pers, er werk van om verdere nieuwsberichten over slachtpartijen onder de Grieken te beperken. Hij zette missionarissen en functionarissen van de Near East Relief, een organisatie die het Amerikaanse volk effectief informeerde over de Armeense uitroeiiingen van 1915-1916, ertoe aan om hun medewerkers te laten stoppen met het onthullen van wat ze hadden gezien. Ook drong hij er bij de Amerikaanse regering op aan de geallieerden niet toe te staan een onderzoek in te stellen naar de gerapporteerde wreedheden. Op het hoogtepunt van de slachtingen en de waanzin in Smyrna nam Bristol zelfs de Turkse lijn van propaganda over door de Grieken en Armeniërs te beschuldigen. Dit tegenover overweldigende ooggetuigenverslagen van Amerikaanse missionarissen en andere betrouwbare bronnen dat de beroepsmilitairen van Kemal op systematische wijze brand gesticht hadden in Smyrna. Hij beschuldigde het Griekse leger er ook van Turkse inwoners aan te vallen.[15] George Horton maakte echter wel onderscheid tussen een zich boos en verraden voelend en chaotisch terugtrekkend Grieks leger dat sporadisch wraak nam op Turkse inwoners, en een zegevierend Turks leger, dat, volledig geautoriseerd door zijn bevelhebbers, verantwoordelijk was voor doelbewuste massamoord op christenen en de vernietiging van hun dorpen – een leger dat zijn burgers juist had moeten verdedigen, aldus Horton.[16]

Er werd gezegd dat de Fransen iedereen aan boord zouden nemen die zei Frans te zijn, als hij het maar in het Frans kon zeggen. Armeniërs die Frans konden spreken, en ook die het niet konden, dromden samen bij de Franse ambassade en beweerden dat hun papieren tijdens de branden verloren waren gegaan. Vaak werden ze aan boord gesmokkeld door een welwillende kapitein en zijn bemanning. De Italianen hesen iedereen aan boord die hun schepen maar kon bereiken. Amerikaanse missionarissen en leraren stonden erop hun studenten aan boord te brengen en haalden zeelieden en kapiteins over om hen te helpen. Asa Jennings, een tengere, kleine methodistische predikant uit de staat New York, die juist was gearriveerd met zijn vrouw en zonen voor werkzaamheden bij de YMCA, deed ongekend veel reddingswerk. Het is aan zijn initiatieven te danken dat Griekse, Amerikaanse en Britse schepen uiteindelijk begonnen samen te werken, zodat 250 000 Griekse en Armeense vluchtelingen werden gered van een wisse dood op de Turkse westkust. Echter, zoals een overlevende waarnam: 'Bijna iedereen had wel iemand verloren.' Sommige vluchtelingen die vanaf het dek van een schip toekeken, zagen dat hun geliefde op het laatste moment voor redding door Turkse soldaten werd neergeslagen.[17]

In het gebied van de Zwarte Zee werden de Britse troepen die de terugkeer van de Pontiërs naar hun huizen moesten begeleiden teruggeroepen toen andere problemen voorrang kregen, zodat de Pontiërs zichzelf maar moesten redden.

Uiteindelijk legden de geallieerde landen de schuld voor het fiasco in Turkije bij elkaar. Groot-Brittannië hield vooral de Verenigde Staten verantwoordelijk door hen te beschuldigen van het niet-nakomen van hun afspraak om Constantinopel, de Dardanellen en Armenië te bezetten en veilig te stellen. Dit zou geschieden op grond van een voorstel dat Wilson, toen hij president was, had beloofd aan het Congres te zullen voorleggen. Het werd afgewezen. Niettemin was het Lloyd Georges manipulatie van de betrokkenen, ook van Wilson, die tot vertraging van de verdeling van het Ottomaanse Rijk en de uitvoering van het Verdrag van Sèvres leidde. En het was deze vertraging die het Mustafa Kemal mogelijk had gemaakt om zijn achtergelaten legers te hergroeperen, troepen te verzamelen en verzet voor te bereiden tegen de bepalingen van het verbond.

Minister Hughes verwierp alle kritiek op de Verenigde Staten. Hij beweerde dat de Verenigde Staten terecht hun activiteiten in Turkije hadden beperkt tot het beschermen van Amerikaanse handelsbelangen;

hij schreef de 'catastrofe van het Griekse leger tijdens de laatste ander-halfjaar' toe aan de intriges van de geallieerden en 'het diplomatieke optreden in Europa'.[18]

George Horton beschuldigde de geallieerden van een tweeslachtige houding. Hij schreef de moordpartijen op de christenen en de brand-stichting van Smyrna toe aan zowel de geallieerde hofmakerij aan het adres van Mustafa Kemal toen Kemals troepen de stad binnenkwamen, als aan de non-interventiepolitiek van de geallieerden, die instemming met de moord op de christenen uitstraalde. Horton erkende ook de aansprakelijkheid van de Verenigde Staten voor diezelfde non-interven-tiepolitiek en hofmakerij van Kemal; hij legde ook schuld bij de Grie-ken, in de eerste plaats vanwege hun vertrouwen in de aanmoedigingen van de geallieerden zonder dat er een echt verdrag of een verklaring van ondersteuning was. Het meest van alles beschuldigde hij echter Mustafa Kemal, wegens zijn brute streven om Turkije te ontdoen van zijn chris-tenen. 'Turkse bloedbaden,' beweerde Horton, 'werden altijd uitgevoerd met instemming op het hoogste niveau.'[19]

Een biograaf van Mustafa Kemal Ataturk verklaarde dat Kemal or-ders gaf dat geen enkele Turkse soldaat een Griekse staatsburger mocht doden gedurende hun verbanningsmars. Er werd geschreven dat hij ook zulke orders gaf aangaande het doden van Grieken en Armeniërs in Smyrna. Deze orders, als ze echt zijn gegeven, bleken onbetekenende public-relationstrucs die niets veranderden; ze boden slechts valse hoop aan sommige slachtoffers. Er bestaat geen twijfel dat de genocide onder de Griekse, Armeense en Assyrische bevolkingsgroepen van Turkije sys-tematisch en doelbewust plaatsvond. Volgens Amerikaanse diplomatie-ke verslagen was Kemal persoonlijk betrokken bij de afslachting van duizenden onschuldigen, en was hij in Smyrna toen zijn troepen de stad in brand staken. Gemeld werd dat Kemal in de zomer van 1919 congres-sen hield in Erzurum en Sivas in West-Anatolië, en dat daar het besluit werd genomen om 'alle mensen van Rumeli en alle hellenisten' aan te vallen. In het jaar 1919, toen Kemal zijn voorlopige regering in Ankara aanstelde, en dus nog voor diens succesvolle verdrijving van de sultan, verzamelde een zekere Cemal Musket, adviseur van de sultan, verschil-lende documenten uit het archief van de sultan en schreef een rapport. Dit rapport werd later ontdekt in de archieven van het ministerie van

Buitenlandse Zaken van Griekenland. Daarin werd door Kostas Fotiadis, docent geschiedenis aan een Griekse universiteit, het volgende fragment gevonden:

> De regering van Ankara besloot dat eerst de Grieken uit de regionen Atabazar en Kaltras, en later de Grieken uit de Pontos, afgeslacht en geëlimineerd moesten worden. Yavur Ali werd aangewezen om het Griekse dorp bij Geive af te branden en alle inwoners te doden. Deze tragedie duurde twee dagen. Het dorp, met zijn twaalf fabrieken en mooie gebouwen, werd een desolaat oord. Negentig procent van de bevolking werd afgeslacht en verbrand. De enkeling die wist te ontsnappen en zijn leven redde, trok naar de bergen. Om zijn partizanan aan zich te binden moest Mustafa Kemal een gebied vinden dat hij kon aanvallen. Voor dit doel ging hij naar het gebied van de Pontisch Grieken. De slachtpartij, plundering en algehele eliminatie in dit gebied duurde van februari tot augustus. Deze misdaden werden uitgevoerd met semi-officiële betrokkenheid van militaire en civiele manschappen. De Turkse afgevaardigden die deelnamen aan de Vredesconferentie in Parijs probeerden hun acties niet te ontkennen, maar alle verantwoordelijkheid bij de Jonge Turken neer te leggen, dus eigenlijk bij de regering.

Zesduizend Pontische mannen, vrouwen en kinderen uit de streek Bafra werden levend verbrand toen ze in kerken een veilig heenkomen zochten; hun waardevolle spullen werden gestolen. In de stad Alajam werden nog eens 2500 christenen afgeslacht. Van de 25 000 inwoners uit de streek Bafra werd 90 procent geëlimineerd tijdens massamoorden of de lange verbanningsmarsen, waarbij ze werden verkracht, beroofd en achtergelaten om door honger verzwakt te sterven.

Verdedigers van de Turkse regering verkondigen vaak dat de christenen slachtoffers waren van de oorlogssituatie en het ten onder gaande Ottomaanse Rijk. Of ze leggen de schuld van de slachting en verbanning van de Grieken in Turkije bij de Turks-Griekse oorlog van 1919-1922. Inmiddels is er een serie in Duitse en Oostenrijkse archieven ontdekte persberichten openbaar gemaakt. Ze bewijzen dat de Turken al geruime tijd voordat Griekenland troepen in Smyrna aan land bracht kwade bedoelingen hadden met de oude christelijke bevolking bestaande uit Grieken, Armeniërs en Assyriërs. In feite bewijzen de persberichten dat de Turkse plannen al bestonden voordat de Grieken zich in 1917 aan de zijde van de geallieerden schaarden, zelfs al voor de Eerste Wereldoorlog en de Balkanoorlogen van 1912-1913. In feite ging het eenvoudig om een grondiger voortzetting van de slachtingen in de negentiende eeuw. Het was betreurenswaardig dat de Duitse noch de Oostenrijkse autoriteiten iets deden om Turkije van het uitvoeren van zijn plannen tot genocide te weerhouden.

Op 24 juli 1909 citeerde de Duitse ambassadeur in Athene, Wangenheim, de Turkse president Sefker Pasha aan minister Bulow: 'De Turken hebben besloten over te gaan tot een uitroeiingsoorlog tegen hun christelijke onderdanen.'

26 juli 1909, Sefker Pasha aan patriarch Ioakeim III: 'We zullen jullie onthoofden, we zullen jullie doen verdwijnen. Alleen jullie of alleen wij zullen overleven.'

14 mei 1914, officieel document van Talaat Bey, minister van Binnenlandse Zaken, aan de burgemeester van Smyrna: 'De Grieken, die Ottomaanse onderdanen zijn en een meerderheid in uw district vormen, buiten de omstandigheden uit door een revolutionaire stroming uit te lokken die welwillend tegenover een interventie door de grootmachten staat. Daarom is het geboden dat de Grieken die de kustlijn van Klein-Azië bewonen met spoed worden gedwongen hun dorpen te verlaten en zich te vestigen in de dorpjes Erzerum en Chaldea. Als ze weigeren om zich naar de aangewezen plekken te laten transporteren, geeft u dan alstublieft instructies aan onze moslimbroeders dat zij de Grieken met het nodige geweld zullen dwingen hun geboorteplaatsen te verlaten. Vergeet in zulke gevallen niet van de emigranten certificaten te eisen die bevestigen dat ze hun huizen uit eigen beweging verlaten, zodat hun verplaatsing ons niet in politieke moeilijkheden zal brengen.

31 juli 1915, de Duitse priester J.Lepsius: 'De anti-Griekse en anti-Armeense vervolgingen zijn twee aspecten van hetzelfde programma: de uitroeiing van de christelijke invloeden in Turkije.'

30 november 1916, de Oostenrijkse consul in Amisos, Kwiatkowski, aan de Oostenrijkse minister van Buitenlandse Zaken, baron Burian: 'Op 26 november vertelde Rafet Bey me: "We moeten de Grieken afmaken zoals we met de Armeniërs deden…" Op 28 november zei Rafet Bey tegen mij: "Vandaag zend ik legereenheden naar het binnenland om iedere Griek die zich laat zien af te maken." Ik ben bang dat de gehele Griekse bevolkingsgroep wordt geëlimineerd, een herhaling van de gebeurtenissen van vorig jaar.' (De Armeense genocide.)

13 december 1916, de Duitse ambassadeur Kuhlman aan minister Hollweg in Berlijn: 'De diplomaten Bergfield in Samsun en Schede te Kerasun doen verslag van de verdrijving van en moord op de plaatselijke bevolking. Er worden geen gevangenen gemaakt. Dorpen worden in de as gelegd. Griekse vluchtelingen, families vooral bestaande uit vrouwen en kinderen, worden op mars gezet van de kust naar Sebasteia. De nood is groot.'

19 december 1916, de Oostenrijkse ambassadeur in Turkije, Pallavicini, maakt voor Wenen een lijst van de tot de grond toe afgebrande dorpen in de regio van Amisos. De inwoners werden verkracht, vermoord of verjaagd.

20 januari 1917, de Oostenrijkse ambassadeur Pallavicini: 'De situatie voor de verdrevenen is hopeloos. Allen wacht de dood. Ik sprak met de grootvizier en vertelde hem dat het triest zou zijn als de vervolging van de Grieken dezelfde omvang zou aannemen als die van de Armeniërs. De grootvizier beloofde dat hij druk zou uitoefenen op Talaat Bey en Enver Pasha.'

31 januari 1917, in het verslag van de Oostenrijkse minister Hollweg: '… er zijn aanwijzingen om aan te nemen dat de Turken van plan zijn

de Grieken te elimineren als vijanden van de staat, zoals ze eerder deden met de Armeniërs. De strategie van de Turken bestaat uit het doen verplaatsen van mensen naar het binnenland zonder maatregelen ter overleving en door hen bloot te stellen aan dood, honger en ziekte. De verlaten huizen worden vervolgens geplunderd en verbrand of vernietigd. Alles wat de Armeniërs is aangedaan zal herhaald worden met de Grieken.'[20]

Horton beweerde dat Duitsland in 1914, ter voorbereiding op de Eerste Wereldoorlog, toestemde in de deportatie en het afslachten van Anatolische Grieken in de kustgebieden.[21] Archiefstukken bevestigen dat Duitsland zelfs, hoewel onbedoeld, aanzet gaf tot genocide onder de christenen. Men stelde de leiders van de Jonge Turken voor om de moslims die in geallieerde landen verbleven op te roepen tot een jihad in Europa.[22] De Jonge Turken grepen deze oproep echter aan als een perfecte mogelijkheid om het Ottomaanse Rijk eens en voor altijd te zuiveren van christelijke bevolkingsgroepen, en wel onder de dekmantel van een oorlog. De ambassadeur van de Verenigde Staten in het Ottomaanse Rijk, Henry Morgenthau sr., verklaarde dat het hoofd van de politie in Constantinopel aan een van zijn secretarissen had verteld dat de regering 'de Grieken (in 1914) zo succesvol had verdreven dat besloten was om dezelfde methode toe te passen op alle andere etnische groepen in het Rijk'.[23] Die andere groepen waren de Armeniërs en de Assyriërs.

De Turkse regering had, net als men de Armeniërs had gedaan, ook de Anatolische Grieken beschuldigd van disloyaliteit ten opzichte van het Ottomaanse Rijk; en verder beschuldigde men hen ervan uit te zien naar de dag dat de 'Griekse' gebieden in Klein-Azië verenigd konden worden met Griekenland. In antwoord op deze aanklachten beweerde ambassadeur Morgenthau dat zo'n verlangen 'te verwachten zou zijn... nadat men vijf eeuwen lang geleden had onder de onbeschrijflijke gewelddadigheid van de Turken...'[24]

In november 1922, met de afzetting van de sultan door Mustafa Kemals Nationale Vergadering, hield het Ottomaanse Rijk op te bestaan. Kemal had de geallieerden met succes verdreven en bij het verdrag van Lausanne in 1923 dwong hij de geallieerden de onafhankelijkheid van

Turkije in Klein-Azië en Oost-Thracië te erkennen. Daarmee verklaarde hij het Verdrag van Sèvres, waarbij de Grieken, de Armeniërs en Koerden gebieden toegewezen kregen, nietig.

Tijdens de conventie van Lausanne, op 30 januari 1923, werd het 'meest buitenissige document' uit de geschiedenis ondertekend: de overeenkomst tot uitwisseling van Griekse en Turkse bevolkingsgroepen. Anders dan enige 'grote uittocht' in het verleden, was deze 'uitwisseling' afgedwongen.[25] De uitdrukking 'uitwisseling van bevolkingsgroepen' is sindsdien altijd gebruikt om te verhullen wat er van 1914 tot 1922 was gebeurd met 'de Anatolische en Pontisch Grieken, die systematisch waren vermoord, uit hun huizen gezet, beroofd, grof bejegend en verdreven uit Anatolië'. De term 'officiële uitwisseling' moest dit afschuwelijke voorbeeld van etnische zuivering en genocide een zweem van rechtmatigheid achteraf geven.[26]

De geschiedenis is aanwijsbaar door een paar zeer ongeïnteresseerde gezaghebbenden opgetekend, zodat, afhankelijk van de nationaliteit of loyaliteit van de schrijver, de feiten anders zijn weergegeven of zelfs zijn verdraaid om de gebeurtenissen in een zeker daglicht te stellen. Inmiddels zijn er talrijke schandalen over het beleid van de Turkse regeringen om Amerikaanse universiteiten te beïnvloeden boven water gekomen. Zo ontvingen de universiteiten van Princeton en Portland geld om er geschiedenis te laten doceren op een wijze die Turkije in een gunstig daglicht zou stellen en waarbij niet werd gerefereerd aan de genocide onder de Armeniërs, Grieken en Assyriërs. Met veel leerstoelen voor Turkije-studies aan Amerikaanse universiteiten heeft de Turkse revisionistische geschiedenisopvatting de kans gehad een groot gedeelte van de Amerikaanse studenten te bereiken.

Op 27 oktober 1995 maakt *The Chronicle of Higher Education*, in een verslag van Amy Magaro Rubin, melding van een door Amerikaanse wetenschappers verspreide petitie. In die petitie werd de Turkse regering ervan beschuldigd academici in de Verenigde Staten te misbruiken ter manipulatie van de Turkse geschiedenis: verwijzingen naar de genocide van de Armeniërs moesten onbesproken blijven. De *Boston Globe* bekende vervolgens op 25 november 1995 kleur en bevestigde dat giften van bepaalde buitenlandse overheden, die onder beperkende condities werden verstrekt, aanleiding gaven tot grote bezorgdheid binnen bepaalde Amerikaanse universiteiten. Op 30 november 1995 deed de *Philadelphia Inquirer* verslag van het onethische gebruik van Turkse fondsen door de Universiteit van Princeton. De *New York Times* volgde op 22 mei 1996 met een artikel waarin werd gesteld dat Princeton optrad als spreekbuis voor de Turkse regering. En op zondag 30 november 1997 maakte de *Los Angeles Times* melding van een voorstel van de Turkse regering aan de UCLA betreffende de schenking van een miljoen dollar, welke door de UCLA, in de nasleep van het Princeton-schandaal, werd geweigerd.

Op 18 augustus 2000 maakte de *Chronicle of Higher Education* bekend dat de Turkse regering had gedreigd met de arrestatie van werknemers van Microsoft in Turkije en met een boycot van Microsoft indien dat bedrijf de ingang over de Armeense genocide in de *Encarta Online Encyclopedia* niet zou wijzigen. En na het aannemen van een resolutie over de Armeense genocide door twee subcommissies van het Congres van de Verenigde Staten dreigde Turkije met de sluiting van militaire bases van de Verenigde Staten in Turkije, met sancties tegen de Amerikaanse handel en het intrekken van lucratieve wapencontracten, dit alles in combinatie met meer bedekte bedreigingen indien de resolutie door het Congres zou komen. Vlak voor een stemming in het Huis van Afgevaardigden, in oktober 2000, zette president Clinton het Congreslid Dennis Hastert, die de Armenian Genocide Resolution had ingediend, onder druk om deze in te trekken. Hastert gaf gehoor. Vertegenwoordiger Frank Pallone beschuldigde de regering van de Verenigde Staten ervan 'te zijn bezweken onder de dreigementen van de Turkse regering tegen Amerikaanse militaire belangen'. Het Europese Parlement en Argentinië hadden een dergelijke resolutie al aangenomen. In januari 2001 weigerde het Franse parlement zich te laten afschrikken door gelijksoortige dreigementen van Turkije. Na unanieme stemming werd een resolutie aangenomen waarin de Turkse afslachting van anderhalf miljoen Armeniërs in 1915 als genocide werd erkend. Vervolgens stemde president Jacques Chirac in met de resolutie. Maar in januari 2001 weigerden de Britten de Armeense genocide te vermelden in hun Holocaust Memorial Day Commemoration.

Bij de genocide van de anderhalf miljoen Grieken en Assyriërs door Turkije werd nooit stilgestaan. Echter, twee jaar na de Amerikaanse publicatie van *Verloren naam* kwamen New York, New Jersey en South Carolina met een intentieverklaring voor een gedenkdag voor de genocide op de Pontisch Grieken. New York en South Carolina wilden zelfs een gedenkdag voor de Grieken van Klein-Azië instellen. De intentieverklaringen van New York en South Carolina maakten ook melding van de genocides op Assyrische en Armeense bevolking.[27]

Omdat strategische en handelsbelangen in Turkije steeds van invloed zijn op Amerika's buitenlandpolitiek, heeft de verdraaiing van de geschiedenis – en niet alleen die over de genocide – vaak met hulp van de heersende media, absurde proporties aangenomen. Een voorbeeld is het eren van het Ottomaanse Rijk als bakermat van beschaving, terwijl het een eind heeft gemaakt aan de bloeitijd van het glorieuze Byzantium. In de korte uiteenzetting van de geschiedenis van Turkije maakt de (online) *Free Concise Encyclopedia* niet eens melding van de Grieken, Armeniërs en Assyriërs als inwoners van Klein-Azië. De encyclopedie refereert enkel aan de Hittieten en verder aan 'indringers bekend als de Mensen van Zee', die in 1200 v.C. binnendrongen. De tekst vermeldt niet dat deze 'Mensen van Zee', hoogstwaarschijnlijk Grieken, al meer dan tweeduizend jaar in Klein-Azië woonden voordat de eerste Turkse stammen binnenvielen, en er nog eens duizend jaar nadien bleven, tot de slachtingen en verbanningen van 1914-1923.

De bewering dat de Byzantijns-Griekse Bisschop van Myra, de Heilige Nicolaas – bekend als Sinterklaas – een Turk was, is natuurlijk absurd. De Turken zijn nooit christenen geweest en zijn bovendien pas zevenhonderd jaar na de geboorte van de Heilige Nikolaas in Klein-Azië gearriveerd. Pas echt hinderlijk is de bewering dat zowel in het Ottomaanse Rijk als in Turkije religieuze vrijheid bestond en bestaat. In het begin van de jaren zeventig werd de beroemde Christelijk-Orthodoxe Theologische School van Halki in Turkije op gezag van de Turkse regering gesloten; hij blijft gesloten, zelfs ondanks hevige protesten en resolutie 345 van het Congres van de Verenigde Staten. In de jaren vijftig en opnieuw in 1974, toen Cyprus werd binnengevallen door Turkije, vernietigden door de regering gesteunde pogroms tegen de nog altijd in Istanbul wonende Grieken bijna alle restanten van de millennia-oude Griekse aanwezigheid in deze stad.

Door de systematische pogingen van verschillende regeringen en belanghebbenden om de wreedheden van hun land te verbergen en een fictieve geschiedenis te creëren, vormen getuigenissen van overlevenden, alsmede getuigenissen van onpartijdige derden, onder wie Europese en Amerikaanse diplomaten zoals George Horton, consul van de Verenigde Staten in de provincie Harput, Leslie Davis[28] en ambassadeur Morgenthau, de betrouwbaarste bronnen van informatie. Net als bij de holocaust leveren verklaringen van slachtoffers die deze horror hebben overleefd een authentieke bijdrage aan het ophelderen van de gebeurtenissen en hebben ze historici tot bron gediend. Mijn moeders verhaal is zo'n getuigenverslag uit de hel, een hel die door minister Charles Evans Hughes werd toegeschreven aan 'de barbaarse wreedheid van de Turken'.[29]

Het aantal Armeense doden werd geschat op anderhalf miljoen. Volgens cijfers van de Griekse regering, weergegeven in de *New York Times* van 2 december 1922, werden 750 000 tot een miljoen van de anderhalf tot twee miljoen Grieken in Klein-Azië – Ioniërs, Pontiërs en Cappadociërs – afgeslacht, en werd de rest verbannen.[30] Het totale aantal doden onder Pontiërs alleen was 353 000. De Assyriërs, een ander volk dat Klein-Azië duizenden jaren had bewoond en in het begin van de tweede eeuw n.C. was overgegaan tot het christendom, werden ook onderworpen aan massamoord en verbanning. Van de miljoen Assyrische inwoners – Assyrische Chaldeeërs en Nestorianen –zijn er ongeveer 750 000 vermoord; dit was tweederde van de gehele Assyrische bevolking![31] In totaal werden drie miljoen Turkse christenen vermoord en werden er miljoenen verbannen, waarmee een bruut einde werd gemaakt aan hun drieduizend jaar durende geschiedenis in Klein-Azië.

In de lente van 1920 gaf Mustafa Kemal bevel om de bevolking van mijn moeders dorpen in de Pontische bergen op een ballingschapsmars naar de Syrische woestijn te zenden. Ze werden acht maanden lang, zonder enige voorziening, zonder voeding, water of onderdak, over de ijzige berggebieden in het noorden en dwars door de woestijnachtige vlakten in het zuiden voortgejaagd. Tijdens deze tocht verloren opnieuw talloze Pontiërs het leven omdat er methoden van moord bestaan waar geen messen of geweren bij te pas komen. Mijn moeders verhaal getuigt van dergelijke methoden.

# 18

## *De lange weg naar de hel*

Het kostte ons vele uren om de Turkse stad beneden te bereiken. Toen we erdoorheen trokken stonden de mensen van die stad langs de kant van de weg naar ons te kijken. Ik kon niet raden wat ze dachten toen we voorbijkwamen. Ze kenden ons al ons hele leven, net als wij hen. Vaders smederij was in die stad. Hij en grootvader hadden er hun ploegen gesmeed en nieuwe hoefijzers voor hun paarden. Ze hadden hun pannen gerepareerd, hun gereedschappen gemaakt en 's middags hadden ze gezamenlijk hun glas thee gedronken.

'Lumbo,' fluisterde een stem toen we langsliepen. Vader draaide zich om en zag een man staan met zijn blik naar de grond gericht.

'Je vader is dood,' zei de man. 'Hij is in het kamp omgekomen. Het spijt me.'

We liepen door. De soldaten met hun zwepen schoten op hun paarden om ons heen en hielden de bannelingen nauwlettend in de gaten. Moeder sloeg een kruis en stak haar hand uit naar grootmoeders hand. Vader sloot zijn ogen en drukte zijn kaken stijf op elkaar maar liep door, zoals de anderen.

Ik voelde de tranen over mijn wangen rollen. Ik had mijn grootvader gemist. Ik miste zijn warme glimlach onder die snor, en zijn troostende stem die verhalen vertelde bij het vuur. Ik miste het om voor hem te staan terwijl hij ons het abc of het onzevader probeerde te leren. Ik miste de geduldige manier waarop hij zijn handen in elkaar sloeg, zijn ellebogen op zijn knieen zette en wachtte tot we klaar waren met ons bleue gelach. Ik was zijn favoriete kleinkind. Dat kon ik merken aan de manier waarop hij me over mijn hoofd aaide als hij 's avonds thuiskwam of soms vlug een halssnoer van geroosterde pinda's om mijn nek liet glijden. Of aan de manier waarop hij me het klepje van zijn prachtige gouden horloge open liet wippen wanneer ik aan de ketting stond te trekken. Ik begreep niet hoe ze wisten dat grootvader dood was, maar het leek wel of ze altijd wisten wat er met iemand was gebeurd, waar hij ook was.

Toen we langs de Turken liepen maakte vader een gebaar naar een man.

'Alstublieft,' zei vader, 'ik wil een ezel kopen. Kunt u me er een bezorgen?'

De man vertrok zonder iets te zeggen en wij liepen verder. Toen we bij het eind van de stad kwamen was de man terug, samen met een andere die een ezel meetrok aan een halster. Vader betaalde hem en nam de teugels over, maar de eerste man bleef naast ons lopen.

'Kennen jullie mij niet meer?' vroeg de eerste man aan mijn vader en oom Constantine, die vlak bij ons liep.

'Nee,' zei vader. Oom Constantine keek hem aandachtig aan en schudde toen zijn hoofd.

'Jullie hebben mijn leven gered in de sneeuw,' zei hij tegen oom Constantine, 'ik heb voor jullie haard geslapen.' Er kwamen tranen in zijn ogen toen hij het zei.

Toen vader zijn hand uitstak naar de man begon er een soldaat te paard te schreeuwen en hij kwam in draf naar ons toe om de man weg te jagen. Terwijl we de stad achter ons lieten, klonk de echo van zijn woorden nog na in mijn oren.

Ik herinnerde me de avond dat mijn ooms de verkleumde man naar ons huis brachten, het was de avond dat grootvader ons over de twee domme jongens had verteld. Ik wist nog hoe het onderkoelde lichaam van de man voor het vuur lag en zijn bevroren voeten rozer werden naarmate ze opwarmden. Hoe veilig en vertrouwd had het niet gevoeld om warm binnen te zitten terwijl de wind om het huis gierde en de sneeuw tegen de ramen sloeg.

Mijn ooms hadden nog een keer hun eigen leven geriskeerd om een

Turk het leven te redden. Ze liepen langs een klein Turks dorp, toen ze rook en vuur uit een huis zagen komen. Buiten op straat stond een vrouw te huilen en te schreeuwen dat haar man nog binnen was. Zonder aan hun eigen veiligheid te denken renden mijn ooms het huis in en droegen de man naar buiten. Grootvader had zelfs een Turk gered die door een slang was gebeten.

Terwijl de stad achter ons kleiner werd, herinnerde ik me het andere verhaal dat grootvader ons had verteld. Het verhaal over de man die de mensen in de hemel te hulp roept, dan naar boven reikt en een hand grijpt die hem naar de veiligheid trekt. Ik vroeg me af of grootvader om hulp had geroepen in het kamp en of hij, naar de hemel reikend, vast was blijven zitten aan de hem toegestoken hand en naar een leven aan gene zijde was getrokken; een veilig leven, waarin hij bij het vuur kon zitten fluitspelen en kleine kinderen het abc leren.

We liepen de hele dag en stopten maar heel af en toe, meer voor de soldaten om hun matjes uit te rollen en in gebed neer te knielen dan omwille van ons welzijn. Vader bond de bundels op de rug van de ezel om onze last te verlichten. Moeder voedde om de beurt de baby's en soms aten we al lopend een stuk brood. De soldaten te paard schreeuwden om de zoveel tijd tegen ons om ons tot doorlopen te manen. Mijn armen deden pijn omdat ik ze steeds maar op mijn rug moest houden om Mathea te ondersteunen en mijn benen voelden stram van het extra gewicht. Maar ik liep domweg door, net als de anderen. En ik zag alles om me heen door een waas van tranen.


Toen de zon onderging riepen de soldaten dat we moesten stoppen. Dankbaar liet ik mijn spullen vallen, maar mijn verkrampte vingers konden zich amper ontspannen. Nastasía's willoze lichaam werd over vaders schouder gelegd, waar ze verder sliep.

De temperatuur was flink gedaald, en ik was blij met de gevoerde mocassins die grootvader het jaar daarvoor voor me had gemaakt. In onze dorpen liepen de kinderen in het late voorjaar en de zomer meestal op blote voeten rond. We genoten van het gevoel van het koele gras dat aan onze voeten kriebelde. Maar over de weg, uren sjokkend met een flinke last, was dat moeilijk.

Onze eerste nacht onderweg brachten we door net buiten een klein

Turks stadje ten zuiden van onze dorpen. Van een deken en een paar stokken maakte vader een provisorische tent om ons wat beschutting te bieden. Moeder bereidde een eenvoudige maaltijd, die we nauwelijks naar binnen kregen zonder tussen twee happen door in slaap te vallen. Alle kleuren groen van het landschap smolten samen toen de rode gloed van de zonsondergang vervaagde en de hemel zich tot een geheimzinnig blauw verdiepte.

En toen werd het in een oogwenk weer licht. Het roze verscheen weer boven de bergen en de hemel werd bleek. Maria zoog aan moeders borst en Mathea zat tevreden op haar knuistje te sabbelen toen ik mijn ogen opsloeg. Ik had een gevoel alsof mijn lichaam als hete bijenwas op de grond was uitgevloeid en toen bevroren. Mijn armen en benen waren stijf en deden overal pijn. Toen de oproep tot gebed voor de moslims door de ochtendlucht zweefde, wist ik mijn lichaam met pure wilskracht uit zijn verbinding met de aarde los te maken.

We ontbeten met brood terwijl de zon langzaam boven de bergen uitkwam en de groep onwennige bannelingen opstond. Hier en daar smeulde een vuurtje, en een paar kleine kinderen, te jong om de betekenis van hun reis te doorgronden, renden in het rond en speelden krijgertje.

Elke dag werden de soldaten vervangen door nieuwe soldaten uit de dichtstbijgelegen stad. Terwijl zij van wacht wisselden, vouwden wij onze dekens op en pakten onze spullen voor het vervolg van de reis. De ezel die vader had gekocht verschafte ons om de beurt het genoegen van een lichtere last. We hadden een paar dekens die we over ons heen konden trekken tegen de koude nachtlucht, maar we kropen ook dicht tegen elkaar aan om warm te blijven. Maar zelfs met de ezel hadden we allemaal nog een hoop te dragen.

Toen we weer vertrokken, probeerde vader nog iets extra's op de rug van de ezel te laden. Zijn snel herhaald iaa-geroep klonk zo luid en klagend dat je zou denken dat we hem een oor hadden afgesneden. Het arme beest ging op zijn achterste zitten en weigerde nog een stap te zetten, totdat vader hem van een paar bundels had bevrijd.

In het begin was elke dag als de vorige. We hadden nog steeds te eten, ook al was het schraal, en we waren gezond. Het landschap was weelderig en groen en de fruit- en notenbomen bloeiden volop. Op de akkers maakten de mannen de grond fijn terwijl de vrouwen, in hun bolle broeken, achter hen aan liepen en zaaiden of zich bogen om de zaden een voor een in de grond te duwen. Vogels bouwden hun nesten en hier en daar borrelde een stroompje uit een bergkloof. Alles zo mooi en gewoon, voor iedereen behalve voor ons.

Eén nacht hebben we in een soldatenbarak doorgebracht. De muren waren wit geschilderd. Ze dreven ons als schapen naar binnen en lieten ons onze dekens op de grond uitspreiden. Het geluid van oude, kreunende mensen en huilende baby's was de hele nacht te horen, maar sommigen vielen in slaap voor hun hoofd op de grond lag. In het begin waren het de ouderen die het meest leden. Later, toen de dagen ongemerkt in elkaar overgingen, leed iedereen evenveel.

De oude vrouw van wie we de koeien altijd naar de wei brachten heeft het niet lang volgehouden. Zomaar ergens onderweg gaf haar tere lichaam het op. Haar zoon had haar met tussenpozen gedragen, zo goed en zo kwaad als het ging, maar moest haar ten slotte aan de kant van de weg, met haar rug tegen een steen geleund, achterlaten. Ze zag er versuft uit toen we passeerden, staarde langs ons heen zonder met haar ogen te knipperen. Haar ene benige hand rustte in haar schoot, de andere lag levenloos op de grond naast haar, en de zolen van haar korstige voeten gaapten ons aan door haar versleten schoenzolen.

Het landschap was bijna onmerkbaar begonnen te veranderen. De bomen werden kleiner, de rotsen groter en de kleuren verschoten van groen naar gelig. Langzaamaan werd ons uitzicht steeds meer bepaald door ruwe kliffen en dorre vlakten zover het oog reikte. De zon stond de hele dag boven ons te branden en geen moment bracht een koel briesje verkoeling. 's Nachts lagen we dicht tegen elkaar aan in onze bezwete kleren in onze dekententjes.

Toen we ongeveer vier maanden onderweg waren, waren mijn schoenen tot op de draad versleten. Op blote voeten door dit onherbergzame land lopen was als over glasscherven lopen. Het eten dat we hadden meegenomen was op. Elke dag stierf er wel iemand. Elke dag lieten we een lichaam langs de kant van de weg aan zijn lot over. Sommigen vielen domweg dood neer tijdens het lopen. Hun verschrompelde lichamen lagen verspreid over de weg als afval dat van een passerende wagen was gegooid, wachtend op de gieren en wolven.

Je mocht van geluk spreken als mensen 's avonds stierven, als we al waren gestopt om te overnachten. Dan kon de familie van de dode proberen het lichaam met behulp van een lepel of een stok provisorisch te begraven. Maar overdag hielden de soldaten onze stoet met af en toe een striemende zweepslag voortdurend in beweging.

Toen ons eten op was kocht vader af en toe iets in de kleine stadjes die we onderweg passeerden, als de soldaten het tenminste toestonden of even niet opletten, maar vaak was er niets te krijgen. Het geluid van huilende mensen was de hele tijd om ons heen die eerste paar maanden, maar zelfs dat was afgenomen naarmate onze lichamen zwakker werden, onze zinnen verdoofd raakten en onze ogen nog slechts op de weg voor ons gericht waren.

# 19
## Baby's en gieren

De mars was een nachtmerrie, die ik voor een deel uit puur lijfsbehoud heb verdrongen. De dagelijkse voorvallen zijn verdwenen, met elkaar versmolten zoals de dagen in de landen van de middernachtzon in de zomer met elkaar versmelten. Onze nachten waren vluchtig als een wolk die langs een stralend blauwe hemel drijft – een moment om onze ogen te sluiten voor de zon weer zou losbranden, alsof de tijd een voortdurende stroom was, niet ingedeeld in tijdvakken. Een snikhete dag eindigde niet met de avond en kalmte, of een avondmaal met de familie rond het vuur, maar met weer een dode, een zoveelste lijk en een nieuwe jammerklacht die een gapend gat in mijn hart trok.

Alleen bepaalde herinneringen komen terug, maar dan ook op een ijzingwekkend echte manier. Plotseling sta ik met wazige blik midden in een tafereel uit het verleden. De jaren zijn weggevaagd en ik ben opnieuw tien jaar oud en zie, ruik en hoor alles alsof het zich in het heden voor me afspeelt. Zelfs met mijn ogen wijdopen verdwijnt mijn hele tegenwoordige omgeving en loop ik opnieuw over de smerige weg naar de hel. Lijken liggen op stenen muurtjes of op de weg, in een lange rij als schietschijven in een kermistent, terwijl de gieren die ons overal volgen als groteske prijzen boven ons in de lucht hangen.

Toen we Centraal-Turkije bereikten was het zo heet dat elke beweging een opgave was. Water was er nauwelijks en de zon brandde op ons hoofd en zoog het vocht van onze lippen, zodat ze barstten en tegen onze gezwollen tong bloedden. Soms lagen er in de verte grote plassen water op onze weg. Dorstig als we waren werden we er als vanzelf naartoe getrokken en in gedachten lieten we ons al in het verkoelende water voorovervallen om de aan ons lichaam onttrokken zee van zweet en tranen weer aan te vullen. Zij die daartoe nog in staat waren versnelden hun pas en liepen met uitgestrekte armen in de richting van het vocht, steeds verder naar voren hellend naarmate ze de trillende lucht boven de plassen naderden.

Maar steeds opnieuw, alsof de duivel ermee speelde, werden de plassen kleiner en kleiner, tot we ten slotte de laatste drup voor onze ogen zagen vervliegen en er meteen verder op de weg nieuwe plassen verschenen.

Elke dag viel de last van Mathea op mijn rug me zwaarder, en mijn klamme jurk met lange mouwen, stijf van stof en zweet, plakte als natte lijm aan mijn huid. Elke dag leek moeder nog verder verzwakt, misschien door de extra inspanning die ze moest leveren om de tweeling te voeden zonder voldoende goed voedsel en water. Aan de rand van een stadje was een kraan waar aan één stuk door water uitkwam. Het kostbare koele vocht viel in een stenen bak, stroomde over de rand en kleurde de stenen eromheen zwart.

Ik had moeder nog nooit zo openlijk iets nodig zien hebben. Ze was altijd een juweel van een vrouw geweest, gracieus en geduldig, een *küzel*, zeggen de Turken. Maar moeder verliet de rij en strompelde naar de kraan. De bannelingen bleven staan en keken vol verwachting toe, klaar om zich naar de kraan te haasten als haar poging succes had. Maar toen ze er bijna was, kwam er een Turkse soldaat te paard aandraven, die haar iets toesnauwde. Hij hief zijn zweep en gaf haar een klap zoals je een ezel of een os zou geven. Ze viel op haar knieën. Ik stond als aan de grond genageld en mijn hart brak. Vader liet zijn bundels vallen en rende naar haar toe.

'Water, alstublieft,' zei moeder tegen de soldaat.

Vader probeerde moeder overeind te krijgen.

'Alstublieft.'

De soldaat hief zijn zweep opnieuw en gooide er nog meer krachttermen uit. Hij zou haar een tweede keer hebben geslagen, maar vader sloeg zijn armen om haar heen en sleurde haar mee.

De teleurstelling op de met vuil besmeurde gezichten van de banne-lingen was nauwelijks waarneembaar. Uit hun ogen sprak een soort ge-latenheid, een willoosheid die ontstaat na ontbering en langdurige ver-nedering. Moeder strompelde terug naar haar plaats terwijl de anderen zich als robots omdraaiden en hun mars voortzetten.

Was dat de dag waarop de kleine Maria stierf? Ik weet het niet meer. Ik herinner me alleen haar kleine lichaam als een propje op Christo-doula's rug. Ik zag haar hoofdje op- en neergaan en het besef dat er iets niet goed was nam mijn oververhitte lichaam in een koude klamme greep.

'Mama!' zei ik zo beheerst als ik kon, hopend dat mijn kalmte alles weer in orde zou maken. 'Maria kijkt een beetje vreemd.'

Moeder keek op en barstte in tranen uit. Maria's gezicht was asgrauw geworden. Haar ogen staarden in het niets als poppenogen die niet meer dicht wilden, en haar hoofd wiegde heen en weer bij elke stap.

'Wat is er aan de hand?' vroeg Christodoula in paniek. 'Wat is er?'

We stopten midden op de weg als een stapel stenen in een rivier; de doodvermoeide bannelingen stroomden in horten en stoten om ons heen en vervolgden hun mars. Moeder nam Maria van Christodoula's rug en wiegde haar in haar armen terwijl haar tranen over Maria's le-venloze gezicht stroomden.

'Doorlopen!' riep een soldaat die onze kant op kwam rennen.

'Mijn kind,' zei moeder.

Ze hield Maria op voor de soldaat, alsof die zich iets van haar ver-driet zou aantrekken.

'Mijn kindje.'

'Gooi weg, als het dood is!' riep hij. 'Lopen!'

'Laat me haar begraven,' smeekte moeder snikkend.

'Gooi weg!' schreeuwde hij nogmaals. Hij hief zijn zweep. 'Gooi weg!

Moeder klemde Maria tegen haar borst en wij staarden naar de sol-daat. Op haar gezicht lag een uitdrukking van pijn zoals ik nog nooit had gezien. Vader stak zijn handen uit naar Maria, om haar neer te leg-gen, vermoed ik, maar moeder hield haar alleen maar steviger vast. Toen ging ze naar de hoge stenen muur die tussen de weg en de stad liep en legde Maria erbovenop, als op een altaar voor de almachtige God.

Die avond huilde moeder zichzelf in slaap. En telkens wanneer ik mijn eigen ogen sloot, zag ik haar Maria als een offer ophouden naar de hemel. Het beeld van haar levenloze lichaam op de muur, als een soort offer in een heidens ritueel, bleef me tot in mijn dromen achtervolgen en is vele dagen niet van mijn netvlies geweest. Steeds wanneer ik aan mijn zusje dacht, alleen achtergelaten in de brandende zon, terwijl de gieren boven ons hun kans afwachtten, moest ik eindeloos huilen.

Elke dag als er gestopt moest worden voor het gebed brak er een moment van grote opluchting aan. We hoopten allemaal in stilte dat het in of vlak bij een stad zou zijn, zodat we konden proberen eten en water te vinden. De soldaten stegen af en knielden op hun matjes naar het oosten. Ze bogen devoot voorover tot hun voorhoofd de grond raakte, hun handen daarbij als steun gebruikend. Terwijl hun geweren en zwepen naast hen op de grond lagen klonk uit een minaret de stem van een mullah: '*Allahu Akbar.*' God is groot.

# 20

## *Met de dood in mijn armen*

We waren al zo lang onderweg dat ons geld op was. We lieten een spoor van kleren en gebruiksvoorwerpen op de weg achter; de eigenaren waren gestorven of eenvoudig te zwak om ze nog langer te dragen. De mensen waren begonnen te bedelen als we door dorpen kwamen. Sommige Turken onderweg kregen medelijden en stopten een stuk brood in een uitgestoken hand als we passeerden. Anderen staarden alleen maar.

Tijdens een van onze stops deed ik de prachtig gekleurde halsketting af die grootvader voor me had meegenomen uit Fatsa en hield hem op om te ruilen tegen iets te eten. Maar voor ik aan ruilen tegen een stuk brood of kaas toekwam, schoot er een jongen toe vanachter een man die vlakbij stond. Hij griste de halsketting uit mijn hand en verdween weer. Ik stond ongelovig naar mijn lege hand te kijken, zulke streken was ik als dorpsmeisje niet gewend.

Als het 's nachts regende groef vader met een lepel of een stok een gootje rond onze provisorische tent, om te voorkomen dat de regen onze deken en onszelf kletsnat zou maken. Het was goed als het regende. Het zachte tikken op de deken boven ons hoofd 's nachts was een soort troost voor de zinderende hitte overdag.

Op een ochtend, nadat het 's nachts had geplensd op onze tent, werden we gewekt door een stralende hemel en een luide angstkreet die even schril was als het ochtendlicht. Niet ver vanwaar wij waren lag een jongen op de grond. Hij lag op zijn zij met zijn benen opgetrokken en zijn bovenlijf opgerold alsof hij sliep. Zijn vader stond snikkend over hem heen gebogen. Uit zijn grote grijze snor drupten tranen. Ik herkende hem meteen. Zijn stem klonk op in mijn herinnering.

'Op een dag zul je met mijn zoon trouwen! Let op mijn woorden. Jij gaat nog eens met mijn zoon trouwen.'

Snikkend probeerde de vader zijn zoon wakker te schudden. Toen tilde hij het stijve en koude lichaam half overeind en wiegde het hoofd van de jongen in zijn armen. De ouders van de jongen groeven met hun blote handen een ondiep graf naast de weg. De vader probeerde de benen van zijn zoon recht te krijgen voor hij hem te rusten legde, maar ze waren al in hun kromme houding verstijfd. We lieten hem achter in zijn ondiepe graf met maar een handjevol zand over hem heen. Het leek net alsof hij nog sliep.

Verderop zagen we Despina, het mooie, veelbelovende meisje dat zo goed kon lezen, dood onder een struik liggen. Haar armen waren met zorg over haar borst gevouwen. Haar besmeurde jurk was naar beneden getrokken om haar gezwollen enkels te bedekken. Haar blote, bebloede tenen wezen naar de lucht. Onder haar gevouwen armen had iemand een boek gestoken, haar eeuwige metgezel.

Langs de hele route drong zich het ene na het andere gruwelbeeld aan mij op, en naarmate we verder naar het zuiden kwamen werden ze almaar talrijker. Een pasgeboren baby, uit haar moeders schoot gevallen, lag, nog onder het bloed van de geboorte, in het stof. Stukjes aarde bleven aan haar kleven en vormden een ijzingwekkend omhulsel. Haar moeder lag naast haar in een poel van haar eigen bloed.

En elke dag werd de hitte erger. Vader ruilde de ezel tegen voedsel. De meeste van onze spullen lieten we achter omdat we de kracht niet meer hadden ze te dragen. Ten noorden van Diyarbakir stonden Franse hulpverleners langs de kant van de weg om brood aan de bannelingen uit te delen. Misschien dat ze ons ook andere dingen gaven. Ik weet het niet meer. Misschien waren er andere landen die hulp stuurden, maar om de een of andere reden herinner ik me alleen de Fransen.

Sommige bannelingen liepen over de gloeiendhete woestijngrond rondom Diyarbakir met niets dan een laagje eelt om hun gebarsten voetzolen tegen de ruwe bodem te beschermen. De lucht kookte en als het waaide werd het zelfs nog warmer. Hier en daar stonden uit leem opgetrokken huisjes in bange groepjes van vier of vijf bij elkaar rondom een eenzame stoffige boom in de barre vlakte. Ze deden denken aan zandkastelen op het strand, waarvan de golven de torens en kantelen hadden weggelikt. Slechts de brede, witgeverfde raam- en deurkozijnen zorgden voor enige tekening.

Ik weet niet of we de rivier bij Diyarbakir zijn overgestoken. Misschien op een doorwaadbare plaats. En ik weet ook niet door welke van de vier poorten we naar binnen zijn gegaan, of we uit het noorden of uit het westen kwamen. Maar 's avonds strompelden we door een reusachtige deur en met nauwelijks nog kracht om het ene been voor het andere te zetten, doorkruisten we die slordig uitdijende, hete en stoffige stad. De grote stenen muur die de stad omringde, torende boven ons uit.

In Karabahçe, een stad aan de andere kant van Diyarbakir, lieten ze ons die nacht in een kerk slapen. Onze familie kreeg een klein soort kast als kamer, waar we onze deken op de vloer mochten leggen. Vader ging erop uit om zijn gouden horloge om te zetten in voedsel. Nastasía was ziek geworden. Haar ogen waren mat en de meeste tijd sliep ze. Ze werd alleen maar wakker om haar op hol geslagen ingewanden te legen. Ik legde haar over mij heen om haar warm en van de grond te houden. Yanni sliep goed. Moeder gaf Mathea de borst. Christodoula was ook ziek.

'Themía,' vroeg Nastasía met een zielig stemmetje. 'Wil je alsjeblieft wat water voor me halen?'

'Nee,' zei ik. 'Dat wil ik niet.'

Dan had ik de stad in moeten gaan en naar water moeten zoeken. Het was niet gewoon een kwestie van naar een aanrecht lopen en een kraan opendraaien. Ik was doodmoe. Ik had in mijn tienjarige leventje genoeg gelopen voor een heel leven. Maar tot op de dag van vandaag wou ik dat ik mijn antwoord van toen ongedaan kon maken. Nu had ik nog wel honderd kilometer willen lopen om haar water te brengen.

Nastasía wilde de hele avond naar buiten en weer naar binnen. Dan deed ze haar ogen open en vroeg me mee te gaan naar buiten. Ze had al dagen diarree. Ik zal nooit vergeten dat ik haar voor het laatst mee naar buiten nam en haar, toen we terugkwamen, tegen mijn borst drukte en haar lieve krullenkopje wiegde op mijn arm. Haar hoofdje knikte achterover, haar ogen begonnen te rollen en uit haar keel klonk een eng gorgelend geluid.

'Waarom maakt ze dat geluid, mama?' vroeg ik. De pijn en de verslagenheid op mijn moeders gezicht waren hartverscheurend.

'Omdat ze doodgaat,' was het enige wat mijn moeder kon uitbrengen voor ze in tranen uitbarstte.

Ik verstijfde van schrik. Mijn arm hield op met wiegen. Mijn hart hield op met kloppen en mijn adem stokte in mijn keel. Met uitpuilende ogen en open mond staarde ik naar de kleine Nastasía en voelde me verscheurd tussen mijn liefde voor haar en de panische angst de dood in mijn armen te hebben.

Toen was ze vertrokken, zomaar. En daar lag ik, bang om mijn arm onder haar levenloze hoofdje weg te halen, mijn eigen lichaam verstijfd als een lijk, totdat mijn moeder haar uit mijn armen losmaakte, en ik een zee van tranen huilde.

Telkens wanneer ik die nacht mijn ogen sloot om te slapen, zag ik opnieuw Nastasía's hoofdje op mijn arm heen en weer gaan. Het geluid van haar sterven mengde zich met dat van mijn moeders verdriet, totdat ik bijna in trance was en me tussen twee werkelijkheden in waande: de koude stenen vloer waarop ik lag, met de beelden en geluiden van dood, doodstrijd, honger en tranen voortdurend om mij heen, en de droomachtige realiteit van ons weelderige huis in de bergen.

Bij elk volgend geluid van de dood, zo gelijk aan het vorige en toch ook zo anders, voelde ik me in gedachten een stukje verder wegzakken in mijn eigen geheime reis naar het leven dat me zo lief was geweest. Ik droeg die herinneringen met me mee zoals een kind met een ratel loopt: af en toe gaf ik er een slinger aan om het verdriet te overstemmen en ik slingerde harder bij elke volgende mensonterende aanslag op mijn zintuigen.

Toen ik me uiteindelijk aan de slaap had overgegeven, kwam er een commando van de soldaten: 'Over twintig minuten lopen!'

Ik probeerde de slaap uit mijn ogen te wrijven. Weer was het alsof mijn lichaam aan de vloer zat vastgelijmd, een gevoel waaraan ik gewend was geraakt op onze inmiddels zeven maanden durende mars. Maar toch, telkens wanneer ik van mijn nieuwe stukje op deze aarde probeerde op te staan, voelde ik me vermoeider dan ooit tevoren.

Mijn geest was bereid te gehoorzamen als het niet anders kon, maar mijn lichaam wilde niet opstaan op het bevel van de soldaat. Ik lag daar maar, vastgenageld aan de koude harde vloer. Mijn ogen hadden ook moeite met hun taak. Mijn oogleden vielen steeds weer dicht zodra ik me ook maar een seconde overgaf aan de gedachte te blijven liggen.

'Kom, Themía,' fluisterde moeders stem, die tussen mij en de vloer van de kerk gleed. Haar lieve stem bereikte me bijna als in een droom, maar gaf me de kracht om mijn hoofd op te tillen en vervolgens mijn schouders, tot ik ten slotte rechtop stond, zonder precies te weten hoe ik zover was gekomen.

Kerkklokken luidden, een diep, resonerend geluid. Buiten de grijze kerkmuren kwam de zon als een grote vlammende ketel boven de toppen van de Karabahçe uit. Aan de bebloede voeten van de vluchtelingen, die schuifelend stonden te wachten, kleefden lange schaduwen. Toen begonnen we te lopen, als een reusachtig insect, stuntelend over de ruwe bodem. Ochtenddauw steeg traag op van de weg voor ons.

Er lagen lijken op de weg. Ze lagen kriskras door elkaar, in de extreme hitte opgezwollen als achtergelaten ballonnen na een kinderoptocht. De scherpe lucht hing overal. Hij brandde in mijn keel, prikte in mijn ogen en drong door tot in de poriën van mijn ziel.

Was het nog maar een paar maanden geleden dat ik 's morgens wakker werd bij het geluid van krekels en de weldadige geur van de vochtig berglucht, in plaats van het voortdurend geweeklaag van rouwenden en huilende baby's?

Ik sloot mijn ogen en liep verder. Maar met mijn ogen gesloten kreeg ik alleen maar duidelijker beelden van de doden op mijn netvlies. Mathea woog zwaar op mijn rug. Haar hoofdje rustte in mijn nek en haar haren kriebelden in mijn oor. Christodoula was ziek maar sleepte zich dapper voort. Moeders ogen waren dik van het huilen en vader was zo zwaar beladen met bundels dat ik dacht dat alleen een ezel meer had kunnen dragen.

Naarmate de zon hoger langs de staalblauwe hemel klom, steeg er meer hitte op van de geblakerde aarde. Mijn huid verbrandde; de hete droge lucht mengde zich met de stank van de dood en schroeide mijn neusgaten.

Ik voelde me alsof ik boven de grond zweefde, in trance als in slowmotion gedragen. Bij elke stap die ik zette werd ik lichter, totdat ik helemaal niet meer liep; mijn lichaam zweefde maar wat. In de verte kabbelde water op de weg, een grote plas die me naar zich toe zoog. Ik hoorde kinderen opgetogen lachen en roepen. Ik hoorde zelfs grootvader praten alsof hij naast me liep.

'Smeer er koeienstront op,' riep grootvader. 'Dan gaat-ie sneller.'

Ik pakte een houten bord op dat we als slee gebruikten en holde naar een verse koeienvlaai in het gras. Ik wreef de onderkant van de slee over de mest, daarna over het gras en nog eens en nog eens, zodat de mest steeds dieper in het hout doordrong.

'Probeer nu maar eens,' riep grootvader.

Ze stonden allemaal bij elkaar op het grazige heuveltje: moeder, vader en zelfs grootvader en grootmoeder keken rustig toe terwijl wij kinderen op onze ingesmeerde slee de helling af roetsjten. Ik hoorde ze lachen terwijl ik weer naar boven rende met mijn vriendin Marigoula en de slee in het zachte gras legde.

Nastasía kwam naar me toe gerend en sprong bij me op schoot. Yanni klom achter mij aan boord. Ik drukte Nastasía stevig tegen me aan om haar niet te laten vallen, haar rug stevig tegen mijn borst, haar krullenbol tegen mijn wang. Yanni gaf een duwtje en daar gingen we, zo snel naar beneden dat ik nauwelijks adem kon krijgen.

'Joo!' schreeuwde Yanni. 'Joepie!'

'Joepie!' echode Nastasía, angstig de adem inhoudend.

'Ik! Hierna mag ik!' riep Marigoula verrukt, toen we met een noodgang voorbijgleden.

Ons zomerhuis stond tegen een berghelling, vlak bij een prachtig meer een stukje hogerop. Ik vond het leuk om te zien hoe de wind het wateroppervlak tot niets dan lange rijen vingergolfjes rimpelde. In de luwte van een inham schoten schaatsenrijdertjes over het water en de takken van de bessenstruiken waren als zwarte vlechten in de witte kolkende wolken die over het oppervlak dreven.

'Nee!' riep een bedroefde stem, en de erbarmelijke roep vulde de lucht en verpletterde mijn zoet gedroom.

Ik keek om me heen en zag een jonge vrouw op de weg zitten. Haar ogen waren open maar leeg. Ze had een been onder zich gevouwen en het andere stak recht naar voren, alsof ze net een stap wilde zetten en toen was gevallen. Haar bovenlijf was stil, zo stil als de levenloze blik in haar ogen. Een jonge man naast haar had zijn hoofd in haar schoot gelegd, tegen haar zwangere buik aan. Zijn lichaam schokte heftig van het snikken.

'Nee!' riep haar moeder steeds maar weer terwijl ze voor haar kind neerknielde. Ze drukt het hoofd van het meisje tegen haar borst. 'Nee!' En het geluid weerklonk tot in alle hoeken van mijn ziel. Het vulde mijn oren en mijn ogen en verspreidde zich als een dik en zwaar tapijt over de uitgestrekte maar verstikkende ruimte voor ons.

Ik herkende het meisje. En de jongen ook: Dimitri en Merlina, de jonge minnaars van die dag in de kerk. De twee die waren gevlucht en uiteindelijk getrouwd.

In de verte luidden de kerkklokken weer, en heel even zag ik de gele flakkering van kaarslicht in mijn moeders ogen en hoorde ik het vertrouwde, fluwelen stemgeluid van de priester die een gebed zei. De zon stuurde een stralenbundel naar beneden waarin stofdeeltjes vrolijk over elkaar heen buitelden en de geliefden staken heimelijk een hand naar elkaar uit voor een vluchtige, verboden aanraking.

'Nee!' riep Merlina's moeder, nogmaals mijn gedroom verstorend. 'Nee!'

Ik verlangde ernaar nog een keer de heuvel af te glijden over ons stukje groen aan het koele water. Ik wilde Merlina en Dimitri opnieuw voor me uit zien rennen, met het hele dorp naast me.

'Nee!' schreeuwde ik nu ook, in gedachten. 'Nee! Nee! Nee! Nee!' Maar dat hoorde alleen ik.

# 21

## De grote ontsnapping

Tegen de tijd dat we stopten voor de nacht, en zelfs gedurende het grootste deel van die dagmars, was ik af en toe in een staat van semi-bewustzijn. De rest van de tijd moet ik in een andere wereld verloren zijn geweest.

Ik ben natuurlijk samen met de anderen bij onze avondbestemming aangekomen, maar ik herinner me niet hóé ik er ben gekomen. Voor ik goed en wel op de grond lag was ik al in diepe slaap. Grote golven hitte en koude trokken door me heen, en in mijn delirium verrees een grote kale berg die dreigde om te vallen en mij als een nietig insect te verpletteren. Ik stak mijn handen uit om hem tegen te houden, maar hij werd groter en groter, totdat ik achterover op de grond viel en mijn handen voor mijn gezicht sloeg. Daar lag ik, denkend dat ik elk ogenblik levend begraven zou worden, maar toen ik mijn ogen weer opende, zag ik een weg die van mijn voeten recht naar de top van de berg voerde. Ik probeerde op te staan maar mijn armen en benen wilden niet bewegen. Ik probeerde het uit alle macht, maar kon me nog steeds niet bewegen. Met mijn hoofd tegen de grond gedrukt hoorde ik een geweldig geroffel van paardenhoeven over de woestijnbodem. Het geluid kwam van alle kanten, als het geluid van een leger dat op de vijand af stormt. Het kwam almaar dichterbij. Mijn hart bonsde.

'Sta op!' zei ik tegen mijn lichaam, maar het wilde niet in beweging komen. Mijn armen en benen schoten wortel en verankerden zich stevig in de grond. Weer trok ik uit alle macht om mezelf te bevrijden, terwijl het geluid van de hoeven steeds dichterbij kwam.

'Sta op!' riep ik mezelf toe, maar ik kon niet opstaan. De wortels bleven groeien en verspreidden zich meer en meer, en hoe harder ik trok, des te steviger ze me met de aarde verbonden.

In de verte zag ik de soldaten met getrokken sabel op me af komen galopperen. Hun ogen waren als zwarte gaten, in hun schedel gebrand boven een rij enorme tanden die in een lelijke, kwaadaardige grijns over hun hele gezicht stonden.

'Help me, opa,' jammerde ik ten slotte. 'Help me.' En de woorden waren nog niet over mijn lippen gekomen of ik voelde iets breken. Mijn hand was los, toen een knie. Ik voelde dingen bewegen, alsof er iemand vlak onder de grond aan het woelen was. Er knapte nog iets en mijn andere been was ook los. Ik voelde nog iets kleins bewegen. Nu aan de andere kant, minder sterk dan dat eerste, en ik hoorde een geluid alsof er iets met kleine tandjes aan mijn wortels knaagde. En nog meer dingen, allemaal onder mij bezig, bijtend en knagend aan mijn wortels totdat ik langzaam maar zeker vrijkwam. Toen duwden kleine handen, babyhandjes en kinderhandjes, en ook grote, sterke, resolute handen, en sterke maar voorzichtige handen, me overeind.

'Rennen, Themía, rennen.' Was het Nastasía's lach die ik hoorde toen ik opstond en naar de berg rende? En die van Maria?

Ik rende zo snel als ik kon naar de top. Ik voelde de koolzwarte ogen van de soldaten van alle kanten op me gericht terwijl ik de hete adem van de paarden mijn rug voelde schroeien. Mijn vlees brandde. Ik rende sneller en sneller.

Mijn moeder. Ik moet mijn moeder meenemen.

Ik draaide me om en zag de aarde verkruimelen onder de aanraking van de paardenhoeven, alsof de bodem door iets onder de grond werd weggezogen. Moeder stond beneden en kon niet bewegen. Ook haar voeten hadden wortel geschoten.

'Red haar,' gilde ik. 'Red haar.'

'Themía,' hoorde ik moeders klaaglijke stemgeluid.

'Red haar,' riep ik weer.

'Themía. Wakker worden, Themía.'

Doodsbang opende ik mijn ogen, in tranen door de nachtmerrie.

Angstzweet bedekte mijn brandende lichaam. Moeder knielde naast me neer.

'Word wakker, lieverd,' fluisterde ze nogmaals. 'We gaan weg.'

De lucht was nog donker. Zelfs geen glimpje licht verried het opkomen van de zon. Ze knielden met z'n allen om me heen, moeder, vader, Christodoula en Yanni.

'Ze kwamen me halen, mama. Mannen op paarden. En ik kon me niet bewegen.'

'Vertel het me later maar. We hebben nu geen tijd. Wees heel stil en rol je deken op.'

'Maar het is nog donker. Waar gaan we naartoe?'

'Ssst. We gaan weg.'

'Maar mijn droom, mama. Mijn droom.'

Ze legde zachtjes haar vingers op mijn lippen om me te laten zwijgen.

'Later mag je me alles vertellen,' zei ze, 'maar nu moeten we eerst heel stil zijn en opschieten.'

Ik stond op, rolde mijn deken tot een bundeltje en bond hem op mijn rug. Diep gebukt slopen we tussen de slapende mensen op de grond door. De soldaat die aan de andere kant sliep snurkte heel hard toen we langs hem liepen. Hij had zijn hand stevig om zijn geweer. Vlak bij de menigte slapende mensen zaten andere soldaten te praten. Af en toe klonk er een lach door het donker, de enige aanwijzing van waar ze zaten. Er was geen maan en de nacht was zo donker dat we amper een pas vooruit konden kijken. Maar we waren dankbaar voor zoveel duisternis, onze enige dekmantel tijdens onze ontsnapping.

Toen we dichter bij de soldaten kwamen begon er een paard te hinniken. We lieten ons zo snel op de grond vallen dat ze ons wel gehoord moeten hebben. Mijn hart bonsde en ik haalde adem met korte, onwillekeurige schokken. We hoorden een soldaat even op onderzoek uitgaan en zich toen weer bij de anderen voegen. Het gelach klonk weer op. En na een poosje slopen we verder door de massa. Toen we bij de laatste slapende figuren waren, recht tegenover de soldaten, hinnikte het paard opnieuw. De soldaat maakte weer een rondje en kwam nu onze kant op. We doken neer en bleven liggen zo stil als we konden, maar mijn hart ging zo tekeer dat ik zeker wist dat hij het kon horen. Het bonsde zo hard in mijn oren dat ik nauwelijks kon geloven dat het uit mijn borst kwam. Het klonk als een drum die monotoon een bericht doorgaf: wij zitten hier. Wij zitten hier. Wij zitten hier.

En toen, toen de soldaat opnieuw naar zijn kameraden terugkeerde en wij opstonden om weg te sluipen, greep iemand mijn been. In mij welde een schreeuw op. Mijn lippen openden zich voor de schreeuw en mijn hart stond stil. Maar vader deed vliegensvlug zijn hand voor mijn mond en trok me naar de grond. Bevend zat ik in zijn stevige greep en keek naar beneden, naar de hand die mijn been te pakken had. Pas na enkele ogenblikken, die me een eeuwigheid toeschenen, realiseerde ik me dat de hand helemaal geen hand was, maar gewoon een vochtig stuk stof dat los aan vaders zak hing en zich rond mijn been had gewonden.

Vader hield me tegen zich aan tot ik weer kon ademen.

'Gaat het weer?' fluisterde hij.

Ik probeerde mijn trillende lijf in bedwang te houden.

'Ja,' zei ik.

Deze keer wisten we voorbij de slapers en voorbij de soldaten te komen. Weer hurkten we neer en wachtten tot we veilig verder konden. En weer leek er een eeuwigheid te verstrijken voordat we eindelijk opstonden en in gebukte houding wegslopen.

Het was een maanloze nacht. De zwarte hemel boven ons was bezaaid met sterren. En elk van die sterren stond even onschuldig te fonkelen in het in alle richtingen tot de grond reikende firmament. Zelfs geen heuvel stond in de weg. Ik voelde een soort omgekeerde zwaartekracht aan mijn lichaam trekken; de weidsheid, de oneindigheid van het heelal omwikkelde mij in zijn donkerte en wilde me met zo'n kracht optillen dat ik nauwelijks kon ademhalen.

En toen zei vader: 'Ik geloof dat we eindelijk vrij zijn.' Op dat moment voelde ik de lucht door me heen stromen, me helemaal vullen. Ik kon de hele wereld omarmen met mijn reusachtige armen, zou hem als een ballonnetje aan mijn borst kunnen drukken en nog steeds ruimte over hebben voor meer, voor alle sterren zelfs.

We liepen strompelend over stenen in het donker naar Karabahçe. Af en toe werden we overvallen door de lucht van de dood op de weg. Ik was blij dat ik de lijken daar in het donker niet kon zien, maar ik hield moeders arm stevig vast om moed te houden. Ze liep zwijgend voort. Pas toen ik een traan op mijn arm voelde, besefte ik dat ze huilde.

'Als we doorgaan, raken we ze allemaal nog kwijt,' had moeder tegen vader gezegd, na Nastasía's dood een paar dagen daarvoor. Toen hadden ze besloten te ontsnappen zodra zich een gelegenheid voordeed.

Noordwaarts lopend merkten we dat de lucht koeler begon aan te voelen. Het was alsof de temperatuur met sprongen daalde. We bleken naast een kleine oase vol weelderig groen te lopen, een rare gewaarwording zo midden in die woestijn.

'Laten we hier wat rusten,' zei vader.

Hij voerde ons van de weg af en onder de bomen door naar een poel. We smeten onze bundels neer en lieten ons op de koele bodem ploffen. Een golf van heimwee kwam over me heen toen ik mijn ogen dichtdeed en de frisse, vochtige lucht opzoog. Ik zoog mijn longen vol, en nog eens, en telkens weer, net zo lang tot ik licht in mijn hoofd en duizelig werd.

Terwijl ik in slaap gleed flakkerden er lichtjes op achter mijn oogleden, als vuurvliegjes op zwart fluweel. En in mijn droom lag ik weer eens thuis op mijn matje. De vertrouwde stemmen van mijn ouders klonken in het donker. Ze lagen naast elkaar aan de andere kant van de kamer. Een koel windje kwam door het open raam naar binnen en Nastasía kroop dicht tegen me aan. Ik voelde de warmte van haar lichaam en haar krullen kriebelden aan mijn kin. Ik sloeg mijn armen om haar heen en we sliepen als twee lepeltjes in een doosje.

Mijn ouders' stemmen klonken zacht maar duidelijk.

'Ik moet naar haar toegaan en zeggen dat het me spijt,' zei moeder.

'Maar je hebt niks fout gedaan,' zei vader.

'En toch moet ik naar haar toe. Ik wil niet doodgaan met een kwaad geweten.'

'Maar zij is degene met een zoon die een verkrachter is. Zij heeft hem grootgebracht en jij hebt haar alleen maar laten weten dat je vond dat haar dochter bij onze familie moest komen wonen. En daar had je gelijk in.'

'Wat maakt het uit wie gelijk heeft en wie niet? We zullen nooit weten wat het leven ons nog allemaal brengt, immers?' zei moeder. 'Durf jij te zweren dat die van ons nooit het verkeerde pad op zullen gaan? Ik had geen recht dat te zeggen. Ik zei het in een opwelling, zonder erbij na te denken. Nee. Ik had geen gelijk. Ik was zo dom om de last van het lot op haar schouders te leggen. Ze is een goede vrouw, die elke dag lijdt onder wat haar zoon heeft misdaan. Wie ben ik dat ik haar lijden nog zou vergroten? Nee,' zei ze na even nadenken. 'Morgen ga ik naar haar toe om te zeggen dat het me spijt.'

'Kom, Küzel,' zei vader, de naam gebruikend waarmee de Turken haar aanspreken. En in gedachten zag ik hem zijn armen om haar heen slaan en haar lieve hoofd tegen zijn brede borst duwen.

Het leek slechts seconden later dat de hemel weer licht werd en de vogels in de boomtoppen losbarstten. Heel eventjes opende ik mijn slaperige ogen en toen ik een groen gefilterd licht door het bladerdak op me af zag komen, werd ik helemaal kalm vanbinnen. De koele lucht verfriste mijn gedachten en ik kwam langzaam bij zinnen.

Ik vroeg me af waarom we niet in ons bed lagen en hadden besloten de nacht in het bos door te brengen. Glimlachend van het genoegen onder de bomen te liggen en de frisse, vochtige lucht te voelen, stak ik een arm uit om Nastasía nog dichter tegen me aan te trekken. Ik voelde haar tegen mijn borst, maar mijn armen waren leeg. Verward opende ik mijn ogen en keek naar waar ik dacht haar te zullen aantreffen, denkend met mijn ogen te zullen zien wat mijn armen niet konden voelen.

Ik dacht aan het gesprek tussen moeder en vader waarover ik zojuist had gedroomd, en begreep dat het meer dan een droom was geweest. Het was voorgevallen precies zoals ik het had gedroomd. Maar dat was lang geleden, in een ander leven.

Ik dacht weer aan Nastasía. Slechts de tintelende, koele lucht die me aan thuis deed denken en het geluid van moeders stem maakten dat ik niet door verdriet werd overmand.

'We hebben alleen maar wat kleine stukjes brood voor de kinderen als ze wakker worden,' zei moeder. 'We moeten zien dat we wat te eten voor ze vinden.'

'Ga ze maar wekken,' zei vader.

'Mama,' zei ik. 'Kunnen we niet hier blijven?'

'Nee,' zei ze. 'Dit land is niet van ons. Maak je broer en zus wakker. We moeten vertrekken voor iemand ons hier aantreft.'

'Ik ben al wakker,' zei Yanni.

Hij wreef in zijn ogen en rekte zich lui uit. 'Ik heb honger.'

'Vooruit! Sta op, dan krijg je wat brood.'

'Ik ben ook wakker,' zei Christodoula. 'Mama, gaan we nu naar huis?'

'Nee. We zijn veel te ver weg,' zei ze. 'Kom, eet wat brood.'

'Maar kunnen we dan niet gewoon net zo lang doorlopen tot we de weg terug vinden? Ik heb er zo genoeg van op de grond te moeten slapen en de dood te zien en te ruiken, en van alleen maar water en brood. Ik ben moe, mama. Ik ben moe en ik wil naar huis.'

'Ik weet het,' zei moeder, en ze begon te huilen. 'We zijn allemaal moe en we willen allemaal naar huis. Maar dat kan niet. We hebben de kracht niet, en niet genoeg te eten of zelfs maar geld om het te kopen.'

'Maar ze hadden gezegd dat we terug zouden gaan.'

'Ja, ik weet het,' zei moeder. 'Maar ze logen.'

'Het zal weer een hete dag worden,' zei vader. 'We moeten opschieten voor het te erg wordt.'

'Kom,' zei moeder, haar tranen wegwrijvend. 'Eet wat brood om je wat kracht te geven zodat we weg kunnen.'

We wikkelden onze spullen in en gingen op weg naar Karabahçe terwijl de grote gloeiende bol van de zon langzaam boven de horizon uit rees en heel even leek te aarzelen en lichtjes op de aarde rustte.

# 22

## Het grote weggeven

Op een gegeven ogenblik, toen de zon de lucht al zo erg had opgewarmd dat onze adem verdampte nog voordat hij ons lichaam verlaten had en de harde aarde van de weg dwars door het eelt van onze voeten brandde, bereikten we de stad Karabahçe. Nastasía was er in mijn armen gestorven en pas nu keek ik voor het eerst om me heen. De muren van talloze huizen lagen in puin. Soms waren er nog maar een of twee muren intact en, als het meezat, een stuk van het dak.

We gingen de verlaten kerk binnen waarin we hadden geslapen toen we een paar dagen tevoren nog zuidwaarts trokken. Tot onze verrassing zaten er al andere Griekse vluchtelingen uit onze dorpen tussen de puinhopen. Onze priester was er ook. Elke familie bezette een kamer, of een hoek van een kamer.

Zodra we onze bundels in de kerk op de grond legden, zei moeder: 'Ik moet wat te eten zien te vinden.'

'Waar dacht je dat te zullen vinden?' vroeg vader.

'Ik wilde erom bedelen. De kinderen moeten iets hebben. En Mathea is ziek.'

'Ik ga mee,' zei ik. Ik greep haar arm en drukte me dicht tegen haar aan.

De huizen die we passeerden zagen eruit alsof er mensen woonden die er niet veel anders aan toe waren dan wij. We liepen ze voorbij, misschien omdat we de moed niet hadden om daar aan te kloppen voor voedsel. We liepen door totdat we bij een veld aan de rand van de stad kwamen. Moeder rende ernaartoe en wierp zich op de grond. Ze groef met haar blote handen in de harde aarde tot ze een paar wortels naar boven haalde. Ze stopte ze in haar zakken en groef verder. De wanhoop was van haar houding af te lezen, zoals ze daar op haar knieën over de grond gebogen zat en in de harde aarde krabde tot haar nagels braken en haar eeltige vingers de kleur van de grond aannamen. Ze groef met de overgave van een moeder die haar kinderen naar Hades' poort ziet lopen en wanhopig achter ze aan peddelt over de rivier des doods, om ze te pakken voordat ze voor eeuwig in de afgrond stappen. Haar jurk was doorweekt van het zweet. De angst in haar blik mengde zich met afschuw terwijl ze de wortels uit hun graf loskrabde. Haar bloed maakte kleine rode vlekjes op de roodbruine aarde. Ik knielde naast haar neer om ook te gaan graven, maar mijn vingers kwamen niet door de harde bovenlaag.

'Ga naar die akker, Themía,' zei moeder. 'Pluk wat tarwe van de rand, waar de os niet langs is geweest om het te maaien.'

En net als Ruth in de bijbel liep ik langs de rand van het tarweveld om de vergeten aren te plukken en ze in mijn opgehouden jurk te verzamelen, tot de blaren in mijn handen stonden van de taaie halmen.

'Hebben jullie eten gevonden?' vroeg vader toen we ons kleine kamertje in de kerk binnenkwamen.

'Ja,' zei moeder. 'Het is niet veel, maar beter dan niks. We moeten alleen een vuurtje maken om op te koken.'

'Ik heb nergens brandhout gezien,' zei vader na wat nadenken. 'Hoe koken de mensen hier?'

'Ik heb het ze gevraagd in het dorp. Ze gebruiken koeienmest die in de zon heeft liggen bakken tot hij droog is. Dan breken ze hem in stukken en gebruiken hem als brandstof. Misschien dat iemand ons een beetje wil geven tot we genoeg voor onszelf hebben gemaakt,' zei moeder.

Het was voor het eerst sinds we uit ons dorp weg waren dat we zonder de dreigende aanwezigheid van soldaten bij elkaar zaten. En heel even, terwijl we rondom het vuur zaten te eten, vergat ik dat er ooit een mars was geweest en verdween de dood van onderweg naar de achtergrond. Het enige wat ik zag was eens te meer de gloed van het vuur op mijn moeders mooie gezicht toen ze neerknielde om in de vlammen te blazen.

'Morgen ga ik werk zoeken,' zei vader. 'Misschien heeft iemand iets wat gedaan moet worden.'

Mathea, die altijd zo'n gezond kind was geweest, lag bij Christodoula op schoot en sliep voor het eerst weer rustig. We sliepen opnieuw in het kleine kamertje waarin we eerder hadden geslapen: met z'n allen dicht tegen elkaar aan op de paar dekens die we nog over hadden. Mathea was koortsig en moeder was bijna de hele nacht met haar bezig. Tussen slapen en waken door droomde ik van een grote groep kriskras door elkaar lopende mensen. Iemand deelde voedsel uit en iedereen at. Het was een van die bijzondere dromen die zo levensecht zijn dat je het graan dat je uit je open hand oplikt daadwerkelijk kunt proeven. Het geluid van de murmelende en schuifelende menigte klonk nog na in mijn oren toen ik wakker werd, en ik was stomverbaasd elders te zijn, alsof ik bij toverslag was overgeplaatst op het moment dat ik mijn ogen opsloeg.

'Wat betekent het?' vroeg ik moeder terwijl ik opstond.

Het maakte haar droevig mijn droom te horen. Ze sloeg haar ogen neer en veegde haar handen af aan haar schort, alle mogelijkheden afwegend alvorens mij te antwoorden.

'Ik denk dat de baby van mijn zusje is overleden,' zei ze.

En ja. Het was een droom over de dood. De mensen aten als op een begrafenis, allemaal door elkaar lopend in een grote menigte. We hadden met niemand meer contact. Zelfs mijn stiefgrootmoeder en oom Constantine met zijn gezin waren niet meer bij ons.

'Als we niets beters te eten voor ze krijgen, zullen we onze kinderen ook kwijtraken,' zei moeder. 'Ik vrees het ergste voor Mathea.'

Elke dag gingen we erop uit om voedsel te zoeken. We klopten zelfs bij mensen aan toen de luxe van de keuze om dat niet te doen ons ontviel omdat ons gegraaf in het veld niets meer opleverde. En elke dag gingen we verder van Karabahçe weg, totdat we bij een lemen dorp kwamen dat als de andere was, alleen kleiner, en dat Tlaraz heette. De huizen hadden ook hier de kleur van aarde, maar de ramen en deuren waren niet wit, zoals in de andere dorpen. Sommige huizen hadden een kleine tuin eromheen. Aan de achterkant leek het alsof de huizen uit de aarde groeiden, omdat de achtermuur gewoon een hoop grond was.

Ook het dak was van aarde, een soort klei-achtige modder. Als het regende, wat zelden gebeurde, gingen ze met een grote roller over het dak om eventuele barsten dicht te rollen. Over die schuine achtermuur kon je eenvoudig het dak op lopen.

Er waren maar vijf huizen. We liepen van huis tot huis om kleine beetjes eten in te zamelen die vriendelijke mensen ons aanboden.

'Wat een prachtig meisje,' zei een vrouw toen ze voor ons opendeed.

'We hebben honger,' zei moeder. 'Ik heb kinderen in het vorige dorp met niks te eten. Hebt u iets voor ze?'

Ik keek met verbazing toe hoe moeder kon bedelen zonder haar trots te verliezen.

'Waarom geeft u me deze niet?' antwoordde de vrouw. 'U hebt al genoeg aan uw hoofd en ik zal goed voor haar zorgen. Ze kan mij helpen voor de kinderen te zorgen.'

'O, nee!' zei moeder. 'Dat zal niet gaan. Ze is niet van mij. Het spijt me.'

'Maar ze lijkt precies op u,' zei de vrouw. 'Maar goed, als u nog van mening verandert, neem ik haar alsnog. Dan hoeft u over haar tenminste niet meer in te zitten.'

Ze gaf ons wat graan en we vertrokken weer.

'Waarom zei je dat ik niet van jou was?' vroeg ik aan mijn moeder.

'Ik wilde haar niet beledigen,' zei moeder.

Toen hield ze stil en keek me recht in mijn gezicht. Tranen sprongen in haar ogen en ze nam me stevig in haar armen.

'Jou weggeven, dat zou ik niet overleven,' zei ze.

Ze drukte me een poosje stevig tegen zich aan voor ze me weer losliet. Ik voelde haar borst heftig op- en neergaan. Ze hield mijn gezicht tegen haar borst en dus kon ik haar tranen niet zien, maar ze vielen op mijn hoofd als gekristalliseerde druppels woestijnregen.

Toen de zon laag aan de hemel stond ging moeder op een steen zitten en hield haar schort open om het eten te laten zien dat we die dag hadden opgehaald. Het was amper genoeg voor twee, laat staan voor zes. Ze staarde er een hele poos naar, als om het te dwingen zich te vermenigvuldigen. Toen sloot ze haar ogen en barstte in snikken uit.

'Misschien moest je maar een tijdje bij die vrouw blijven,' zei ze. 'Ze zal je onderhouden en bij haar zul je veilig zijn. En ik kan je natuurlijk komen opzoeken.'

'Goed,' zei ik. Ik kan me niet herinneren mijn moeder ooit iets geweigerd te hebben.

'Dus, u hebt besloten haar achter te laten?' vroeg de vrouw in het Turks toen ze opendeed.

'Ja,' zei moeder. 'Als u belooft dat u goed voor haar zult zorgen.'

'Natuurlijk,' zei de vrouw.

Moeder wendde zich tot mij. 'Ik zal je komen opzoeken,' zei ze. 'Je mag nooit vergeten hoeveel ik van je houd, hoeveel ik van jullie allemaal houd.'

Ze sloeg haar armen om me heen en trok me dicht tegen zich aan. Ze duwde mijn hoofd tussen haar borsten en bleef me maar kussen op mijn kruin. Ze hield me zo stevig vast dat ik bijna geen adem kreeg, en ik versmolt met haar totdat ik niet meer wist waar zij ophield en ik begon.

Toen ze me losliet nam ze de ceintuur die ze zelf had geweven van haar middel en wikkelde hem om het mijne. Opnieuw trok ze me tegen zich aan en hield me stevig vast, mijn vormen in haar eigen lichaam drukkend.

Weer liet ze los, en deze keer liep ze weg zonder om te kijken.

Ik stond met die vrouw in de deuropening van haar huis en we keken mijn moeder na. Zelfs toen de vrouw naar binnen ging bleef ik staan, en ik zag mijn moeder almaar kleiner worden, totdat ze niet meer dan een klein stipje aan de horizon was, dat verdampte en verdween in de trillende lucht boven de weg.

Sano en Zohra (staand), Nana met Arexine, en Sonja in Hagops armen, in Aleppo, Syrië, 1925

Sano en Abraham op hun trouwdag, 24 maart 1925

Rond 1915, Abraham in trambestuurders- uniform. Hij had er voor de foto een zwaard en een geweer aan toegevoegd, en een sigaret in zijn mondhoek gestoken.

Abraham (rechts) op 26-jarige leeftijd met zijn broer Amos in Amerika, 1905

Rond 1921, Abraham en Farage

Rond 1922, Farage en Abraham

Sano, Abraham en Farage in 1925

Farage, Sano met Harton (Harty) in haar armen, Abraham, en (zittend) Mariam en Helyn in 1931

Rond 1938, Helyn, Harty, Jamie (Mitzi), Amos en David

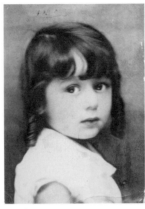

Harty en Helyn, 1940

David, acht jaar oud, 1944

Sano, ongeveer twintig
jaar oud

Rond 1937, Amos op
tweeënhalfjarige leeftijd

In Central Park, 1939. Mariam (achterste rij). Middelste rij van links naar rechts: Helyn, Jamie
en Harty; en vooraan David, Amos en Abraham met Tim in zijn armen

Thea, een jaar oud, met een vest en een jurkje die door Sano van een mannensjaal zijn gemaakt

Achterste rij van links naar rechts: Jamie, Harty, Helyn, en (staand) Amos en David. Vooraan Sano en Tim, in Central Park, 1940

Abraham, ongeveer vijfenzestig jaar oud

Timothy, David, Adrian en Thea tijdens Halloween

Sano, Jonathan en Thea

Thea, Henri en Adrian met poppetjes waar Sano
kleertjes voor had gehaakt

Rond 1951, Abraham, Adrian en Mariams
zoon Henri

Adrian in
een Alice in
Wonderland-
jurk die Sano
voor haar en
Thea had
gemaakt

Thea op haar eindexamendag in een jurk
die Sano had gemaakt, voor 153 West 102
Street

Sano met
haar klein-
kinderen
Tasha en
Cezanne
(Helyns kin-
deren), 1960

Rond 1950, Sano en Mariam

Thea, een jaar oud, in Spotswood, New Jersey

Sano in Spotswood, kokend in de buitenlucht

Thea en Tim in Spotswood

Adrian en Sano op het strand

Adrian en Jonathan in Spotswood

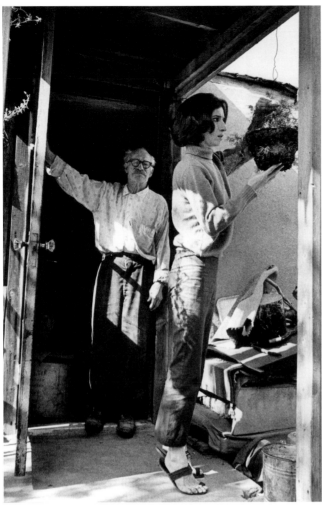

Rond 1945, Pops huis in
Spotswood

Abraham en Thea in Spotswood. Thea draagt haar 'tienmi-
nutenbroek' [foto Gordon Parks, jr.]

Adrian en Mariam in
Spotswood, met Elias' huis op
de achtergrond

Adrian, Mariam en
haar zoon Henri, en
Thea, in Spotswood

Achterkleindochter Alexis (de kleindochter van David) met Sano op 89-jarige leeftijd, 1999

Sano en Thea (in de spiegel) in Spotswood [foto Gordon Parks jr.]

Brandweerlieden voor het huis van Abraham in Spotswood, 1974

Abraham op 90-jarige leeftijd in zijn tuin met zijn kleinkinderen Lilli-ann en Alex (Jamies kinderen), 1970

# 23
## *Raaf, raaf*

In het huis was het donker – tenminste, als je eenmaal het ommuurde
erf achter je liet en de gang binnenging, die het huis in tweeën deelde en
eindigde in een vertrek waar in de winter de koeien verbleven. Voor dat
koeienvertrek liep een laag muurtje, zo'n zestig centimeter hoog, om te
voorkomen dat de dieren naar de andere kamers zouden lopen. Voor de
plek waar de koeien werden gehouden was een klein kamertje dat
dienstdeed als badkamer. In een hoek stond een grote kan met water om
over jezelf uit te gieten. Er was een gat in de vloer, net als bij een Turks
toilet, met een pijp die de uitwerpselen via het achterhuis naar buiten
leidde. Links als je binnenkwam was de kamer waar de mensen woonden. Ook daar bevond zich een laag muurtje, waar je overheen moest
stappen als je naar binnen wilde, om de koeien buiten te houden. Aan
de andere kant van de gang was de voorraadkamer, ook weer beschermd door een koeienmuurtje.

'Hoe heet je?' vroeg de vrouw in het Arabisch.

Ik keek haar niet-begrijpend aan.

'Je naam,' zei ze, nu in het Turks.

'Themía,' zei ik.

'Th… Th,' stotterde ze.

'The-mía,' zei ik.

'Kom, dan laat ik je je nieuwe huis zien,' zei ze.

We liepen het kleine kamertje aan de linkerkant van de gang in. De vloer was van aangestampte klei gemaakt, de wanden van nat aangestreken en hard opgedroogde aarde. Er was één raam waardoor een stralend zonlicht binnenviel dat over de saaie aarden wanden danste. Tegen de achtermuur was een ruimte om te koken. Het leek een soort barbecueoven waarin ze de gedroogde koeienmest stookten. Op de opgebouwde zijkanten hing een rooster boven de vlammen.

'Hier koken en slapen we,' zei ze in het Turks. 'Jij kunt me helpen door voor de kinderen te zorgen.'

Ze schuifelde rond op haar leren sloffen waarvan ze de hielen naar binnen had getrapt. Af en toe keek ik naar haar op om een betere indruk te krijgen. Ze was een kleine vrouw, een beetje grof gebouwd, met stevige handen en voeten. Ze had een rond gezicht met kleine, diepliggende ogen, en als ze praatte klonk haar stem scherp en doordringend, als van een raaf, zelfs wanneer ze het niet druk had.

Ze was niet mooi, maar ook niet lelijk. Ze praatte aan één stuk door, en ik raakte volledig gebiologeerd door haar krassende ravenstem en de manier waarop haar dunne lippen bewogen als de woorden uit haar mond fladderden.

'Nou? Waarom geef je me geen antwoord?'

Ik keek verbaasd om me heen om te zien of ze het misschien tegen iemand anders kon hebben.

'Ik heb u niet gehoord,' mompelde ik verlegen toen ik zag dat er verder niemand in de kamer was dan twee kleine kinderen die in een hoek lagen te slapen.

'Je moet Arabisch leren praten. Dat spreken wij hier. Wij zijn geen Turken in deze dorpen. We zijn Assyriërs. En er zijn ook Koerden. Je spreek ook nog niet goed Turks, of wel?'

'Nee,' zei ik. Ik keek strak naar de vloer.

'Kun je koken?'

'Nee,' zei ik.

'Nou, dat zul je wel leren. En ga nu maar naar de voorraadkamer en breng me wat gierst,' zei ze.

Ik pakte de aardewerken kom uit haar uitgestoken hand en stak de gang over. In de voorraadkamer werd al het eten in vaten bewaard: tarwe; gerst; een soort pasta die orzo heette, voor de pilav; en gierst. Ik schepte de kom vol en bracht hem naar de vrouw. Ze roerde de gierst door de yoghurt, die in een pan op het vuur stond te borrelen. Haar plompe armen glommen van het zweet.

'Ik heb honger,' zei een mannenstem.

Ik keek op en zag twee mannen in de deuropening staan.

'Kom erin en ga zitten,' zei ze tegen ze. 'De soep is bijna klaar. Hoe heet je ook alweer?'

'Themía,' zei ik.

'Breng mijn man en mijn broer eens wat brood,' zei ze. 'Het ligt daar op de muur.'

Haar man zag er vriendelijk uit. Hij was dun en lang, met zwart haar en donkere ogen. Hij had zware wenkbrauwen die naar buiten toe sterk afliepen, waardoor hij er als een vertwijfeld man uitzag. Haar broer was ook mager en lang, maar niet zo lang als haar man. Hij leek me ook vriendelijk, ondanks de gelaten uitdrukking op zijn gezicht.

Ze spraken Arabisch met elkaar. Ik bracht ze het brood en legde het op het kleed op de vloer, waar ze op hun avondmaal zaten te wachten. Toen sneed ik het brood in stukken en maakte er een stapeltje van naast de grote pan met yoghurt-gierstsoep, en ondertussen probeerde ik te negeren dat ze onder het praten af en toe naar me keken.

Ik ging ook met gekruiste benen op een kussen zitten dat de vrouw me toeschoof. Ik hield mijn blik naar beneden gericht, naar mijn handen in mijn schoot; ik was bang dat ze anders iets tegen me zouden zeggen en dat ik ze zou moeten aankijken om te antwoorden.

'Hoe heet je?' vroeg de man me in het Turks.

Het schaamrood vloog me naar de kaken. Ik keek naar de vrouw en hoopte dat zij voor mij zou antwoorden, maar ze keek me aan alsof ze me voor het eerst zag. Ik keek naar haar broer, maar ook die staarde afwachtend terug.

'Themía,' zei ik.

'Themía?' vroeg hij. 'Dus jij komt bij ons wonen.'

Ik knikte. Mijn handen wriemelden zenuwachtig, alsof ze een eigen leven leidden.

De kinderen – een jongetje, een baby nog, en een meisje van vijf – waren wakker geworden. Het kleine meisje leunde tegen mijn been en glimlachte me vriendelijk toe, waardoor ik ook moest glimlachen.

'Themía,' zei ze.

Iedereen zat op zijn kussen rond de pan met soep en lepelde eruit met zijn eigen lepel. Alle andere dingen aten ze door het met een stuk brood op te scheppen en in hun mond te stoppen. In het noorden van Turkije, waar ik vandaan kwam, hadden we een tafel en stoelen en aten we ieder met onze eigen lepel van ons eigen bord. Zo deden de Grieken het tenminste. Ik neem aan dat de Turken in het noorden net zo leefden als de mensen in het zuiden van Turkije, maar in die tijd wist ik daar maar weinig over. Ik was nooit in een Turks huis geweest.

En in tegenstelling tot ons voedsel, bestond hun voedsel uitsluitend uit het graan en de orzo die ik in de voorraadkamer vond, met yoghurt en nu en dan een ei. De enige groente was wilde peen.

Mijn maag deed pijn van de honger, maar elke in de soep gedoopte homp brood bleef in mijn keel steken en ik moest verschrikkelijk mijn best doen om het door te slikken. 's Avonds rolde de vrouw de etensmat op en legde hem op de plank. Toen rolde ze op de vloer van dezelfde kamer de slaapmatjes naast elkaar uit, allemaal met ongeveer een halve meter ertussen.

'Jij slaapt hier, naast mijn kinderen,' zei ze. Ze wees naar de mat het dichtst bij de ingang. 'Als ze 's nachts wakker worden kun jij ze meenemen naar het washok.'

'Goed,' zei ik.

Ik lag op mijn rug in het donker en wachtte tot ik het murmelende geluid van hun slapende adem hoorde. Telkens wanneer de man begon te snurken schoot hij als geschrokken van zijn eigen lawaai overeind, waarna hij wat mompelde en weer insliep. Het geluid van hun ademhaling en zelfs van mijn eigen adem, en dat van mijn hartslag, echode in mijn oren en vulde de kamer. Ik voelde me heel groot in dat kleine kamertje en was me bewust van elke keer dat ik met mijn ogen knipperde en van elke ademhaling. Ik verzette me tegen de slaap tot ik mijn ogen nauwelijk meer kon openhouden, totdat het hele vertrek begon uit te dijen en samen te trekken alsof het zelf ook in- en uitademde, mij samendrukkend en loslatend bij elke ademtocht.

De volgende dag werd ik van alle kanten aangestaard toen ik met twee grote kruiken op weg ging naar de put, een halve kilometer buiten het dorp. Er waren maar vijf families in het dorp en dus maar weinig jonge mensen. Er scheen niemand van mijn leeftijd te zijn. Ze waren allemaal ouder of jonger.

Bij de put stonden al andere meisjes – de meeste waren Koerdisch – te wachten tot ze hun kruiken konden vullen. Het water stroomde langzaam uit een buis in een grote bak. Ook deze meisjes keken me nieuwsgierig aan terwijl ik mijn plaats aan de buitenkant van het groepje innam om op mijn beurt te wachten. Eén meisje ging zelfs niet weg toen ze haar kruiken had gevuld: ze bleef naar me staan staren en volgde al mijn bewegingen, mijn kleinste gebaar.

Ik dompelde mijn kruiken in de bak en keek hoe het water langzaam naar binnen stroomde. Met gebogen hoofd stond ik daar. Ik voelde mijn wangen gloeien van gêne terwijl ze zo naar me stonden te kijken. Ik probeerde me te concentreren op mijn handen die de kruiken vasthielden. Elk moment dat voorbijging strekte zich uit tot in de oneindigheid. Elke beweging die ik maakte was klungeliger dan ik ooit had klaargespeeld. Ik voelde me als een duim in een dichtgeknepen vuist.

Toen mijn kruiken vol waren tilde ik ze onhandig, de ene na de andere, uit de bak.

'Heb je al borsten?' vroeg een meisje.

Ik draaide me om om te zien of ze het tegen mij zou kunnen hebben.

'Wat?' vroeg ik.

'Of je al borsten hebt.'

'Nee,' zei ik.

'Laat kijken dan,' zei ze.

Ik sloeg mijn armen verdedigend over elkaar, maar voor ik de kans had gekregen om haar te ontwijken, had ze de kraag van mijn dunne jurk al te pakken en keek naar binnen.

'Nee. Je hebt nog niks,' zei ze grijnzend. 'Ik al wel. Ze beginnen te komen. Wil je ze zien?'

Ze begon haar bovenstukje los te knopen, dat ze om haar nek had vastgestrikt en ook vlak onder haar borsten, om ze groter te doen lijken dan ze waren. De andere meisjes droegen hun bovenstukjes op dezelfde manier.

'Nee!' zei ik. De meisjes giechelden.

'Spreek je Koerdisch?' vroeg ze.

'Nee,' zei ik.

'Hoe oud ben je?' vroeg een ander.

'Ik denk tien,' zei ik.

'Dat denk je? Je weet het niet zeker?' Ze moest lachen.

Ik pakte mijn kruiken op en liep weg. Ik was ze liever kwijt dan rijk. Ze waren zo voorlijk, zo anders dan de meisjes van mijn dorp. Ik vond dat stoere van ze bedreigend.

'Je weet geeneens hoe je water moet dragen,' zei de eerste.

Bij elke stap stootten de kruiken tegen mijn benen. Af en toe knalden ze me bijna omver.

'Nee?' zei ik.

'Nee. Zoals jij het doet worden ze veel te zwaar.'

'O,' zei ik.

'Kom, ik zal het je laten zien,' zei ze. 'Je moet je vinger in het oor leggen en de kruik dan over je schouder naar je rug hijsen. En dan doe je hetzelfde met de andere aan de andere kant. Zo kun je zelfs wel drie kruiken dragen, en dan is het nog niet te zwaar. Kijk maar!'

Ze hees er een op, toen een tweede, en toen, terwijl ze de eerste twee met één hand vasthield, hees ze een derde naar boven en liet ze alle drie op haar rug balanceren.

'O! Laat mij ook eens proberen,' zei ik.

Heel even vergat ik mijn onwennigheid met hen, zo was ik onder de indruk van wat het meisje me had laten zien. Ik hees een van de kruiken op, maar halverwege mijn rug begaf mijn arm het en moest ik hem laten zakken. Het water klotste over me heen. De kruik dreigde even helemaal uit mijn kleine vingers te glijden. De meisjes schoten in de lach.

'Je moet meer kracht zetten, zodat hij in één keer over je schouder komt,' zei het meisje.

En weer deed ik mijn best, en weer klotste er water over de rand. Mijn jurk was kletsnat. Een meisje boog opzij naar het meisje naast haar en zei iets achter haar hand, maar wel zo hard dat iedereen het kon horen.

'Zo wordt-ie steeds lichter. Als er geen water meer in zit zal ze hem wel kunnen optillen.'

'Gebruik je knie,' riep een ander.

Daarop deed ze een paar stappen terug en ging bij de rest staan kijken hoe ik met mijn zware kruiken worstelde. Ik hees hem op, deze keer naar mijn knie en vandaar naar mijn schouder in twee bijna gesmeerde etappes. Er steeg een luid gejoel op van de meisjes.

'Ik kan het. Ik kan het.'

'Oké. Je bent er nog niet. Niet te vroeg juichen. Nu de volgende,' zei het meisje.

Weer voelde ik me ongemakkelijk onder hun blikken, maar de uitdaging was sterker dan mijn ongemak en in twee etappes, bijna zonder te morsen, hees ik ook de tweede kruik naar boven. Ik wankelde onder het gewicht, maar dat duurde niet lang.

'Ik kan het,' zei ik weer, deze keer beheerster.

Ik voelde een blos van trots op mijn wangen komen terwijl ze me aangaapten.

'Zie je die bomen?' vroeg een meisje, de kruiken vergetend.

In het veld stond een groepje van vijf stoffige bomen. Verder was er zover het oog reikte geen boom te bekennen.

'Ja,' zei ik.

'Er hoort een verhaal bij die bomen. Ze zeggen dat elke boom een persoon op een bruiloft voorstelt. De langste is de priester. Dan heb je de bruid, de bruidegom en de getuige van de man en die van de vrouw,' zei ze.

Ik veronderstelde dat het feit dat ze maar vijf bomen hadden ze heel bijzonder maakte. 'O,' zei ik, en ik glimlachte, blij met haar vriendelijkheid. Maar vervolgens keerde ze zich van mij af, en toen we met z'n allen naar het dorp terugliepen negeerden de meisjes me en lachten onderling om dingen die ik niet begreep. Ze spraken Koerdisch met elkaar en opnieuw voelde ik me buitengesloten en alleen. Toen ik bij het huis van de vrouw kwam, had ik geen droge draad meer aan mijn lijf.

Toen ik binnenkwam stond vader daar, samen met de vrouw.

'Ze is gisteravond gestorven,' zei vader.

'Wie, papa?' vroeg ik.

Ik hield mijn adem in. Verdriet en vermoeidheid maakten dat zijn mooie ogen dof stonden. Hij keek me een moment zwijgend aan en begon toen in het Grieks tegen me te praten.

'Mathea is dood,' zei hij. 'Ze was al een hele poos ziek. Het ging steeds slechter. Gisteren is ze gestorven. Je moeder wilde dat ik het je ging vertellen. Ze is heel erg in de war, anders zou ze zelf zijn gekomen om het te vertellen.'

Ik stond daar maar en keek hem zwijgend aan. Ik wist niet wat ik moest zeggen. De tranen rolden over mijn wangen, ik kreeg een brok in mijn keel en elk geluid dat ik maar zou willen uiten werd in de kiem gesmoord.

'Nu is ze bij je grootvader en Nastasía in de hemel,' zei hij. Hij knielde naast me en legde zijn grote hand op mijn schouder. 'En bij haar tweelingzusje.'

'Misschien kunt u tabak voor ons komen snijden,' zei de vrouw. 'We zullen u iets voor uw werk betalen.'

'Ik zou morgen kunnen komen,' zei hij, 'of ik kan zelfs nu meteen beginnen.'

De rest van die middag heeft hij gewerkt en ook de dagen daarop is hij bezig geweest met het snijden van tabak voor sigaretten en de waterpijp.

'Zijn ze aardig tegen je?' vroeg hij toen we een keer alleen waren.

Ik stond te kijken hoe zijn snelle handen heel bedreven met het scherpe mes over de bruine tabaksbladeren gingen en ze in fijne, gelijkvormige stukjes hakten. Zijn ze aardig tegen me? De vrouw trok zich heel weinig van me aan en sprak alleen tegen me als ik een of ander klusje moest doen. Ze was al vrij gauw opgehouden met vragen hoe je mijn naam uitsprak. Ik nam aan dat ze mijn naam best zou kunnen zeggen als ze haar best een beetje deed, maar ze deed alsof het te moeilijk was. Na een paar vergeefse pogingen was ze me *bint* gaan noemen, dat 'meisje' betekent in het Arabisch.

De mannen waren wel vriendelijk, maar op een afstandelijke manier, zoals het hoorde. De kinderen waren nog heel klein en een en al levendigheid. Ik vond het leuk om op ze te passen. Ik mocht niet eten zonder eerst hun te eten hebben gegeven en soms, wanneer ik iets bijzonders kreeg, gaf ik het aan hen. Dat deed me aan mijn moeder denken. Ik at nooit iets zonder haar het eerste hapje te hebben aangeboden, ik wilde met alle geweld alles met haar delen, wat het ook was.

In gedachten was ik heel even bij mijn moeder. Ik keek op naar mijn vader. Ik had niet gezien hoe moe hij eruitzag, en hoe terneergeslagen.

'Ja hoor,' hoorde ik mezelf zeggen.

'Ze geven je in ieder geval te eten. Je ziet er beter uit,' zei hij. 'Ik ben klaar met de tabak, dus morgen kom ik niet terug. Maar we komen je natuurlijk weer opzoeken.'

De moed zonk me in de schoenen. Neem me alsjeblieft mee, wilde ik schreeuwen.

'Komt mama ook?' vroeg ik.

Zijn gezicht betrok.

'Ik weet het niet,' zei hij. 'Het gaat niet zo goed met haar. We zullen wel zien.'

Elke dag wachtte ik op hem, maar de dagen werden weken en de weken werden maanden. Ik tuurde de weg af naar zijn vertrouwde silhouet. En ik keek uit naar mijn moeder, maar ook zij kwam niet.

Met Kerstmis waren ze me nog steeds niet komen opzoeken. Bij wijze van kerstcadeautjes deelde Ruth, de vrouw bij wie ik woonde, rozijnen en noten uit aan haar kinderen en ook aan mij. Het feest was erg somber en saai zonder dennentak die langzaam brandend in de haard zijn zoete geur afgaf. En de vogels. Wie zou de vogels voeren deze kerst?

'Hier, bint,' had Ruth gezegd toen ze mij het cadeautje gaf.

Ik keek haar glimlachend aan, dankbaar voor haar vriendelijkheid, die ze maar zo zelden aan den dag legde. Maar de onbewogen blik op haar gezicht zei me dat ze het deed uit louter plichtsbesef.

Ik staarde naar het handjevol noten en rozijnen. Ik was nog maar kort op deze wereld, maar het leek lang geleden, een heel leven bijna, dat mijn moeder ons ons eenvoudige kerstcadeautje met zoveel liefde had toegestopt.

Ik stond op de weg te wachten en tegen het felle licht in naar de horizon te turen. Ik hoopte vurig dat mijn moeder uit de zinderende hitte naar me toe zou komen en ik mijn cadeautje met haar zou kunnen delen zoals ik dat vroeger altijd deed. Ik bleef staan tot de zon alweer laag aan de hemel stond. Toen liep ik naar de plek waar het water in de bak stroomde, nog steeds met de rozijnen en noten in mijn hand geklemd. Een voor een gooide ik ze naar de vogels. Ik keek toe hoe ze rondfladderden en ernaar pikten. Toen ben ik op een steen gaan zitten om te huilen.

# 24

## De hand van God voelen

'Kom, we gaan orzo maken,' zei Ruth, die met een zware pan deeg naar buiten liep. 'Pak de rekken en neem ze mee naar het erf.'

Ik pakte de droogrekken van gaas en hout en liep achter haar aan naar buiten. Ik had de nieuwe schoenen aan die haar man de vorige dag voor me had gekocht in Diyarbakir. Het waren prachtige schoenen: rood, met een krul bij de tenen en hakken in de vorm van een hoefijzer. Ze klikten tijdens het lopen en Ruth keek jaloers naar me toen ze naast me liep.

'Doe die schoenen uit!' zei ze. 'Die zijn niet goed voor jou. Je kunt het andere paar nemen dat mijn man heeft gekocht. Geef deze maar aan mij.'

Ik deed wat me werd gezegd en ze schopte de simpele gele slippers met ingetrapte hielen uit en duwde ze mijn kant op. Toen wrong ze haar gezwollen voeten in mijn kleine rode schoenen.

'Waarom geef je haar die schoenen en deze simpele aan mij?' had ze haar man verwijtend toegeroepen toen hij ons de cadeautjes gaf.

'Zij is jong,' had hij geantwoord. 'Het zijn schoenen voor een jong meisje.'

'Jong? Ben ik zo oud dan? Ben ik te oud voor mooie dingen? Waarom moet zij de leukste schoenen krijgen?'

'Ze zijn niet mooier. Ze zijn voor een jong meisje.'

'Dus ik ben een oud wijf?'

'Praat toch niet zo'n onzin,' zei hij.

Ze had de rest van de avond tegen me lopen mopperen en 's morgens was ze met merkbare tegenzin in haar gele slippers gestapt. Nu liep ze klikklakkend rond op mijn rode schoenen, een zelfgenoegzame grijns op haar gezicht.

De meisjes en vrouwen van het dorp kwamen met hun matjes onder de arm naar ons huis en gingen op de grond zitten. Ze vormden een grote kring met hun benen gekruist voor zich, zodat hun rok een soort zak vormde waarin de orzo, eenmaal klaar, van hun vaardige vingers kon vallen.

Ik zat naast Ruth en keek hoe zij een homp deeg uit de grote kom rukte en die tussen haar vinger bewerkte. Ze bewoog ze zo vlug dat ik nauwelijks kon zien wat ze deed. Kleine langwerpige stukjes deeg, niet groter dan twee rijstkorrels, vielen uit haar handen in haar rok, als een regenbui zo snel.

'Waar wacht je op?' zei Ruth toen ze merkte dat ik zonder iets te doen naar haar handen zat te staren.

'Ik, eh… Ik weet niet hoe het moet,' zei ik.

'Je pakt gewoon een stuk deeg. En je rolt het tussen je vingers heen en weer tot er een klein stukje afvalt. Doodsimpel,' zei ze.

De stukjes bleven ondertussen van haar vingers vallen.

'Zo?' vroeg ik, met een stuk deeg worstelend.

'O, nee! Je maakt er een knoeiboel van,' zei Ruth. 'Ik dacht dat je me zou helpen, maar bah! Je bent een kluns. Ik kan ook niets aan je overlaten.'

'Je leert het vanzelf,' zei een andere vrouw. 'Kijk goed naar mijn vingers, dan zie je hoe het moet.'

'Het is pas de eerste keer,' zei een andere vrouw. 'Je moet wat meer geduld met haar hebben, Ruth. Ze zal het heus wel leren.'

'Kijk hoe ze al vooruitgaat,' zei een derde vrouw. 'Ze krijgt het al te pakken.'

En ook al was ik langzaam en deed ik nog onhandig met mijn vingers, er vielen wel kleine stukjes uit mijn handen. Het dochtertje van Ruth leunde tegen mijn arm en keek naar de strijd die mijn vingers leverden met het deeg.

'Waarom zijn die van jou allemaal verschillend?' vroeg ze.

Ik keek verlegen om me heen naar de andere jonge meisjes om te zien of ze me uitlachten, maar ze waren druk bezig met hun deeg.

'Die van mijn mama zijn allemaal even groot,' zei het kind.

'Weet ik.'

Weer keek ik om me heen om te zien of iemand het had gehoord.

'Weet je wel hoe het moet?' vroeg ze.

'Ik leer het net.'

'Ze is onhandig,' zei Ruth. 'Daarom. Haar vingers zijn zo stijf als die van een oude vrouw.'

Het kleine meisje nam me onderzoekend op.

'Ze ziet er niet uit als een oude vrouw.'

'Wie is die man die naar het dorp is gekomen en wat is hij aan het bouwen?' vroeg een vrouw aan niemand in het bijzonder.

'Hij maakt duivenhokken,' antwoordde een andere vrouw. 'Ze zeggen dat hij er drie gaat bouwen. Mijn man werkt voor hem.'

'Dan heeft hij vast een heleboel duiven. Het hok dat al klaar is heeft zes lagen. En waar haalt hij al dat hout vandaan voor die hokken? Hij moet wel erg rijk zijn.'

Stukje bij beetje, nu het gesprek van mijn klungelige pogingen tot het maken van deegkorrels was afgeleid en over heel andere dingen ging, bewogen mijn vingers zich efficiënter, en tegen het eind van de dag waren mijn korrels lang zo slecht niet meer. Ze vielen met verrassend gemak van mijn vingers in mijn rok. Al werkend luisterde ik naar de stemmen van de andere vrouwen en ik voelde de warmte van de zon op mijn rug. Het was voor het eerst sinds ik mijn familie had verloren dat ik me een klein beetje thuis voelde, en ik zoog de troost van hun stemmen in me op zoals een kwijnende bloem de regen opneemt.

De volgende dag, toen de orzo die we hadden gemaakt op horren in de zon lag te drogen, verzamelde dezelfde groep meisjes en vrouwen zich voor een ander huis en herhaalde het hele ritueel voor de vrouw die daar woonde. Op de vijfde dag hadden alle huizen orzo voor de komende maanden. Na verloop van tijd leerde ik Arabisch spreken en zelfs Koerdisch. Maar de meeste tijd bracht ik alleen door, altijd een beetje op de achtergrond.

'Je vader komt eraan,' riep een meisje tegen me toen ik het erf stond te vegen.

Mijn hart sprong over en ik rende naar de straat om hem te zien aankomen. Zijn schouders hingen af, alsof hij een zware last droeg. Met de bezem nog in de hand rende ik hem tegemoet en hij knielde en ving me op in zijn armen. Ik hield hem een hele poos stevig vast, zonder een woord te zeggen, blij met de warmte van zijn lichaam en zijn omhelzing. Er was zoveel wat ik hem wilde vertellen. Ik wilde hem vertellen dat ik had geleerd om met mijn eigen handen orzo te maken en dat ik, ook al was ik niet zo goed als de andere meisjes, die het al veel langer deden dan ik, het toch niet slecht deed en er op den duur natuurlijk nog veel beter in zou worden. Ik wilde hem vertellen hoe erg ik hem en mijn moeder miste. Maar toen ik mijn mond opende om al die dingen te zeggen, stond hij op en staarde me aan. De blik in zijn ogen zei me dat hij niet geïnteresseerd was in mijn nieuwverworven vaardigheid om deeg te verwerken tot kleine stukjes pasta voor in de soep. Tussen zijn wenkbrauwen had zich een nieuwe rimpel gevormd. Hij keek me een hele poos zwijgend aan, zijn snor strak langs zijn gespannen mond, die hij eindelijk opende om iets te gaan zeggen, maar zonder iets te uiten weer sloot.

Enkele ogenblikken verstreken. Hij schraapte zijn keel. Weer deed hij zijn mond open om iets te zeggen. En weer sloot hij hem zonder een woord te zeggen. Ik stond op mijn blote voeten op de stoffige weg naar hem op te kijken, nog steeds met de bezem in de hand, en zag dat zijn ogen zich vulden met tranen.

'Gisteravond heeft je moeder de hand van God aangeraakt,' zei hij ten slotte met schorre stem. De woorden kwamen stuk voor stuk en met grote moeite over zijn lippen, alsof het te pijnlijk voor hem was om duidelijker te spreken.

Ik probeerde te bedenken wat hij kon bedoelen, ook al wist ik het meteen. Maar ik schoot in paniek langs al mijn herinneringen om te zien of ik nog een andere uitleg voor zijn woorden vond, een andere betekenis; iets wat minder hartverscheurend was, dat ze zat te bidden misschien of... of... Maar ik vond geen andere uitleg.

Hij knielde naast me neer. Ik weet niet meer wat ik zei. Ik weet zelfs niet óf ik iets zei. Ik stond daar maar, met die bezem in mijn hand, mijn mond open en mijn knielende vader naast me.

Mijn gedachten stonden stil en mijn lichaam was verdoofd. Ik liet zelfs geen traan. Alleen mijn hart, dat in mijn borst tekeerging als een bang vogeltje dat uit zijn kooi wilde, zei me dat ik nog leefde; dat ik niet was opgegaan in de droge, hete grond onder mijn voeten en tot stof was vergaan.

'Haar laatste woorden gingen over jou,' zei hij. 'Ze zei: "Het is maar goed dat Themía niet hier is. Ze houdt te veel van me. Ze zou gaan liggen en samen met mij sterven als ze hier was."'

Alles wat hij uitbracht lag als nieuwe pijn in zijn ogen weerspiegeld en hij struikelde over elk woord, moest al zijn krachten aanspreken om ze over zijn lippen te krijgen. Ik hoorde zijn stem alsof die van heel ver kwam, als door een tunnel of van de bodem van de zee. De klanken zakten door me heen als zandkorrels door een zeef en verspreidden zich voor mijn voeten. 'Houdt van me... God... moeder... Themía... met mij sterven.'

Ik wilde wel huilen, maar kon het niet. Zelfs niet toen hij zijn armen om me heen sloeg en ik merkte dat hij snikte. Ik kon niets anders doen dan daar voor hem staan, als een klein paaltje om tegen te huilen.

'Ach, wat jammer nou,' zei Ruth met geveinsd medelijden toen mijn vader het haar vertelde. Ze stond naar me te staren zoals je staart naar een insect dat je zojuist de vleugels hebt uitgetrokken om te zien of het nog weg zal vliegen.

Ook vader stond hulpeloos naar me te kijken; misschien wachtte hij tot ik iets zou zeggen of in snikken uit zou barsten, maar ik kon niets.

'Ik kom weer terug,' zei hij ten slotte.

Toen liep hij weg in de richting waaruit hij gekomen was.

Die avond in bed probeerde ik tranen uit mijn ogen te persen, maar ze kwamen niet. Ik deed mijn ogen open en zag mijn moeder bezig met de vertrouwde dingen die ik haar zo vaak had zien doen. Ik zag haar door het veld lopen; haar rokken ruisten zachtjes en de wind speelde met haar lange donkere haar. Ik zag haar deeg kneden en het vuur aanblazen. Ik praatte met haar en hoorde haar stem, die mij riep: 'Themía. Mijn lieve Themía', maar nog steeds kon ik niet huilen.

'Kom je me halen?' had ik elke avond voor het slapengaan gevraagd.

'Ja,' antwoordde ze altijd, 'ik kom je halen.'

# 25

## *En toen was er niemand meer*

'Bint,' zei Ruth op een dag niet lang daarna tegen me. 'Je moet een echte naam hebben. De naam die je nu hebt kan ik niet uitspreken. Ik heb besloten je Sano te noemen. Dat is een mooie Koerdische naam. En hij past wel bij je, vind ik.'

'Ik heb toch al een naam,' zei ik.

'Maar die kan niemand uitspreken, dus wat heb je daaraan? Nou? Een naam die niemand over z'n lippen krijgt?'

Zij was de enige die zei dat ze mijn naam niet kon uitspreken.

'Maar dat vind ik geen leuke naam.'

'Nou, ik vind jouw naam niet leuk,' zei Ruth. 'Sano is een betere naam.'

Ik reageer er gewoon niet op, dacht ik.

'Sano! Hoor je niet dat ik je roep?' gilde Ruth.

Nee! Maar ik deed toch maar wat ze me vroeg.

Moeders dood had de weg vrijgemaakt voor Ruths woede. Mijn moeder kon me niet meer komen halen als ze me niet goed behandelde. Ze wachtte als een spin tot ik iets fout deed, zodat ze tegen me tekeer kon gaan. Ze wist dat ik meer dan ooit alleen stond.

'Heb je je weer aan mijn broer lopen opdringen?' snauwde ze me een keer toe.

'Wat bedoelt u?' vroeg ik.

'Ik weet dat je naar hem lonkt, alsof je de moeite van het aankijken waard was,' zei ze.

'Maar ik heb uw broer helemaal niet gezien sinds ik hier voor het eerst kwam,' zei ik. Hij was het huis uitgegaan niet lang nadat ik was gekomen en ik had hem nooit meer gezien.

'Ik geloof je niet, smerig meisje,' zei ze. 'Misschien ontmoet je hem als ik niet in de buurt ben.'

Ik keek haar stomverbaasd aan en begreep niet dat ze me zomaar kon beschuldigen en ook niet waarom. Ik was tien en de enige man naar wie ik verlangde was mijn vader. Elke dag bracht nieuwe beschuldigingen of redenen voor haar om me aan te vallen, en ik begreep er niets van.

Een poosje na moeders dood werd er op de deur geklopt.

'Ga eens kijken wie daar is,' zei Ruth.

Ik ging opendoen en tot mijn grote verrassing stond Christodoula daar. Ze zag er gekweld en opgejaagd uit. Ze had donkere kringen onder haar ogen en keek voortdurend schichtig om zich heen, alof ze op een onvermijdelijke klap zat te wachten. Ze stond in elkaar gedoken en op haar fletse gezicht lag een uitdrukking van angst. Een hand hield ze krampachtig in haar zij. Ik stak mijn armen uit om haar te omhelzen, maar zij week terug toen Ruth vanuit het huis naar me riep.

'Wie is dat meisje?'

'Zeg niet dat ik je zusje ben,' zei Christodoula. Haar ogen werden groter.

'Maar waarom niet?' vroeg ik.

'Gewoon niks zeggen,' zei Christodoula.

'Wat moet je?' vroeg Ruth, die naar de deur kwam.

'Iets te eten, alstublieft,' zei Christodoula. 'Ik heb zo'n honger. Hebt u iets voor me, alstublieft.'

'Is dit je zusje?' vroeg Ruth.

Ik vond het moeilijk dat ik niets mocht zeggen. Ik had gedacht dat mijn zusje er voordeel bij zou hebben als de vrouw het wist, maar de bange blik in Christodoula's ogen zei me dat ik haar geheim moest bewaren.

'Nee,' zei ik. Ruth kneep haar ogen tot spleetjes, keek eerst naar mij en toen naar Christodoula.

'Jullie lijken wel op elkaar.'

'Ik heb haar nog nooit gezien.'

'Nou, op dit moment hebben we even niets in huis,' zei Ruth tegen Christodoula. 'Maar misschien kan een van de buren je helpen.' Toen draaide ze zich om en liep het huis weer in.

'Je ziet er ziek uit,' fluisterde ik tegen Christodoula toen ik zeker wist dat Ruth het niet kon horen. 'Gaat het wel?'

'Ik ben een beetje ziek,' fluisterde ze terug. 'En ik heb honger.'

'Blijf even wachten, misschien kan ik iets voor je pakken als de vrouw niet kijkt,' zei ik.

'Nee!' Haar ogen schoten naar de deur. 'Ze zal je betrappen en je straffen.'

'Maar wat ga je doen?'

'Ik ga de buren vragen of ze wat te eten hebben. Yanni woont nu bij andere mensen. Papa is op zoek naar werk, maar er is haast niks voor hem om te doen en hij is de hele tijd bedroefd nu mama er niet meer is. Ik mis je,' zei ze. Toen draaide ze zich om en liep weg.

'Ik mis jou ook,' zei ik.

Die avond in bed vroeg ik me af waarom ik de vrouw niet mocht vertellen dat ze mijn zuster was, maar ik kon geen reden bedenken die me geruststelde. Ik dacht dat het geholpen zou hebben als ze het wist. Maar op dat moment besefte ik weer hoe gemeen Ruth was en betwijfelde ik of het ook maar iets had uitgemaakt. Ik kon me geen moment voor de geest halen waarop de vrouw echt vriendelijk tegen me was geweest. Toegegeven, er waren perioden waarin ze minder vals tegen me deed, waarin ze mij m'n gang liet gaan... Of liever gezegd: haar gang, maar niet vals doen is niet hetzelfde als vriendelijk zijn. Nee! Het zou geen verschil hebben gemaakt.

Twee maanden later kwam Yanni. Hij was groter dan ik me hem kon herinneren, maar zijn wangen waren minder rond en hij liep met zijn hoofd tussen de schouders. Ik had hem in geen vijf maanden gezien. Ik viel hem om de hals en hij legde zijn hoofd op mijn schouder en begon te huilen.

'Christodoula is dood,' zei hij toen hij weer kon praten. 'Gisteren hebben ze haar begraven.'

'Maar wat is er dan gebeurd?'

'Ze was ziek. Ze was al heel lang ziek.'

Met onze armen om elkaar heen kropen we weg in een hoekje van het erf en huilden. De tranen die ik om mijn moeder niet had kunnen laten kwamen nu in overvloed, nu ik iemand had om mee te huilen, iemand die dezelfde pijn voelde als ik, iemand die dezelfde herinneringen had als ik en wist wat we verloren hadden.

'Blijf hier bij mij,' zei ik, alsof ik er iets over te zeggen had. 'Ik zal aan de vrouw vragen of je kunt blijven. Misschien zegt ze ja.'

'Denk je dat ze dat zou doen?'

'Ik weet het niet. Maar ik zal het vragen. Goed?'

Hij veegde zenuwachtig zijn stugge zwarte haar uit zijn betraande ogen. 'Goed,' zei hij.

'Sano!' riep Ruth vanuit het huis.

'Ze roept me,' zei ik. Ik droogde mijn tranen. 'Wacht hier, dan ga ik het vragen.'

'Maar ze zei Sano.'

'Zo noemt ze me. Ze zegt dat ze mijn naam niet kan uitspreken.'

'Sano! Geef antwoord!'

'Ik kom eraan,' zei ik. 'Wacht hier, Yanni. Ik ben zo terug.'

'Wat ben je aan het doen? Ik wil dat je de koeienstal schoonmaakt. Waarom geef je geen antwoord als ik je roep?'

'Mijn broer is er,' zei ik. 'Misschien kan hij me helpen met de koeienstal. Het zou twee keer zo snel gaan als hij me hielp.'

'Als hij je wil helpen, laat hem dan maar helpen,' zei ze met een scherpe, bijna hysterische stem. 'Maar doe het wel voor het donker wordt.'

We veegden, schepten en vulden de ruiven met hooi en waren vlak voor het donker klaar. Het was voor het eerst in lange tijd dat ik een maatje had, iemand om mee te praten en me veilig bij te voelen. De liefde die ik voor hem voelde kwam als een golf van heimwee over me heen. De liefde die ik voor mijn hele familie voelde, maar niet kon uiten, richtte ik nu op Yanni.

Zeg alsjeblieft ja! Zeg alsjeblieft ja! zei ik aan één stuk door tegen mezelf, om de lucht om me heen te hypnotiseren zodat de vrouw Yanni zou laten blijven.

Toen we de woonkamer binnengingen zei ze: 'Zijn jullie eindelijk klaar?'

'Ja,' zei ik.

'Goed, het is al laat. Jij moet naar huis,' zei Ruth tegen Yanni.

'Straks is het te donker voor hem om de weg te zien. Mag hij vannacht niet hier blijven?' smeekte ik.

'En waar moet hij dan slapen?' vroeg ze.

'Hij kan bij mij slapen,' zei ik. Ruth wierp me een blik vol walging toe.

'Bij jou?' zei ze. 'Je doet geen smerige dingen in mijn huis. Dat kan ik niet toestaan.'

'Maar we sliepen vroeger altijd samen,' zei ik in al mijn onschuld.

'Hoe oud ben jij, jongen?' vroeg Ruth in het Turks.

'Ik ben negen,' zei Yanni.

'Je bent groot voor je leeftijd. Dat jij nog met je zusje slaapt is smerig.'

Yanni keek me in verwarring aan.

'Maar ik, eh… ik…' stamelde hij.

'Hij kan zich wassen voor hij naar bed gaat,' zei ik; misschien was dat wat ze bedoelde.

Yanni snufte onwillekeurig even aan zijn arm.

'Ja,' zei hij. 'Ik zal me wassen.'

'Ach!' zei Ruth. Ze keek ons met halftoegeknepen ogen aan, probeerde in onze ziel te kijken.

'Goed dan. Maar pas op, ik wil geen gedoe.'

'Nee,' zei ik. 'Geen gedoe.'

Yanni trok een brede glimlach.

'Nee!' zei hij. 'Geen gedoe.'

Die avond sloot ik mijn ogen en ik deed alsof we weer thuis waren op onze mooie groene berg. Ik stelde me voor dat de slaapgeluiden van de vrouw en haar familie naast ons de geluiden van mijn vader en moeder, Christodoula en de kleine Nastasía waren. Yanni hield mijn hand vast en zijn hoofd rustte op mijn schouder.

'Weet je nog, van het feest?' fluisterde ik in het Grieks.

Maar hij was ogenblikkelijk in slaap gevallen. Ik legde mijn hoofd tegen het zijne, dwong mezelf om wakker te blijven en luisterde naar het geluid van zijn ademhaling.

'Zeg, blijf je de hele dag slapen?' De stem van Ruth haalde me ruw uit mijn droom.

'Laat ze eens een keer met rust,' zei haar man.

'Hoe moeten we het ontbijt klaarmaken en de bedden opruimen als die kinderen de hele dag blijven liggen? Ik wist dat het een vergissing was om die jongen te laten blijven.'

'Hij doet geen vlieg kwaad. Hij is alleen.'

'Hij heeft zijn eigen mensen om naartoe te gaan. Laat-ie daar blijven. Laten die hem te eten geven,' zei ze.

Yanni kwam overeind, wreef zich in zijn ogen en sprong toen bijna van het matje. Ik stond ook op. Ik wist niet dat het al zo laat was. Ik wist zelfs niet meer dat ik in slaap was gevallen.

'Het is al laat,' zei Ruth tegen Yanni. 'Je familie zal zich wel afvragen waar je blijft.'

Hij keek haar verstomd aan.

'Wacht!' zei ik in het Grieks tegen hem.

Ik pakte een zakdoek en rende naar de voorraadkamer. Ik hoopte maar dat niemand zou zien dat ik hem vulde met graan. Ik hield hem achter mijn rug en liep ermee naar de kamer waar ik Yanni met de vrouw en haar man had achtergelaten. Yanni was weg.

'Waar is hij?' vroeg ik.

'Vertrokken,' zei ze.

Ze nam niet de moeite om zich om te draaien van het fornuis, waar ze bezig was de maaltijd te bereiden. Ik rende naar buiten om hem te zoeken, de zakdoek stevig in mijn hand.

'Waar ga je naartoe?' riep ze me achterna. 'Kom terug.'

'Alleen even dag zeggen.' Ik rende het erf over om hem te vinden.

'Sano!' riep ze.

Hij was niet op het erf. Ik holde naar de weg en keek om me heen. Hij was nog maar net weg, maar ik zag hem nergens.

'Sano!' riep ze.

Ik staarde naar de weg, verbijsterd. Ik kon er niet bij dat hij nergens was. Ik rende naar de andere huizen, maar ook daar was hij niet.

'Sano!'

Wat moest ik nu met dat graan?

'Sano! Waar zit je?'

Mijn hart bonsde. Ik rende naar een stapel hooi en stopte er het graan in. Toen rende ik terug naar het huis met een grote lege plek diep in mijn maag.

'Duivels kind! Hoor je niet dat ik je roep?'

In de maanden die volgden ging mijn verhouding met de vrouw er niet op vooruit. Ik deed mijn best om uit haar buurt te blijven en te doen wat ze zei, maar het was zinloos. Op warme herfstmiddagen, terwijl de kinderen hun slaapje deden, zat ik buiten op het erf en keek naar de os voor de ploeg en het trage keren van de aarde. Met bedroefd hart dacht ik dan aan mijn vader achter zijn ploeg en aan moeder, die de pasgewassen kleren op het gras te drogen legde in de felle zon. Wat had ik een heerlijk leven gehad in mijn prachtige land. En wat had ik het allemaal vanzelfsprekend gevonden, alsof het nooit voorbij zou gaan. Ik probeerde me de geur van het bos te herinneren, de vochtige groene lucht en het aroma van de perenbloesems. Maar de enige bomen hier waren de vijf stoffige bruiloftsgasten midden in het veld, en het droge gruis van Tlaraz brandde in mijn neusgaten als ik te diep ademhaalde.

Toen de vrouw het graan vond dat ik in het hooi had verstopt, zei ze niets. De kippen hadden gepikt en gepikt tot ze de zakdoek uiteindelijk uit zijn holletje hadden gekregen en het graan was op de grond gerold op het moment dat Ruth er met haar neus bovenop stond. Ze wist dat ik het had gepakt. Ik stond met gebogen hoofd te wachten tot haar zwarte raventong naar buiten kwam en mij met haar vlijmscherpe woorden te lijf zou gaan.

Maar dat gebeurde niet. 'Je vader is weg,' zei ze. 'Hij heeft je broer meegenomen en ze zijn uit Karabahçe vertrokken.'

'Waar zijn ze naartoe gegaan?' vroeg ik. Het kwam zelfs niet bij me op om aan haar woorden te twijfelen.

Ze grijnsde zelfvergenoegd.

'Wie zal het zeggen,' zei ze.

'Maar hij kan mij niet achterlaten,' zei ik.

'Tja. Hij kan het niet alleen, hij heeft het nog gedaan ook.'

Ze draaide zich om en liet mij met open mond op de weg achter. Het klamme zweet brak me uit. Met de dood in het hart rende ik de weg af. De tranen rolden over mijn wangen.

'Wat is er aan de hand, Sano?' riep de buurvrouw me achterna.

Maar ik rende en rende. Ik rende het veld in en verder, tot ik niet meer kon, tot ik als een zielig hoopje op de grond viel en mezelf in slaap huilde.

'Wat doe je hier?' Een mannenstem wekte me.

Ik keek om me heen, verbaasd dat ik zo ver van het dorp was.

'Niets,' zei ik.

'Je lag te huilen.'

'Nee hoor,' zei ik.

Ik voelde dat ik een kleur kreeg, uit schaamte dat een vreemde me had zien huilen.

'Jij bent dat Griekse meisje dat bij die nare vrouw en haar familie woont. Heb je het naar je zin daar?'

'Nee,' zei ik. 'Maar waar moet ik anders naartoe?'

Hij keek om zich heen voor hij antwoord gaf. Het was de man die naar het dorp was gekomen om al die duivenhokken te bouwen.

'Je bent een mooi meisje,' zei hij. 'Misschien laat ik je wel bij mij wonen als je lief voor me bent.'

'Ik wil niet met u mee naar huis,' zei ik.

Ik sprong overeind en deed een paar passen terug. Hij was te dicht bij me komen staan en de blik op zijn gezicht gaf me een ongemakkelijk gevoel.

'Je hoeft niet bang te zijn,' zei hij. Hij lachte en ik zag twee kapotte tanden. 'Vertel ze niet wat ik tegen je heb gezegd. Ik mag je. Waar ga je naartoe? Ik zal je niets doen,' riep hij nog.

Maar ik rende alweer terug naar het dorp. Ik wilde dat de vrouw haar armen om me heen sloeg en me troostte. Ik wilde me beschermd voelen. Maar bij het erf stopte ik, buiten adem. Ik wist dat ze zoiets van haar leven niet zou doen.

'Wie is daar?' riep de blinde jongen die in het volgende huis woonde.

'Ik ben het, Sano,' zei ik, me afvragend waarom hij op het erf zat.

'O,' zei hij. 'Ik heb gehoord dat je vader weg is gegaan. Zal-ie je nog komen halen?'

'Ik weet het niet,' zei ik. Weer werd ik door dezelfde schrik bevangen.

'Ze is niet aardig tegen je, hè?'

'Wie?'

'De vrouw bij wie je woont.'

'Valt wel mee,' zei ik, en ik ging naast hem op het lage muurtje zitten.

'Laat ze je te veel werk doen? Ik wil je best helpen.'

'Het valt wel mee.'

'Nou, ik zou kleine dingetjes voor je kunnen doen. Ik kan de kippen uit het graan jagen. Of je helpen met water halen van de put. Of zelfs een dansje voor je doen om je op te vrolijken,' zei hij.

'Goed. Jaag jij de kippen dan maar uit het koren,' zei ik, blij met de afleiding. 'Ze komen wel heel dicht in de buurt nu.'

'Vertel me maar welke kant ik op moet,' zei hij.

Hij spreidde zijn armen uit om op jacht te gaan nog voor ik iets had kunnen zeggen.

'Recht vooruit,' zei ik.

'Ksst! Ksst!' deed hij, en hij maakte wilde armbewegingen. 'Ksst!'

'Naar links,' riep ik.

'Ksst!' zei hij. Maar deze keer deed hij het op een grappige manier. Hij sprong op en neer en zwaaide met zijn armen boven zijn hoofd om me aan het lachen te maken.

'Ksst, kippen! Ksst! Ksst!' zei hij keer op keer, daartoe aangemoedigd door mijn gelach.

Hij rende eerst de ene kant op en toen de andere, heen en weer, maaiend met zijn armen hoog boven zijn hoofd. Ik had al langer dan een jaar niet gelachen.

'Waar heb je uitgehangen?' riep de vrouw toen ze me zag zitten. 'Ik heb je gezocht.'

'Er was een man in het veld en…'

'En wat?' vroeg ze.

'Die zei dingen tegen me,' zei ik.

'Welke man?'

'De duivenman,' zei ik, het woord gebruikend dat ik anderen had horen gebruiken.

'Wat voor dingen heeft hij dan gezegd?' vroeg ze ongelovig.

'Hij zei… Hij zei dat ik mooi was en dat hij me mee naar zijn huis zou nemen als ik lief voor hem was,' zei ik.

'Jakkes!' zei Ruth vol afschuw. 'Jij mooi? Vroeger was je mooi, toen je honger had, maar nu je goed te eten krijgt – bah! Kijk naar jezelf! Je bent echt niet mooi meer. Dat is voorbij. En hoe kom je erbij om met vreemde mannen te praten? Geen wonder dat hij van alles tegen je zei.'

'Ik zei niks tegen hem.'

'Ik vind je wél mooi, Sano,' zei de blinde jongen. 'Je bent het mooiste meisje van het hele dorp.'

Instinctief keek ik naar zijn ogen om te zien of ze de waarheid spraken, maar ze keken langs me heen naar de horizon.

'Puh!' zei Ruth. 'Voor een blinde misschien. Nou, ga de kinderen wassen. En jij,' zei ze, zich tot de blinde jongen wendend. 'Jij gaat naar huis en laat haar haar werk doen.'

'En toch ben je het,' hield hij vol terwijl hij wegliep. 'Ik voel het. Je bent de mooiste van allemaal. Je bent het mooiste meisje van het hele dorp, en het aardigste ook.'

Ik liep achter de vrouw aan het huis in. De kinderen zaten geduldig op de rand van het lage muurtje en lieten hun voeten in een teiltje met water bungelen. Het kleine meisje vlocht haar vingertjes in elkaar toen ze haar blik naar me oprichtte en toen ze glimlachte kreeg ze lieve kuiltjes in haar wangen.

'Kom ons wassen, Sano,' riep ze toen ze me binnen zag komen.

'Kom ons wassen,' echode het jongetje. In een verlegen gebaar legde hij zijn wang tegen zijn schouder en lachte. Het deed me aan Nastasía denken.

Het licht van de ondergaande zon stroomde door het raam naar binnen, ving het handvat van de teil en kleurde het oranje. Toen gleed het door naar de aarden vloer bij mijn voeten. Het licht van de vlammen danste op de muur. Hoe lang was het geleden dat ikzelf naakt op een krukje voor het vuur had gestaan terwijl mijn moeder zeep op een zachte doek deed en mij inzeepte totdat het schuim uit mijn oren kwam?

Ik wreef de voetjes van de jongen met een doek die ik rijkelijk met zeep had bewerkt. Hij giechelde toen het een zuigend geluid tussen zijn tenen maakte. Plotseling herkende ik het kinderlijke gelach van Nastasía in zijn lachen.

'Wat is er?' vroeg het meisje.

'Niks,' zei ik, verrast door haar vraag.

'Maar waarom huil je dan?'

'Ik huil niet,' begon ik, maar tegelijkertijd realiseerde ik me dat er tranen uit mijn ogen vielen. 'Ik weet het niet,' zei ik. 'Er zit iets in mijn oog, geloof ik.'

# 26
## Kleine broden

Eens te meer had de winterkilte plaatsgemaakt voor de zinderende hitte van de zomer, en de leeuwkleurige tarwehalmen wiegden in de warme wind die over de vlakke, stoffige velden waaide. Hoewel in het zuiden buiten werd geslapen in grote bedden waarin overdwars vier tot vijf mensen pasten, lagen wij op een eenvoudig dekentje boven op ons lemen dak onder de sterren. Terwijl de anderen tevreden lagen te snurken, lag ik genietend van het koele avondwindje stilletjes de sterren te tellen tot ik ook indommelde.

'Sano! Opstaan, tarwe malen. Het is al vier uur.'

Ik sloeg vermoeid mijn ogen op en zag een dik tapijt van sterren boven me. Met al mijn krachten hees ik mezelf op van mijn dekentje en ik liep naar de achterkant van het dak, waar het huis overging in een hoop aarde.

De stier stond op het erf voor het huis te wachten. Ik hing het beest een houten tuig om en leidde hem vervolgens naar een grote berg tarwe. Dan liet ik hem langzaam eindeloos rondjes over die tarwe lopen, in het donker.

Was er iemand anders wakker in de wereld? Was er zelfs maar enig ander geluid te horen dan dat van de hoeven van de stier over de harde aarde, en het kraken en knersen van de tarwe?

Terwijl ik door de duisternis strompelde, liet de stier een brommend protest tegen zijn dwangarbeid op de vroege ochtend horen. Een haan kraaide ongeduldig naar een zon die aan de andere kant van de wereld nog in diepe rust verkeerde.

Een tijdje, daar in dat donker, bepaalde het geroep van andere hanen mijn herinneringen. De koele ochtendlucht en het geluid van graan dat onder de hoeven van de stier gedorst werd voerde me terug naar de herfsttijd in mijn dorp, de drukste tijd van het jaar voor ons. Buren, en zelfs Turken uit nabijgelegen dorpen, waren van vroeg in de ochtend tot zonsondergang in de weer met het oogsten van gerst, tarwe en maïs, voordat de regens het gewas zouden bederven. Bij de dorsvloer, tegenover onze schuur, stapelden ze de tarwe op in de vorm van een soort kegels.

De mannen maakten twee lange peddels, elk ongeveer zeventig centimeter breed en anderhalve meter lang. Onder die peddels werden scherpe witte steentjes vastgemaakt. De peddels werden op zo'n manier aan het tuig van de stieren gebonden dat wanneer ze hun rondjes over de harde dorsvloer liepen, met de peddels achter zich aan, die peddels een soort messen werden en de aren van de tarwe en gerst opensneden, zodat de korrels vrijkwamen. Ze hakselden zelfs de halmen tot winterrantsoen voor de beesten.

Op een winderige dag gingen we aan het werk. Yanni en ik zaten op de peddels om ze gewicht te geven terwijl de mannen de tarwe voor de poten van de stieren gooiden. Er stond altijd iemand met een handvol hooi paraat om de mest van de stieren op te vangen, zodat de tarwe niet vuil werd. Steeds maar rond gingen we, op onze hobbelige reis naar nergens, getrokken zoals ooit onze ouders ook waren getrokken, en hun ouders. We waren een volgende schakel in de keten van voorouders die hadden gezaaid en geoogst en gedorst op net zulke heldere, winderige dagen, op dezelfde manier als ze dat misschien al honderden of duizenden jaren hadden gedaan.

Als ze een van de grote bergen tarwe hadden gedaan, zetten ze de stieren aan de kant en gooiden het graan met een grote schep omhoog in de wind om het kaf van het koren te scheiden. Vervolgens werd het graan opgeveegd en in jutezakken gedaan. Het meeste werd naar huis gedragen om te worden opgeslagen in de grote vaten in de voorraadkamer, maar een deel werd op een kar geladen en naar de stad gereden als belasting. De gehakselde stengels werden naar de schuur gebracht.

Ik dacht aan de halsketting van gepofte kastanjes die grootvader me altijd omhing in de herfst. Ik liep er trots als een pauw mee rond en plukte ze er, geholpen door Yanni en mijn zusjes, een voor een vanaf totdat ze allemaal op waren.

Terwijl ik zo in het donker achter de stier liep, voelde ik de tranen over mijn wangen rollen.

Toen de zon boven de horizon uit begon te kijken, kwamen Ruth en haar man van het dak en rommelden nog wat rond voor ze naar Diyarbakir vertrokken om inkopen te doen. Ik keek vol afschuw toe terwijl ze de band die mijn moeder me had gegeven aan de halster van de koe knoopte en het dier aan een paal bond. De koe schudde haar kop en haar bel klingelde in de tintelende ochtendkoelte.

'Jij hebt hem niet nodig. En trouwens, hij is je te groot,' had Ruth niet lang na de dood van mijn moeder gezegd. En telkens als ze die band pakte om het lankmoedige beest vast te zetten, kromp ik ineen, maar ik zei niets.

Ik dacht aan moeders handen die de kleurige wol tot een lange band weefden om om haar middel te dragen. Het was het enige wat ik nog van mijn moeder had, het enige wat ik nog had uit mijn verleden.

Op het moment dat ze het erf verlieten en met hun lange schaduwen achter zich aan de weg afliepen, voelde ik me verschrikkelijk opgelucht, alsof ik honderd jaar mijn adem had ingehouden.

Om twaalf uur, toen ik klaar was met het dorsen van de tarwe, besloot ik brood te bakken om ze te verrassen als ze thuiskwamen. Voor het eerst sinds ik bij de vrouw was komen wonen ervoer ik de opwinding van het huis voor mezelf te hebben. Er was niemand in de buurt die zijn afkeurende blik liet glijden over de dingen die ik deed en niemand die me eraan herinnerde dat ik een vreemde in huis was. De lage kamer met zijn aangestampte vloer en donkere aarden muren was vertrouwd voor me geworden, maar dat realiseerde ik me pas op dat moment. Alles in die kamer was afgerond. Nergens was een scherpe rand of hoek of rechte lijn te bekennen. De hitte van buiten lag zwaar op de muren zonder tot binnen door te dringen; hij werd door een onzichtbare barrière op afstand gehouden, zelfs wanneer de zonnestralen door het raam naar binnen stroomden en de kamer met een zachtgloeiend licht vulden. Het geluid van spelende kinderen een eindje verderop en dat van een blaffende hond in de verte strandde als het ware in de dichte, stille lucht.

Ik pakte de grote aardewerken bak die Ruth altijd gebruikte om brood in te maken en zette hem op de vloer. Toen schepte ik hem vol meel uit een van de vaten en strooide er zout over. Ik nam een stukje deeg dat nog over was van de laatste keer dat de vrouw brood had gebakken en legde het in een kom met water om te weken. Daarna ging ik op mijn knieën op een matje voor de bak zitten en maakte een putje in het meel, precies zoals ik mijn moeder altijd had zien doen. Langzaam, stukje bij beetje, goot ik het water van het overgebleven deeg in het putje, af en toe stoppend om een gedeelte van het meel met het water te mengen. Ten slotte begon er een gladde deegmassa te ontstaan.

Al deze dingen had ik mijn moeder zien doen, en nu imiteerde ik haar bewegingen zoals ik ze me herinnerde. Ik ging ijverig stompend, trekkend en duwend met het deeg aan de slag terwijl de kinderen van de vrouw stil naast me zaten te spelen.

Ik deed alsof mijn moeder ook naast me zat en in ons grote houten vat haar eigen brood maakte. Ik leunde, net als zij had gedaan, met mijn volle gewicht in het deeg totdat mijn armen pijn deden, maar op een prettige manier. Voor ik de bak bedekte met een doek en hem op een warme plaats in de voorraadkamer te rijzen zette, zoals ik de vrouw had zien doen, keek ik nog even met een liefdevolle glimlach naar de vrucht van mijn inspanning. Vervolgens veegde ik de vloeren en nam ik alle voorraadplanken af. Ik maakte de koeienstal schoon en zette de spullen in de voorraadkamer recht. Ik veegde zelfs het erf, liet het stof bij elke haal van de bezem ronddwarrelen en glinsteren in het felle zonlicht, terwijl de kippen rond mijn blote voeten kloekten.

Later die middag, toen het deeg was gerezen, maakte ik er kleine, ronde platte broden van ter grootte van een open hand – niet het soort broden dat mijn moeder maakte, die waren rond en robuust en veel groter, maar het soort dat de mensen in dit gebied kenden, het soort dat ik de vrouw had zien maken. Ik hield een stuk zo groot als mijn vuist apart om als beginnetje te gebruiken voor de volgende keer. Toen bracht ik de broden naar de oven om ze te bakken. De vrouwen van het dorp moesten lachen.

'Wat heb je gedaan, Sano?' vroeg een vrouw. 'Je deeg is zo klonterig.'

'Maar ik heb het heel lang gekneed,' zei ik.

'Het komt wel goed,' zei iemand anders. 'Je leert het wel, dit is lang niet slecht voor de eerste keer.'

'Maar worden ze niet heel vies?'

'Nee. Ze zullen prima smaken. Maar de volgende keer moet je het deeg kneden tot het helemaal glad is.'

De oven heette een *tanour* en hij was al heet toen ik kwam. Hij was niet van steen, zoals de ovens waar ik vandaan kwam. Hij was van klei en had de vorm van een schuin doorgesneden ton. Hij was ongeveer een meter hoog en een halve meter breed. Midden op de vloer van de oven lag een hoop gedroogde mest te branden.

'Laat me je voordoen hoe je het brood erin doet,' zei een vrouw toen het mijn beurt was om te bakken.

Ze pakte mijn bak, pakte een deegklont en legde die plat op haar handpalm. Toen liet ze haar hand in de hete oven glijden en kletste de klont tegen de wand. Zo vulde ze de oven van onder tot boven met de stukken deeg die ik had gemaakt.

Ik bleef met groot ongeduld naar de oven kijken tot mijn brood eindelijk klaar was. Toen nam ik de broden mee naar huis en legde ze op de plank. Ik kroop op mijn matje ernaast en heb er een hele poos liefdevol naar liggen staren. Ik had ze met mijn eigen handen gemaakt. En ook al waren ze onregelmatig, het waren onmiskenbaar broden.

De rest van de dag bleef ik elke keer als ik langs mijn broodjes kwam even staan om er bewonderend naar te kijken, zoals je een belangrijk kunstwerk zou bewonderen. Dan hield ik mijn hoofd schuin naar links en vervolgens naar rechts om de schoonheid van wat ik had gemaakt goed tot me te laten doordringen.

'Wat is dit?' zei Ruth toen ze uit Diyarbakir terugkwam. 'Wie heeft dit brood gemaakt?'

'Dat heb ik gemaakt,' zei ik.

Er verscheen een diepe rimpel tussen haar wenkbrauwen, en haar dunne lippen tuitten verbitterd, maar ze zei niets.

Die avond hebben we zwijgend zitten eten, en hoewel Ruth me geen compliment gaf over mijn kleine broden, hebben zij en de anderen ze toch met smaak opgegeten. Ik heb twee dagen spierpijn in mijn armen gehad van al dat deeg kneden, maar bij elk broodje dat we uit de trommel pakten om op te eten, voelde ik me alleen maar trotser worden op mijn pijnlijke armen.

Weer ging er een zomer over in de herfst, en de winter bracht een laagje sneeuw – iets zeldzaams in dat deel van het land. De tarwe was geoogst, gemalen en in grote zakken opgeslagen. Met behulp van een houten vorm had ik een soort briketten van de koeienmest gemaakt en ze op het veld in de zon te drogen gelegd zodat we brandstof voor het fornuis zouden hebben.

'Sano,' zei Ruth op een dag. 'Ga naar het veld en zoek hennabladeren voor me om mijn haar mee te wassen.'

Met een tas over mijn schouder liep ik de deur uit en de weg op. De meisjes van het dorp zaten zoals altijd in een groepje te kletsen. Pas toen ik vlakbij was draaiden ze zich naar me om.

'Waar ga je naartoe?' vroeg een van hen toen ze me zag met mijn grote tas.

'De vrouw wil dat ik hennabladeren voor haar ga zoeken in het veld,' zei ik, hopend dat ze met me mee zouden gaan.

'Misschien gaan wij ook mee om te plukken,' zei een ander.

'Jij weet niet hoe je henna moet vinden,' zei het eerste meisje tegen mij.

'Jawel hoor. Ruth heeft het me voorgedaan,' zei ik.

'Goed, laten we dan maar gaan,' zei ze.

De andere meisjes gleden van de lage muur waar ze op hadden gezeten en slenterden de weg af. Ze schonken verder geen aandacht aan mij en praatten onderling alsof ik niet bestond. Maar toch, het was prettig om gezelschap te hebben als je een klusje moest doen.

Toen we bij het veld kwamen waar overal lage, ruwe struiken stonden, zag ik de bladeren die ze henna noemden.

'Kijk daar!' riep ik. En ik rende ernaartoe om ze als eerste te plukken.

'Waar denk je dat je mee bezig bent?' riep het langste meisje. 'Je kunt ze niet zonder ons plukken.'

Ze renden met z'n allen achter me aan om de tas te pakken waarin ik al wat bladeren had gestopt.

'Jij denkt zeker dat je ons te slim af kunt zijn door er snel naartoe te rennen. Hoe durf je ervan te plukken zonder ons te vragen? Ze zijn van ons.'

'Maar ik heb ze gevonden,' zei ik.

'Jij hebt ze gevonden?' zei ze, terwijl ze me een stomp tegen mijn arm gaf. 'Jij hebt ze gevonden?' Ze gaf me de ene duw na de andere, me steeds verder achteruitdwingend. 'Deze zijn van mij, ik zag ze het eerst.'

'Maar dat kan helemaal niet, want je liep te praten,' zei ik.

'Ik liep niet te praten. Ik keek om me heen naar de bladeren en ik zag ze het eerst. Geef ze aan mij!'

'Maar ze zijn voor de vrouw. Ze zal boos worden als ik zonder iets terugkom,' zei ik.

'Dan moet je je eigen bladeren maar plukken,' snauwde ze en ze duwde me op de grond.

Voor ik wist wat me overkwam zaten ze met z'n allen boven op me. Ze sloegen me. Toen ze klaar waren keerden ze mijn tas om boven mijn gezicht terwijl ik lag te huilen op de grond.

'Ik zal de vrouw vertellen dat jullie haar bladeren hebben gepakt,' zei ik.

Maar daar moesten ze alleen maar om lachen. Ik rende het hele stuk terug naar huis. De tranen rolden over mijn wangen en de lege tas flapperde tegen mijn zij om me aan mijn vernedering te herinneren.

'Heb je de bladeren bij je?' vroeg Ruth meteen toen ik binnenkwam.

'Nee,' zei ik. 'De meisjes hebben ze van me afgepakt en me geslagen.'

'Hoe bedoel je, "ze hebben me geslagen"? Kun je dan ook niets goed doen? Hoe kom je toch zo oliedom?'

'U hebt niet het recht zo tegen mij te praten,' zei ik.

'Het recht niet?' krijste ze. 'Dit is mijn huis en hier binnen kan ik doen en laten wat ik wil.'

'U hebt het recht niet om me voor stom uit te maken. Ik ben niet stom.'

'Je moet me niet tegenspreken. Je bent een grote stommerd. Je kunt niet eens een paar blaadjes van het veld halen zonder er een probleem van te maken. Je kunt niets goed doen. Je eet mijn eten op en slaapt in mijn huis, en wat krijg ik ervoor terug? Je bent geen enkele steun voor me. Ik kan tegen je praten zoals ik wil.'

'Laat haar met rust,' zei haar man. 'Waarom plaag je dat kind toch zo?'

'Ik? Haar plagen? Ze is lui en dom, en jij zegt dat ik haar plaag?'

'Goed!' riep ik. 'Dan eet ik uw eten niet en dan slaap ik niet in uw huis.'

Ik rende de deur uit, en toen ik mijn moeders band zag maakte ik hem los van de koe.

'Kom terug, kleine duivel,' riep Ruth me achterna.

Maar ik rende zo snel als ik kon. De band hield ik stijf tegen mijn borst gedrukt. Ik was al eens eerder weggerend toen haar scherpe tong me te veel werd, maar dat was niet verder dan een buur een eindje verderop, en daar was ik gebleven totdat mijn verdriet een beetje zakte. Maar deze keer rende ik tot mijn hart bonsde, en ik bleef rennen tot ik dacht dat mijn borstkas zou ontploffen. Toen ik niet meer kon rennen liep ik gewoon tot ik opnieuw kon rennen, en ten slotte bereikte ik de rivier vlak bij Karabahçe.

Tegen die tijd was mijn ademhaling zo van slag dat ik op de grond moest gaan zitten. Ik keek naar het snelstromende water. Waar ging het naartoe? En waar moest ik naartoe? Ik had niemand. Niet eens meisjes van mijn eigen leeftijd om mee te praten of te spelen. Ik stond er altijd buiten en keek toe hoe zij met elkaar lachten en praatten, maar ze lieten me nooit toe in hun midden. En plotseling realiseerde ik me hoe alleen ik eigenlijk was en dat ik mijn moeder nooit meer terug zou zien.

Ik kreeg een soort hol gevoel in mijn borst, dat groter en groter werd: het enige wat ik nog voelde was een grote leegte met niets dan zwaartekracht die me naar beneden trok, een leegte zoals ik nog nooit had meegemaakt.

'Mama,' gilde ik naar omhoog.

Maar de weidsheid van de schemerlucht vouwde zich stil om me heen, strekte zich uit in alle richtingen om heel in de verte, langs de kromming van de aarde, de horizon te raken.

Ik voelde me als een klein vlekje alleen in het heelal, of één enkel bloemetje op het oppervlak van de maan. Ik wou dat ik gewoon de tijd terug kon zetten en dat niets van de afgelopen twee jaar echt was gebeurd, alsof het allemaal een nare droom was geweest, een droom waaruit ik wakker kon worden om helemaal opnieuw te beginnen. Misschien had ik gezondigd en moest ik berouw hebben. Ik wist nog dat de bisschop elk jaar bij ons thuis kwam en ons vroeg om onze zonden op te biechten. Maar wij kinderen kwamen niet verder dan wat giechelen, want op onze leeftijd konden we nog geen zonden bedenken. Maar nu. Misschien kon ik nu wel berouw hebben. Ik zou een zonde kunnen vinden en daar dan berouw over hebben. Ik dacht diep na, zocht mijn ziel en mijn hart af op ook maar de geringste zonde. Maar ik kon geen zonde ontdekken. Weer wenste ik dat ik de afgelopen jaren ongedaan kon maken.

'Wens geen dingen die je niet kunt krijgen,' hoorde ik mama's stem tegen me zeggen. En voor de eerste keer sinds mijn moeder was gestorven, sprongen de tranen in mijn ogen en huilde ik om haar. Ik huilde tot ik er bijna gek van werd. De tranen bleven komen en kwamen van zo diep dat ik dacht dat mijn hart was gebarsten en mijn hele leven uit mijn ogen stroomde, op de grond voor mijn voeten. Ik dacht dat ik mijn hele verdere leven door zou blijven huilen, niet meer in staat te stoppen. Ik dacht dat ik daar op die harde grond zou blijven zitten huilen tot ik een zondvloed van tranen werd en mijn weg naar de rivier zou vinden en naar het eind van de wereld zou stromen, naamloos en ongezien. Ik zou de oevers likken bij elke bocht, maar nooit meer aan wal komen.

'Mama,' riep ik nog eens naar de hemel. Maar er kwam geen antwoord.

# 27
## *Zie niet om*

In Karabahçe, in het vernielde huis waar we voor het eerst beschutting hadden gevonden, trof ik de priester uit ons oude dorp aan te midden van een kleine groep mensen. Ik herkende zijn appelwangen boven zijn lange, woeste baard. Hij liep nog steeds in zijn habijt, waar nu hier en daar stukken in waren gezet. Zijn schouders hingen neer, alsof het gewicht van het habijt hem te zwaar was.

Toen ik het flauw verlichte vertrek binnenging, keek hij naar me op. Zijn gezicht werd verlicht door een paar kaarsen op de vloer.

'Je hebt gehuild,' zei hij. 'Kom bij ons zitten en vertel wat er is gebeurd.'

Opnieuw barstte ik in tranen uit en wat ik ook probeerde, ik kreeg geen woord over mijn lippen.

'Geef haar een kom thee,' zei hij tegen een van de vrouwen. 'Kom naast me zitten uitrusten en als je zover bent, vertel je het me maar.'

Ik ging naast hem zitten en verdrong mijn tranen, totdat ik eindelijk wat kalmeerde door te luisteren naar zijn vriendelijke stem, die in onze eigen taal sprak.

'Generaal Mustafa Kemal heeft de Grieken uit Smyrna verdreven,' zei hij tegen de mensen om hem heen, de draad van zijn verhaal weer oppikkend waar hij was gestopt toen ik binnenkwam. 'Ze zeggen dat de Grieken de stad in brand hebben gestoken voor ze zich terugtrokken, maar anderen zeggen dat het niet de Grieken waren, maar Turkse brandstichters. Alleen de Turkse wijk in Smyrna is gespaard gebleven.'

'Wil dat zeggen dat wij hier dus voor altijd opgesloten zullen zitten, pastoor?' vroeg een man. 'Zullen we nooit meer naar huis kunnen?'

'Ik weet het niet, mijn zoon,' zei de priester. 'Het is geen goed teken. Als de Grieken verliezen...' Hij hield op met spreken en schudde zijn hoofd. 'Ze hebben veel Grieken naar Griekenland gestuurd. In ieder geval diegenen die aan de westkust woonden. Maar nog veel meer zijn gestorven of brutaalweg vermoord. Ze zeggen ook dat er in het oosten vele duizenden Armeniërs zijn afgeslacht. De Griekse troepen zijn tot nu toe steeds heel sterk gebleken. Dit is een geweldige nederlaag. We kunnen alleen maar afwachten en zien wat er gebeurt.'

'Jagen ze alle christenen weg, pastoor?' vroeg een andere man.

'Daar lijkt het wel op. Misschien is het nu niet meer dan een kwestie van tijd voordat ze de rest van de Assyriërs ook verjagen, en welke christenen er verder hier in het zuiden mogen wonen. Wij zullen ook moeten vertrekken.'

Ik kroop tegen hem aan op de mat waarop hij zat. Ik vroeg me af waar ik naartoe zou moeten gaan, maar viel algauw in slaap bij het troostende geluid van zijn stem. Het was niet in me opgekomen om naar mijn vader en broer te vragen, of naar mijn moeder. Ik was te zeer door verdriet overmand om te praten, en ik nam aan dat mijn vader me had achtergelaten met de gedachte dat ik veilig was.

Een paar dagen later, net toen ik begon te denken dat ik voor altijd van Ruth was verlost, verscheen haar broer aan de deur.

'Ik ben op zoek naar Sano,' zei hij tegen de priester.

'Er is hier geen Sano,' antwoordde de priester.

'Het is het meisje dat bij mijn zuster in Tlaraz woonde. Het is een Grieks meisje,' zei hij. Hij stond wat te drentelen bij de deur en tuurde de kamer rond.

'Hij is op zoek naar mij,' zei ik, naar de deur lopend.

'Mijn zuster heeft me gestuurd, of je terug wilt komen,' zei hij.

'Ik wil niet meer terug,' zei ik. 'Ze doet altijd gemeen tegen me.'

'Tegen mij ook,' zei hij. 'Ze is gemeen tegen iedereen. Ik begrijp best dat je niet mee terug wilt komen, maar ik heb beloofd dat ik je terug zou halen.'

Ik stond naar mijn blote voeten te staren en wist niet wat ik moest zeggen. Ik wilde niet terug, maar ik wilde ook de priester en de anderen niet tot last zijn. Ze hadden al zo weinig om te delen.

'Misschien dat ze je nu beter zal behandelen, nu je een keer bent weggelopen,' zei de broer toen hij mijn aarzeling opmerkte. 'Misschien heeft ze er iets van geleerd.'

'Denk je echt dat ze nu aardiger zal zijn?' vroeg ik, hopend dat het zo zou zijn.

'Ik weet het niet. Dat kun je alleen maar zelf ontdekken. Ze is geen gemakkelijke vrouw,' zei hij.

Ik wou dat ik kon zeggen dat het de tweede keer beter was, maar het was precies als voorheen.

'De kinderen moeten verzorgd worden,' zei Ruth toen we in Tlaraz terugkwamen. Het was alsof er niets was voorgevallen, alsof er voor haar geen drie dagen voorbij waren gegaan, alsof ze drie dagen geleden haar mond had geopend om die opdracht te geven en toen als bevroren, met haar nijdige mond openhangend, wachtend tot de woorden naar buiten zouden komen, op die plek was blijven staan terwijl in Karabahçe de tijd gewoon was verstreken.

Het huis kwam me nu kleiner voor, en armzaliger, maar de zure blik op haar gezicht was niet veranderd. Weer voelde ik diezelfde paniek die ik altijd voelde in haar aanwezigheid. Ik voelde dezelfde spanning diep in mijn binnenste en mijn ademhaling werd weer heel oppervlakkig. Maar ik gehoorzaamde.

Het enige wat ik had was de vriendschap van de blinde jongen die me af en toe kwam opvrolijken met zijn capriolen. Andere vrienden had ik niet. Ik keek vooruit noch terug; ik hing tussen heden en verleden in en voelde me als een vallende ster aan de hemel.

'Sano! Kom mijn voeten wassen,' riep het dochtertje van de vrouw me op een dag toe. Ik was bezig met het schoonmaken van de stal.

'Ik doe het wel,' riep Ruth.

'Nee, ik wil dat Sano het doet!' De kinderen kwamen op me afgerend, sloegen hun armen om me heen en begroeven hun gezicht in mijn jurk.

'Ga naar jullie moeder,' zei ik. 'Zij zal het doen.'

'Hoe durf je mij te vertellen wat ik moet doen?' gilde Ruth. 'Wie denk je wel niet dat je bent?'

'Ik bedoelde alleen...' stamelde ik.

'Je bedoelde alleen maar wat? Ik breek je nek als je nog eens zo tegen mij durft te praten. Waar haal je het lef vandaan?'

'Maar ik...'

'Spreek me niet tegen, duivels kind! Moet ik alle botten in je lijf breken?' krijste ze.

'Wat heeft ze nu weer gedaan?' zei de buurvrouw toen ze me bij haar op de drempel zag staan.

Ze schudde haar hoofd. 'Kom, Sano. Kom even zitten uitrusten tot ze wat gekalmeerd is. Ze is veel te gespannen.'

'Ze loopt altijd maar tegen me te schreeuwen, om elk klein dingetje. Ik kan er niet meer tegen. Waarom doet ze altijd zo gemeen?'

Ik voelde de tranen in mijn keel. De buurvrouw klakte met haar tong.

'Ja. Ze is heel moeilijk. Zelfs haar eigen broer wil niet meer met haar praten. Hij is voorgoed uit het dorp vertrokken. Kom, word eens rustig, dan zal zij ook zo wel tot bedaren komen.'

Maar echt rustig was ze nooit. Ik had altijd het gevoel dat ze als een panter in het donker op de loer lag. Ik voelde haar warme, nare adem in korte, regelmatige stoten op me afkomen terwijl ze me gadesloeg, klaar om haar prooi te bespringen.

Ten slotte maakte de winter weer plaats voor de zomer en wederom stond de zon te branden op de vlakte. Af en toe keken de dorpsmeisjes even in mijn dunne katoenen jurk om te controleren of mijn kleine knopjes al tot bloei begonnen te komen. Ik was twaalf, maar nog steeds zo plat als de woestijn.

'Misschien komen ze wel nooit,' zei een meisje tegen me op een dorpsfeest. 'Word je al ongesteld?'

'Wat is dat?'

Ze rolde met haar ogen. 'Of je al bloedt.'

'Nee. Waarom zou ik ook moeten bloeden? Ik heb mezelf niet gesneden,' zei ik.

'Laat haar met rust,' zei een jonge vrouw uit Diyarbakir. 'Ga je met je eigen zaken bemoeien.'

Ik keek haar dankbaar aan, niet eens zozeer omdat ze de meisjes van me afhield, maar omdat ze het voor me opnam. Ze was iemand die ik 's zomers al heel vaak aan de randen van de tarwevelden had zien werken. Ze oogstte de vergeten hoekjes en plukte de omgevallen tarwe die de mannen met hun zeis hadden overgeslagen. Ze kwam elk jaar en verkocht de door haar verzamelde tarwe om stof te kopen, waarvan ze dan kleren maakte. Haar tante was ook een keer meegekomen. Ze had ons bezocht omdat Ruth familie van haar man was.

De meisjes maakten zich giechelend uit de voeten. Ik ging een tent binnen die was opgezet om de mensen schaduw te bieden en ging wat liggen uitrusten. Een warm briesje deed de randen van het doek flapperen en dansen. Ik deed mijn ogen dicht en luisterde naar het gelach van de mensen buiten. De kinderen speelden pakkertje.

'Kom dansen, Themía,' dacht ik een vertrouwde kinderstem te horen roepen. Ik richtte me op om te zien wie er was, maar in plaats van een kind blokkeerde een grotere gestalte het zonlicht dat door de tentopening naar binnen viel.

'Wat spook jij daar uit, duivels kind?' gilde de vrouw tegen me. 'Hoor je niet dat ik je roep? Ik zal je leren naar me te luisteren als ik roep. Ik breek alle botten in je lijf. Ondankbaar stuk vreten!' schreeuwde ze, en ze begon met haar vuisten op me in te slaan.

'Nee!' gilde ik. 'Nee!'

Ik sprong overeind en rende de tent uit in de richting van een huis om aan haar te ontsnappen. Maar ze achtervolgde me en sloeg al rennend op me in. Ik klom op het dak, maar ze klom me achterna, nog steeds slaand.

'Nee!' gilde ik. 'Nee! Help! Ze slaat me. Ze slaat me. Hou haar tegen!'

'Wat is er? Waarom schreeuw je?' zei de jonge vrouw, terwijl ze me heen en weer schudde. 'Wat is er aan de hand?'

'Hou haar tegen! Ze slaat me,' riep ik.

'Wie slaat je?'

'De vrouw. Ze slaat me. Laat haar ophouden.'

'Maar er is hier niemand,' zei ze. 'Alleen jij en ik.'

Ik ging rechtop zitten, snikkend en helemaal van de kaart. Verwonderd keek ik om me heen. Zelfs toen ik zag dat ik nog steeds in de tent zat en dat de vrouw er niet was, kon ik het nog niet geloven. De droom was zo echt en de klappen kwamen zo hard aan dat het even duurde voor ik weer bij mijn positieven kwam.

'Wat gebeurt er?' schreeuwde een andere vrouw die kwam aanrennen.

'Niks,' zei de eerste. 'Ze heeft naar gedroomd.'

Mijn droom maakte me duidelijk hoe bang ik eigenlijk was vanbinnen. Soms vraag ik me weleens af hoe ik het überhaupt heb overleefd.

Op een middag, nadat ik de stieren vanaf de vroege ochtend over de tarwe had laten rondlopen, riep Ruth me met haar schrille stem.

'Ga de stal schoonmaken,' zei ze. 'Maar eerst moet je de koeien naar de herdersjongen brengen.'

Ik ging met de koeien naar de herder, maar hij wilde niet op ze passen.

'Maar van de vouw moest ik ze bij jou brengen,' zei ik.

'Nou, ik wil ze niet,' zei hij.

Hij haalde zijn schouders op en liep weg. Ik liet ze toch maar bij hem en ging naar huis om de stallen te doen. Maar ongeveer een uur later, toen ik een lading mest naar buiten bracht om die te laten drogen in de zon, zag ik de koeien in het veld lopen eten van iets wat ze maïs noemden.

'O! De koeien lopen in de maïs,' riep ik tegen Ruth.

Ze rende naar buiten om te kijken.

'Stommerd!' gilde ze. 'Waarom heb je ze in de maïs laten lopen? Ik had gezegd dat je ze naar de herder moest brengen. Waarom heb je me niet gehoorzaamd?'

'Maar dat heb ik gedaan, en hij wilde ze niet.'

'Je liegt. Ik zal je leren. Zie je die paal daar?' zei ze, naar het dak wijzend. 'Ik haal een touw en zal je aan die paal hangen tot je dood bent.'

'Kunnen jullie nou nooit eens ophouden?' riep haar man. 'Als jullie niet ophouden met ruziemaken, stuur ik jullie allebei een andere kant op het veld in. Eindelijk rust aan m'n kop. Het is genoeg geweest. Ik ben het zat om jullie steeds maar ruzie te horen maken.'

'Zij heeft de koeien in de maïs gelaten.'

'Kan me niet schelen. Is het niet dit, dan is het wel dat. Als jullie niet ophouden, dan is het met jullie beiden gedaan,' schreeuwde hij.

Ik rende het erf af naar het huis van de buurvrouw. Toen ze opendeed barstte ik in tranen uit.

'Ik kan er niet meer tegen,' huilde ik. 'Ze heeft gezegd dat ze me met een touw aan de paal op het dak zou hangen tot ik dood was. Ze was het echt van plan. Hij zei dat hij ons er allebei uit zou gooien als we niet ophielden met ruziemaken.'

'Jij bent het probleem niet, dat is zij,' zei de vrouw.

'Maar nu maken ze ruzie over mij. Ik wil hier weg. Wat moet ik doen?'

Ze schudde nadenkend haar hoofd. 'Ik zal je niet vertellen te blijven en ik zal je niet vertellen te vertrekken,' zei ze. 'Het is een akelig mens.'

'Dan ga ik weg en deze keer kom ik niet terug,' zei ik. Ik keek haar een poosje aan om te zien of ze me tegen zou houden. Maar ze keek me aan met een droevige blik in haar ogen en deed niets.

'Ik wens je veel geluk,' zei ze ten slotte. 'En moge God je bijstaan.'

Ik ging naar buiten en klom op het dak om achterom te gaan, zodat Ruth me niet zou zien. Toen rende ik zo snel ik kon weg. De buurvrouw had haar vast verteld dat ik zou vertrekken, want al heel gauw hoorde ik de schrille stem van Ruth. Ze riep me. Maar hoe vaker ik haar hoorde roepen, des te harder ik rende. 'Sano! Sano!' riep ze. 'Sano!' Ik wist dat ze me op de hielen zat. Maar ik keek niet om. Ik rende en rende. En ook toen ik niet meer kon, bleef ik rennen, opgejaagd door haar akelige ravenstem in mijn rug. 'Sano! Sano!' Kilometers zat ze achter me aan, zo voelde het, en het geluid van haar stem was voldoende om me vooruit te krijgen, net zo lang tot ik haar, eindelijk, niet meer hoorde.

# 28
## Diyarbakir

Toen ik heel ver weg was zag ik een man te paard de weg afkomen. Ik zwaaide om hem te doen stoppen.

'Hoe kom ik in Diyarbakir?' vroeg ik.

'Waarom wil je zo ver? Wacht daar iemand op je?' vroeg hij.

'O ja!' zei ik. 'Mijn ouders wachten daar op me. Ze zitten op me te wachten.'

'Goed dan. Blijf deze weg volgen tot je bij de rivier komt. Aan de andere kant van de rivier ligt Diyarbakir.'

De weg was verlaten. Het was alsof ik helemaal alleen op de wereld was. Maar toch hield ik vol. Ten slotte kwam een man op een ezel me tegemoet.

'Je bent niet meer zo ver van de rivier,' zei hij op mijn vraag of ik op de goede weg zat. 'Gewoon doorlopen, dan kom je er wel.'

Een uur of vijf later hoorde ik kinderen spelen. De rivier lag recht voor me en ik zag net een man te paard oversteken. Aan beide kanten van de ribben van het paard hingen zakken boordevol spullen.

Daar steek ik ook over, dacht ik. Op die plek kan het niet erg diep zijn.

Ik keek hem na tot hij aan de andere kant was. Toen ging ik het water in. Eerst was het ondiep. Ik liep zo voorzichtig mogelijk, maar hoe dichter ik bij het midden kwam, des te sterker de stroming werd. Ik tilde mijn voet op om een stap te doen en het water trok zo hard aan me dat mijn andere voet bijna onder me vandaan werd getrokken. Plotseling kwam het water tot mijn borst.

In paniek ging ik terug naar de oever en rende een heuvel op. Daar liet ik me neerzakken. Ik huilde onbedaarlijk en mijn hart bonsde in een vreemd ritme.

'Heb je gezien welke kant ze opgingen?' vroeg een jongen plotseling aan me. Ik had een groepje vlakbij spelende jongens niet opgemerkt.

'Nee,' zei ik. 'Ik lette niet op.'

'Waarom huil je?' vroeg hij. Hij was niet ouder dan een jaar of acht en kwam niet hoger dan mijn schouders. Het was een magere jongen met stekelhaar, vuile knieën en handen van het tikkertje spelen, en de trui die hij aanhad was te krap.

'Ik wil de rivier oversteken om naar Diyarbakir te gaan, maar het water trok me bijna kopje-onder, dus ik kom er niet over,' zei ik. Ik barstte opnieuw in tranen uit.

'Waarom wil je naar Diyarbakir?' vroeg hij.

'Ik ben op zoek naar een vrouw,' zei ik.

'Op zoek naar een vrouw? Weet je waar ze woont?'

'Nee,' zei ik.

'Hoe heet ze?'

'Weet ik niet.'

De jongen schudde zijn hoofd. 'Als je me een stuiver geeft, dan help ik je naar de overkant,' zei hij.

'Maar ik heb geen stuiver. Ik heb alleen maar de kleren die ik aanheb,' zei ik, aan de doorweekte jurk trekkend die ik droeg.

'Best,' zei hij, 'ik breng je zo ook wel naar de andere kant.'

'Maar hoe dan? Het water is te diep en de stroming is te sterk. We zullen verdrinken.'

'Kom maar mee,' zei hij.

Voor ik iets kon zeggen rende hij al stroomafwaarts. Ik holde achter hem aan. Toen we bij zijn plek kwamen zei hij: 'Ik ga stroomaf staan en jij stroomop. En als de stroming je deze kant op duwt, dan duw ik je terug en zo komen we aan de andere kant.'

'Goed,' zei ik. Hij was heel klein, maar om de een of andere reden vertrouwde ik hem.

'Hoe moet je die vrouw vinden als je daar bent?' vroeg hij.

'Ik weet het niet, maar dat moet lukken,' zei ik.

'Diyarbakir is heel groot,' zei hij. Hij keek me een poosje aan, wachtend tot zijn mededeling tot mij was doorgedrongen. Ik kon alleen maar terugstaren.

'Goed,' zei hij. 'Kom mee.'

We waadden de rivier in, hij aan de stroomafwaartse kant en ik aan de stroomopwaartse kant, net zoals hij had gezegd. Maar toen we halverwege waren, kwam het water nog maar tot mijn knieën.

'Maar het is hier helemaal niet diep,' zei ik.

'Weet ik,' zei hij. 'Dit is een goeie plek om over te steken.'

Toen ik dichter bij Diyarbakir kwam, zag ik steeds meer mensen op de weg. Sommigen reden op een ezel, anderen liepen naast een ezel beladen met goederen. Algauw zag ik de reusachtige muur van de stad voor me liggen. Ik herkende hem van toen we er doorgekomen waren op weg naar het zuiden met de soldaten. De muur was donker en dreigend, een stevige barricade tegen indringers. Ik liep door de grote poort die toegang bood tot de stad. Er waren vier van zulke poorten. Elke poort zo hoog als vier huizen. In elke kant van de muur was er een: zuid, noord, oost en west.

Toen ik de reusachtige poort door liep, zakte de moed me in de schoenen. Diyarbakir was een grote stad. Voor het eerst drong het tot me door hoe onmogelijk het zou zijn om de vrouw naar wie ik op zoek was te vinden. Ik had haar maar één keer gezien, toen ze bij Ruth op bezoek kwam. Het enige wat ik wist was dat ze de tante was van het meisje dat de tarwe langs de randen van de akkers oogstte. De ouders van het meisje waren gedood door de Turken, en de vrouw had haar broers dochter bij zich in huis genomen en haar verzorgd als haar eigen dochter.

Ik keek vol ontzag om me heen naar de stad die zich voor mij uitstrekte. Mensen liepen gehaast alle kanten op. Kooplui leurden met hun waar. Kinderen speelden en riepen. Ik dwaalde maar wat rond; ik had geen idee waar ik mijn zoektocht naar de vrouw moest beginnen. De zon stond al laag aan de hemel. Mijn maag knorde.

'Klein meisje,' riep een oude vrouw, en ze gebaarde me met haar knokige hand. 'Help je me even met water uit de put te halen?'

'Ja hoor,' zei ik. Ik liet haar emmer in de put zakken en haalde weer op.

'Heb je honger?' vroeg de oude vrouw, die in de gaten kreeg dat ik verdwaald of op de vlucht was.

'Ja,' zei ik.

'Kom mee,' zei ze. 'Dan krijg je een boterham.'

Ik liep met haar mee naar haar huis. Het was maar een klein stukje, en ik droeg de emmer water voor haar. Ze ging naar binnen en kwam al snel weer naar buiten met een boterham.

Ik liep uren doelloos heen en weer. Ik wist niet waar ik naartoe moest of hoe ik de vrouw zou kunnen vinden. De zon was al bijna onder en in de huizen en etalages werden de lichten aangestoken.

'Kom eens hier! Bint!' Een winkeleigenaar gebaarde naar me. Ik was zijn winkel waarschijnlijk al tien keer gepasseerd. In zijn uitgestoken hand hield hij een stuk watermeloen. 'Je ziet eruit alsof je honger hebt.'

Ik keek verbaasd naar hem op. 'Dank u,' zei ik.

Ik voelde me zo verlegen dat ik het stuk watermeloen aannam en het achter een huis ging zitten opeten, zodat niemand me zou zien.

Algauw werd de stad alleen nog maar verlicht door een bleke gloed. Toen pas drong het tot me door dat ik nergens naartoe kon. Ik had niet gedacht dat de stad zo groot zou zijn. Ik was zomaar weggerend, zonder ergens over na te denken. Waar kon ik naartoe? Wat moest ik doen?

Ik liep heen en weer en keek aandachtig naar de gezichten van de vrouwen die ik tegenkwam. En plotseling kwam daar de vrouw die ik zocht mijn kant op gelopen. Ik wist maar één ding, en dat was dat God óf een engel óf misschien mijn moeder haar op de een of andere manier op mijn weg had gebracht. In die grote, uitgestrekte stad had ik haar gevonden, of liever gezegd: had zij mij gevonden, tegen alle verwachtingen in. Het was als het vinden van een bepaalde steen op de bodem van een woeste zee. Daar was ze. Was ik de rivier overgestoken waar ik het eerst had geprobeerd, dan had ik haar bijna zeker niet gevonden, want dan zou ik de stad door een andere poort zijn binnengekomen.

'Hallo,' zei ik. 'Kent u me nog?'

'Nee, wie ben je dan?'

'Ik ben het meisje dat bij Ruth in huis woonde, in Tlaraz,' zei ik.

'Wat doe je dan hier?' wilde ze weten.

'Ik ben weggelopen,' gooide ik eruit, verrast door haar toon.

'Nee toch!' zei ze geschrokken. 'Je moet teruggaan. Hier kun je niet blijven.'

'Ik kan niet terug en ik wil niet terug. Ik wil nooit meer terug,' zei ik. En de tranen sprongen uit mijn ogen.

'Mijn dochter is daar nu,' zei ze, doelend op de dochter van haar broer. 'Ze zal mijn dochter iets aandoen. Het is een naar mens.'

Ik keek haar ongelovig aan.

'Goed dan,' zei ze, toen ik maar doorging met huilen en geen aanstalten maakte om weg te gaan. 'Je mag nu met me mee naar huis, maar morgen moet je terug.'

Ze liep snel weg en ik moest op een holletje achter haar aan om bij te blijven. 'Het is een naar mens,' zei ze weer, in zichzelf pratend terwijl ze liep. 'Maar heus! Morgen moet je terug. Hoe kan ik je nou houden? Waar moet je slapen? Nee! Het is onmogelijk.' Zo ging ze maar door, totdat we bij haar huis kwamen.

'Wie is dit?' vroeg haar natuurlijke dochter toen we binnenkwamen. 'Wanneer ben je in Diyarbakir aangekomen?'

'Vandaag,' zei ik.

'Morgen gaat ze terug,' hield haar moeder vol. 'Hier kan ze niet blijven.'

'Daar komt niets van in,' zei haar dochter. 'Die vrouw is veel te wreed. Je kunt haar niet terugsturen.' Ze liet me plaatsnemen en haalde een glaasje thee voor me.

'Kom,' zei de vrouw tegen me, me wakker schuddend. Ochtendlicht stroomde door het raam naar binnen. Ik wist niet eens dat ik in slaap was gevallen.

'Hier heb je wat kleingeld. Koop wat brood voor jezelf. Ik moet naar mijn werk. Je kunt niet binnen blijven terwijl ik weg ben. Later kom ik terug.'

Ze gaf me een paar muntjes en sloot me buiten. En ook de drie dagen die volgden zette ze me op straat als ze naar haar werk ging.

Meteen na mijn aankomst in Diyarbakir had ik hevige aanvallen van rillingen gekregen. Elke dag nadat de vrouw me op straat had gezet, was ik rillend tegen de zijkant van het gebouw gekropen om warm te worden in de zon. Ook al stond de zomerzon te branden en was het windstil, ik werd maar niet warm. Op een dag kreeg ik er ook verschrikkelijke hoofdpijn bij.

'Wat is er toch met je?' vroeg een buurvrouw toen ik zo rillend tegen die muur zat.

'Ik heb hoofdpijn,' zei ik, 'en ik heb het koud.'

'Wacht. Dan haal ik een emmer koud water om over je hoofd te gieten. Dat zal vast helpen.'

Ik liet haar begaan. Mijn hoofdpijn verdween, maar ik rilde des te meer. Zo ontmoette ik Zohra en haar familie.

'Wat ben je met dat meisje van plan?' vroeg Zohra aan de vrouw bij wie ik logeerde. 'Je kunt haar niet telkens zo overdag op straat zetten.'

'Wat moet ik anders? Ik kan niet voor haar zorgen,' zei de vrouw op haar gebruikelijke nerveuze toon.

'Geef haar dan aan mij. Ik heb er nog eentje op komst. Ze kan me helpen oppassen.'

'Ja! Ja! Neem haar. Graag zelfs. Dat is beter voor ons allemaal. Ik kan niet voor haar zorgen, begrijp je.'

'Zou je bij mij willen komen wonen?' vroeg Zohra.

'Goed,' zei ik. Ik liep achter haar aan naar binnen en bleef toen afwachtend staan. Ik had nog steeds geen andere bezittingen dan de jurk die ik aanhad. Zelfs de band van mijn moeder was ik kwijt.

Zohra's oude gebogen moeder, die door Zohra's kind simpel oma werd genoemd, riep vanuit de andere kamer: 'Wie heb je daar bij je?'

'Hoe heet je?' vroeg Zohra.

'Sano,' zei ik, want ik dacht dat zij misschien ook om mijn echte naam zouden moeten lachen.

'Wie?' vroeg oma opnieuw, met haar schelle stem.

'Het is Sano,' zei Zohra. 'Ze komt bij ons wonen.'

'Hmm,' deed oma, maar ze zei niets.

'Er is iemand voor je,' zei Zohra een paar dagen later vanuit de deuropening. Ik keek en zag de man van Ruth op de stoep staan. Ik ging naar hem toe.

'Gaat het goed met je?' vroeg hij.

'Ja,' zei ik. 'Maar ik kom niet terug! Ik kom nooit meer terug!' De tranen sprongen in mijn ogen.

'Ik kwam ook niet om je te halen,' zei hij vriendelijk.

Ik bekeek zijn sympathieke gezicht en begreep niet goed wat hij kwam doen.

'Zijn ze aardig tegen je?' vroeg hij.

'Ja,' zei ik.

'Mooi zo,' zei hij, en hij liep weg.

We woonden in een huis met een verdieping en een binnenplaats, wat heel gewoon was daar. Het was een mooi huis. Grappig, de dingen die je je weet te herinneren. Ik herinner me de kleur van Zohra's slaapkamer. Hij was beneden en de kleur was geel.

Een stuk van de begane grond werd verhuurd aan een andere familie. Op de binnenplaats was een put, maar het water was niet geschikt om te drinken. Het werd alleen gebruikt om kleren te wassen. Ik heb eens per ongeluk een slipper in die put laten vallen.

'Wat is dat?' vroeg Zohra aan haar man. 'Zou er een kat in gevallen zijn?'

Maar hij wist het ook niet, en ik kon niets doen dan met kloppend hart toezien terwijl zij over de muur van de put hingen. Ook al waren ze vriendelijk tegen me, toch durfde ik het niet te vertellen. Ik had al te lang als een wees geleefd en de valsheid van de vrouw in Tlaraz had me bang gemaakt.

Een paar maanden na mijn komst werd Sonya geboren. Het was een lief kind met inktzwarte ogen en zwarte krullen. Ze had een kogelrond gezicht en was goedlachs. Haar zus Araxine was een jaar of twee en net als Sonya rozig en levendig.

Ik sprak inmiddels Arabisch, Koerdisch en Turks, en nu ik bij Zohra en haar familie woonde leerde ik ook nog Armeens. Die talen bleven als het ware zó aan me plakken, maar net zo gemakkelijk ben ik het later ook allemaal weer vergeten. Zelfs mijn eigen Grieks ben ik op den duur kwijtgeraakt, omdat ik niemand had om het mee te spreken. Alleen het Arabisch bleef.

Mijn vreemde rilaanvallen bleven bijna een jaar elke middag terugkomen. Pas toen Zohra een keer zelf naar een Armeense dokter moest, vroeg ze hem ook naar de verschijnselen die ik had. Hij raadde haar aan mijn rug met rode peper in te smeren. Daarna moest ik zo lang als ik het kon volhouden in het heetste stuk van een Turks bad gaan zitten. Dat heb ik gedaan. De hitte was verstikkend. Af en toe moest ik even een frisse neus halen. Maar toen ik het badhuis verliet voelde ik me beter en de aanvallen zijn daarna uitgebleven.

Diyarbakir was een stad van kooplieden en het bruiste er. Overal op de markt hingen prachtig gekleurde kleden en voor de winkels stonden grote zakken met graan en gedroogde zuidvruchten. Verse vijgen en watermeloenen, hoog opgestapeld op door muildieren en ossen getrokken karren, werden luidkeels door de verkopers aangeprezen, en overal langs de geweldige muur die de stad omringde klonk het gejoel van spelende kinderen. Het was een komen en gaan van ossenwagens. Schapen met op hun rug geverfde merktekens, zodat je kon zien van wie de kudde was, renden blatend voor hun herder uit naar de markt. De theehuizen zaten altijd vol mannen met fezzen. Ze droegen korte vestjes en taps toelopende pofbroeken met een kleurige sjerp om hun middel. Ze zaten op lage krukjes van hun in kleine glaasjes geserveerde thee of koffie te nippen en bespraken de gebeurtenissen van de dag. Vrouwen gehuld in zwarte, vitrageachtige sluiers en zwarte gewaden tot op de grond, liepen over straat als uitgespaarde zwarte gaten in het duizelingwekkende, zonovergoten tafereel. Ze sjorden manden met wasgoed of levensmiddelen met zich mee, of liepen gewoon maar arm in arm wat rond.

Zelfs Zohra, die een christen was, droeg het zwarte kleed dat haar gezicht bedekte als ze de deur uitging en Hagop droeg een fez of kleedde zich als een Koerd, zodat niemand ze als christenen herkende. Er waren nog altijd behoorlijk veel Armeniërs en Assyriërs in het zuiden, zoals Zohra en haar familie en allerlei mensen in kleine dorpen als Tlaraz. Maar ze waren hun leven in Turkije op dat moment niet zeker.

Op een dag toen Zohra het avondeten klaarmaakte en ik Sonya voedde keek ze me heel even als diep in gedachten verzonken aan en ging toen verder met haar bezigheden.

'Toen de regering van de Jonge Turken in 1915 opdracht gaf Armeniërs en Assyriërs te vermoorden,' zei Zohra, 'was ik niet veel ouder dat jij nu. Een Turkse familie nam mij en mijn moeder in huis en gaf ons huishoudelijk werk. Ze zeiden dat we niet naar buiten moesten gaan omdat dat niet veilig was. Maar ik was jong en wilde net als andere vrije mensen gewoon kunnen rondlopen. Dus op een dag, toen ze niet opletten, ging ik naar buiten. Maar ik had nauwelijks een paar stappen gezet, of een jonge jongen greep mijn pols en begon me mee te trekken. Ik verzette me en smeekte hem me te laten gaan, maar hij liet niet los en noemde me steeds maar "ongelovige". Een oude Turkse man die net langskwam zag dat de jongen me meetrok.

"Wat doe je met dat meisje?" vroeg hij aan de jongen.

"Ze is een Armeense," zei de jongen. "Ze hoort hier niet."

"Laat haar met rust," zei de man, strenger deze keer. "Laat haar los en maak dat je wegkomt."

De jongen liet mijn pols los en liep mokkend weg. Af en toe keek hij nog om. De oude man bleef bij me staan totdat de jongen uit het zicht was.

"Waar woon je? Laat maar zien," zei de oude Turk.

Ik liep met hem mee naar het Turkse huis waar ik met mijn moeder logeerde en wees naar de deur. "Hier," zei ik. "Hier woon ik."

"Ga naar binnen," zei de oude man, "en blijf binnen."'

Tijdens de moordpartijen had Hagop zichzelf tussen de Koerden verstopt. Zijn oom was al gearresteerd en weggevoerd om samen met zijn gezin te worden afgeslacht. Net als Hagop was zijn oom timmerman, en het was zijn grote vakmanschap dat hem redde. Toen de houten spaken van het rijtuig van de plaatselijke Turkse overheidsbekleder, de *bey*, braken, wilde deze geen andere timmerman voor de reparatie dan Hagops oom. Er werd een wacht uitgestuurd om hem te halen.

'Hij is al gearresteerd en naar het kamp gestuurd,' zei de wacht tegen de bey.

'Ga maar halen,' zei de bey.

De wacht ging Hagops oom vertellen dat de bey hem spaarde om zijn rijtuig door hem te laten herstellen, maar mijn ooms familie moest in het kamp blijven. Hagops oom antwoordde: 'Zeg tegen de bey dat hij naar de hel kan lopen. Als hij denkt dat ik zijn rijtuig maak terwijl hij de rest van mijn familie afslacht, dan vergist hij zich. Dan laat ik me liever met mijn familie afslachten, en kan hij doodvallen met z'n rijtuig.'

Daarop liet de bey de hele familie halen en ze bleven gespaard.

'Waar is het geld?' vroeg oma me zomaar opeens op een dag.

'Welk geld?'

'Er lag een *medici* onder het kussen van Zohra's bed en nu is hij weg,' zei ze. 'Heb jij hem gepakt?'

Het was een munt zo groot als een halve dollar met een waarde van ongeveer twintig cent.

'Nee,' zei ik. 'Ik heb dat geld nooit gezien.'

'Het zal toch geen pootjes hebben gekregen,' zei ze.

'Maar ik heb het niet gepakt.'

Ik voelde dezelfde paniek die me vaak had overvallen toen ik in Tlaraz woonde en ten onrechte werd beschuldigd.

'Als je het hebt gepakt zullen we je niet straffen,' zei Zohra. 'Vertel ons maar gewoon waar het is.'

'Maar ik zweer dat ik het niet heb,' zei ik.

'Ach!' zei oma vol afkeer, en ze stuurde me met een handgebaar de deur uit.

Ik ging naar buiten en liep langzaam de weg af, me afvragend waar ik nu naartoe moest gaan.

'Waar ga je heen?' riep oma me achterna.

'Nergens,' zei ik. 'Waar zou ik naartoe moeten?'

'Kom terug,' zei ze, terwijl ze achter me aan hobbelde. Ze greep mijn hand en leidde me naar het muurtje achter het huis. 'Wacht hier,' zei ze.

Ze ging naar binnen. Ik wachtte geduldig. Ik voelde de tranen komen.

'Wat is er aan de hand? Waarom huil je?'

Ik keek op en zag Hagop zorgelijk naar me kijken.

'Ze zeggen dat ik het geld onder Zohra's kussen heb gepakt,' gooide ik er snikkend uit. 'Maar dat is niet zo. Ik wist niet eens dat daar geld lag.'

'Ach!' zei hij. 'Ik heb dat geld gepakt,' en hij ging het huis binnen.

Ik ben er nooit achter gekomen of hij het echt had gepakt of dat het domweg op de vloer was gevallen en zoekgeraakt. Er is nooit meer een woord over gezegd, maar het voorval was een bittere herinnering aan het feit dat ik nog steeds een buitenstaander was.

# 29
## Onderweg naar Aleppo

'Wat is er met je neus?' riep oma eens tegen me.

'Ik weet het niet,' zei ik.

Ik had een pijnlijk plekje op de brug van mijn neus gekregen dat begon te bloeden als ik eraan kwam.

'Kom eens hier,' zei oma op haar gebruikelijke scherpe toon.

Ik ging voor haar staan. Ze keurde me met haar sluwe blik en begon toen wild met haar armen te zwaaien.

'Heb je die man gezien wiens neus eraf is gevallen?' riep ze.

Ik knikte. We hadden hem in de buurt van deur tot deur zien gaan om te bedelen. Het grootse deel van zijn neus was verdwenen; hij had alleen nog een vochtig rood stompje over.

'Lepra! Die man heeft lepra. En jij hebt het ook!'

Mijn ogen puilden uit van verbazing en ongeloof en mijn mond viel open. 'Nee,' zei ik. 'Ik kan geen lepra hebben. Dat kan gewoon niet.'

'En wat denk je dan dat je daar op je neus hebt? Het is lepra, ik zeg het je.'

'Nee!' schreeuwde ik, en ik draaide me om om weg te rennen.

'Kom terug!' riep oma. 'Waar wou je naartoe? Dacht je dat je weg kon rennen voor een ziekte? Vergeet het maar.'

Ik kreeg tranen in mijn ogen bij het vooruitzicht een bedelaar zonder neus te worden, die in lompen langs de deuren ging. Ik wist zeker dat Zohra en Hagop me nu zouden vragen hun huis te verlaten en dat oma erop zou staan.

'Deze ziekte zal je nog verslinden,' zei oma. 'Kom mee.'

Ze pakte me bij mijn pols en sleepte me naar de schoorsteenmantel; het hart klopte me in de keel.

'Hier blijven staan!' gebood oma.

Ze nam een kleine pan, waar ze al rondlopend van alles in verzamelde. Toen kwam ze terug naar de schoorsteenmantel, waar ik huilend wachtte. Ze voelde met een lepel in de schoorsteen en schraapte een beetje roet van de muren in het pannetje. Opnieuw viel mijn mond open van verbazing. Ik dacht dat ze me onder het roet zou smeren voor ze me op straat zette, zodat de mensen zouden zien dat ik ziek was en uit mijn buurt zouden blijven. Deze nieuwe gedachte deed me alleen nog maar harder huilen. Opnieuw maakte ik me op om weg te rennen, maar oma greep mijn pols en hield me vast in een ijzeren greep.

'Je kunt er niet voor wegrennen, zeg ik toch! Het zal je verslinden als je dat doet.'

Ze mengde het roet met de andere ingrediënten die ze bij elkaar had gezocht en maakte een soort zalfje. Behalve het roet weet ik niet meer wat ze allemaal gebruikte. Toen ze klaar was met het mengseltje, spreidde ze het uit op een van de dunne velletjes papier die Hagop gebruikte om zijn sigaretten te rollen. Toen legde ze het vloeitje over de zere plek op mijn neus.

Twee keer per dag, 's morgens en 's avonds, gebaarde oma mij met haar knokige hand dat ik voor haar moest komen staan en dan deed ze nieuwe zalf op mijn wond. Verder had ze nog voortdurend van alles op me aan te merken, dus ik was verbaasd dat ze zich zo geduldig aan deze taak wijdde.

De volgende zes maanden ging de tijd langzaam en zonder dat er veel bijzonders gebeurde voorbij. Mijn neus heelde eindelijk, maar was nog steeds gevoelig voor aanrakingen en begon bij het minste of geringste te bloeden. Hagop maakte mozzarella op de binnenplaats, en een gerecht dat hij *kibbeh* noemde, gemaakt van rauw vlees dat hij met een mes heel fijn hakte, zo fijn dat het leek alsof het in een machine was gemalen. Daarop mengde hij het met gierst, groene uien en zout. Hij maakte ook brandewijn voor vrienden en familie, van rozijnen geloof ik, die hij in grote, anderhalve meter hoge aardewerken kruiken liet fermenteren.

Overal in huis en op het erf werd wierook gebrand om de reuk van het spul te maskeren als het stond te koken, want alcohol stoken was illegaal.

Het was tijdens een kleine bijeenkomst in het huis van een vriend dat we het nieuws vernamen. We zaten in een grote kring te eten, te drinken en te praten. Zelfs de vrouwen dronken brandewijn. Een jong meisje zat aan tafel en dronk zoveel dat ik dacht dat ze wel op de vloer moest vallen, maar ze gaf geen krimp en glimlachte lief.

'Dit is lekkere brandewijn, Hagop,' zei een man. 'Ik word er helemaal warm van.'

'Zo lekker heb je hem nog nooit gemaakt,' zei een andere man opgewonden, 'laten we proosten op Hagop.'

'Op Hagop!' riep iedereen in koor.

'Dank jullie wel,' zei Hagop. 'Maar het is hetzelfde recept dat ik elk jaar gebruik. Als het nu beter is, dan komt het doordat de rozijnen dit jaar beter zijn. Die verdienen alle eer.'

'Niet alleen de rozijnen, maar ook de hand van de maker verdient lof,' zei de tweede man. Hij hief zijn glas naar Hagop. 'Je bent te bescheiden, beste vriend.'

'Bescheidenheid is een deugd die je niet alleen bij vrouwen vindt,' zei de eerste man. 'We accepteren je bescheidenheid en prijzen je er des te meer om.'

Iedereen lachte. Zohra zat naast mij en ze had de kleine Sonya op schoot. Voorzichtig trok ze de rand van de luier van het kind een beetje opzij om naar binnen te kijken en wiegde Sonya opnieuw.

'Sano,' zei Zohra. 'Ga eens naar huis en haal een schone luier voor de baby. Sonya is drijfnat, en ik ben vergeten luiers mee te nemen.'

'Goed,' kreunde ik bijna.

Ik vloog de deur uit en rende de straat op, zo snel ik kon naar huis om niet te veel van de vrolijke sfeer te hoeven missen. Ik stoof naar binnen en ging meteen naar Zohra's slaapkamer. Ik doorzocht de kist waar de babyspullen in zaten. 'Wie is daar?' riep oma vanuit de andere kamer.

'Ik ben het, Sano,' riep ik. 'Ik moest een luier halen voor Sonya.'

'O!' zei ze, terwijl ze de kamer binnenhobbelde. 'Ik heb geen water. Als je die luier hebt weggebracht moet je even water voor me gaan halen.'

'Maar...'

'Niet vergeten!' zei ze.

'Goed,' zei ik.

Ik haastte me weer naar buiten. Toen ik terugkwam in het huis waar de groep bij elkaar zat, was de stemming veranderd. Niemand die nog lachte, en er was een nieuwe man. Hij zat naast de gastheer en staarde somber in zijn glas met brandewijn.

'Mustafa Kemal heeft de sultan aan de kant gezet en een regering gevormd in Ankara. Alle christenen hebben de waarschuwing gekregen om zo snel mogelijk het land te verlaten.' Hij leegde zijn glas in één teug en staarde nu naar zijn lege glas. 'Wat moeten we dan met onze huizen en zaken?'

'Achterlaten. Of verkopen als dat nog kan. Maar weg moeten we. Ze hebben al eens duizenden Armeniërs afgeslacht. Waarom zouden ze dat deze keer niet doen? Iedereen moet zich laten fotograferen, waarschijnlijk zodat ze ons kunnen identificeren als we niet weggaan.'

'Hoe lang hebben we?'

'Een paar dagen, hoogstens een week.'

Door alle opwinding en de verwarring over het bericht van Kemals bevel was ik oma's water vergeten. Ik dacht dat zij nu zeker zou voorstellen om mij achter te laten. De paar dagen daarna pakten we het grootste deel van onze inboedel in. Bij elk ding dat ik opvouwde en in een bundel pakte, vroeg ik me af wat er van mij zou worden, waar ik naartoe moest.

'Hagop!' zei een buurman toen ze de wagen oplaadden. 'Wat ben je van plan met dat jonge meisje?'

'Hoe bedoel je?' vroeg Hagop.

'Het Griekse meisje. Wat ga je met haar doen? Zij loopt ook gevaar.'

Hagop trok een verbaasd gezicht.

'Ik begrijp je niet,' zei hij. 'Wat dacht je dat ik met haar zou doen? Ze gaat met ons mee, natuurlijk. Hoe kom je erbij dat we haar zouden achterlaten? Ze is mijn dochter nu.'

'Nou ja, ik dacht... Nee, natuurlijk. Je zou haar nooit achterlaten.'

'Als ze de leeftijd heeft om te trouwen zal ik haar aanstaande niet meer vragen dan wat ik aan haar heb uitgegeven. Maar tot die dag gaat ze waar wij gaan, eet ze wat wij eten en slaapt ze waar wij slapen.' Ik keek naar oma om te zien of ze hem wel hoorde, maar ze knikte alleen maar instemmend en ging verder met het laden van de wagen.

Elke dag kwam er een nieuwe groep christenen langs ons huis, op krakende wagens of te voet naast zwaarbeladen ezels.

Op de vijfde dag begonnen we aan onze eigen reis naar Syrië. De reis was lang en moeizaam, maar leek in geen enkel opzicht op de gedwongen mars naar het zuiden met mijn eigen familie. Er lagen in ieder geval geen lijken op de weg en we hadden genoeg eten en geld om van te leven, al was het geen vetpot.

Onze kar hobbelde over de droge weg vol kuilen en we staken de grens tussen Turkije en Syrië over. Een monotone dreun begeleidde elke beweging van de wagen en achter ons danste een dichte sluier van stof in het laatste zonlicht. Ik kon me in de hele wereld, waarvan ik maar zo weinig wist, geen droeviger plek voorstellen dan het gebied dat we met onze paard en wagen op weg naar Syrië doorkruisten. Het was zelfs desolater dan de lege vlakten in het zuiden van Turkije, waar de wind regelrecht uit de hel leek te blazen en de verblindende zon het kleinste plooitje in je lichaam wist te vinden, waar de tarwe goudkleurig op hoge aren stond te wuiven boven de gele aarde.

Misschien kwam het alleen door mijn eenzaamheid dat ik onze reis zo zwaar vond. Een diepe bedroefdheid had bezit van mij genomen. Voor het eerst sinds ik mijn eigen huis had achtergelaten, een miljoen jaar geleden leek het, had ik tijd om na te denken over wat er allemaal was gebeurd en stil te staan bij wat ik was kwijtgeraakt. Ik keek nog een laatste keer terug naar het land waar ik tijdens mijn eerste levensjaren zo gelukkig was geweest, het land dat de oorzaak van al mijn ellende was geworden. Alles waarvan ik had gehouden kwam bij elke rondgang van de wielen verder en verder achter ons te liggen. Ik wist diep vanbinnen dat er geen enkele kans meer bestond dat ik mijn vader en broer ooit zou terugzien. Ze waren spoorloos uit mijn leven verdwenen. Ik had alleen nog mijn herinnering aan hen, en daaraan hield ik mij vast als aan een dunne onzichtbare draad die ons met elkaar verbond alsof hij met een stevige knoop om mijn hart zat.

Ik stelde me mijn vader en broer voor zoals ik ze de laatste keer in de verte had zien weglopen, alsof ze tot in lengte van dagen zo zouden blijven lopen, zonder te stoppen, zonder rust te vinden, terwijl de volmaakte lichamen van mijn moeder en zussen sereen, als in diepe slaap, onder een dikke deken van aarde lagen die hen tot in alle eeuwigheid zou laten blijven zoals ze waren, als geschakelde edelstenen in het zand.

# 30
## *Zeg: ja, dat wil ik*

In Aleppo, Syrië, vond Hagop een huis voor ons. Het was in een gebouw met twee verdiepingen en een binnenplaats. Ons appartement was op de tweede verdieping en had maar één kamer voor ons allemaal. Ik kreeg er bijna onmiddellijk de mazelen. De vier kinderen op de verdieping beneden ons kregen het ook. Een epidemie had al aan ik weet niet hoeveel kinderen het leven gekost, dus toen ik het kreeg wist Zohra zich geen raad. Ze verbrandde houtskool in een pan en toen alle rook was verdwenen, zette ze de pan met de hete houtskool onder de tafel.

'Kruip onder de tafel met de houtskool,' zei ze tegen me. 'Wikkel deze deken om je heen en blijf stil zitten.'

Toen legde ze een deken over de tafel die tot op de vloer hing.

'Het is om te stikken hieronder,' zei ik. 'Ik zweet.'

'Dat moet ook,' zei Zohra. 'Dat is goed. Blijf zitten en zweet die ziekte eruit.'

De volgende dag week de koorts, maar alle vier de kinderen van de familie beneden ons zijn gestorven.

We zaten ongeveer een jaar in Aleppo toen ik met Abraham trouwde. Het was 1925 en ik was vijftien, geloof ik. Mijn neus was toen allang helemaal beter. De zweer had slechts een heel klein litteken achtergelaten, niemand die het zag. Op de dag dat Hagop me over Abraham vertelde had Zohra me gevraagd op de kinderen te passen en het vuur onder de soep aan de praat te houden totdat zij, Hagop en oma terugkwamen van de markt.

'We zijn over ongeveer een uur terug, Sano,' zei ze, voor ze met z'n allen de deur uit gingen.

Ik bleef maar hout op het vuur stapelen om de soep aan de kook te houden. Ik was bang dat het uit zou gaan en dan zou ik ze teleurstellen, dus ik legde almaar meer hout op het vuur tot de vlammen hoog opschoten. Zo bleef ik maar doen totdat ze thuiskwamen.

Oma keek als eerste in de pan.

'Sano! Wat heb je gedaan?' riep ze met haar schrille stem.

'Hoezo?' vroeg ik. 'Ik heb het vuur aan de gang gehouden, zoals Zohra me verteld had. Ik heb het geen minuut uit laten gaan, eerlijk waar niet.'

Zohra keek ook in de pan en haar mond viel open van verbazing.

'Sano,' zei Zohra, een beetje vriendelijker. 'Je hebt de soep verbrand. Zelfs de kluif is naar de maan.'

'Maar...' begon ik, vol schaamte over mijn blunder.

'Kun je dan helemaal niks? Zelfs zoiets simpels krijg je nog niet voor elkaar?' schreeuwde oma.

'Genoeg!' zei Hagop. 'We koken wel iets anders. Niemand heeft haar ooit geleerd hoe je moet koken. Hoe zou ze het moeten weten? En trouwens,' ging hij verder, 'er is iets waar we het met je over moeten hebben.'

Ik keek van de een naar de ander om te peilen wat er stond te gebeuren. Mijn hart ging als een dolle tekeer. Afgezien van oma met haar scherpe tong waren ze aardig tegen me, maar ze waren niet mijn ouders en diep vanbinnen was ik altijd bang dat ze op een dag zouden zeggen dat ik moest vertrekken. En waar moest ik dan naartoe? Ik keek naar de geblakerde pan met soep. De pan was verschrompeld tot een scheve hoop zink en roet, en de rook uit de houtkachel had een donkere baan gemaakt op de ruwe, gewitkalkte muur achter de kachel.

'Er is een man, Abraham,' zei Hagop. 'Hij komt uit Amerika.'

Ik staarde hem aan. Er was een man. Hij had me de vorige dag staande gehouden op de trap. 'Misschien word jij mijn vrouw,' had hij gezegd, maar ik had het niet serieus genomen. Hij was lang en zag er sterk uit, met strenge ogen. Hij had geprobeerd mijn hand te pakken, maar ik had hem snel teruggetrokken en was het huis in gerend.

'Hij is gekomen om zijn familie te vragen een bruid voor hem te zoeken,' zei Hagop. 'Ze wonen in het appartement beneden ons. Een nichtje van hem wilde wel met hem trouwen, maar ze loopt mank. Hij wil geen vrouw trouwen die misschien niet met hem mee naar Amerika mag.'

Ik stond daar maar en keek hem met stomheid geslagen aan. Ik had geen idee waar hij het over had. Ik stond er niet bij stil dat hij bezig was me te vertellen dat ik met Abraham moest trouwen.

Hagop keek naar mij, en ik stond friemelend voor hem. Zohra en oma staarden ook naar me. Ik wist niet wat ik moest zeggen. Ik begreep niet welke kant hij op wilde.

'Ze hebben hem over jou verteld,' zei Hagop, doelend op Abrahams familie. 'Ik heb met hem gesproken. Hij wil met je trouwen en ik heb hem mijn toestemming gegeven.'

'Hij wil met me trouwen?' vroeg ik.

'Hij is een Assyriër uit de buurt van Diyarbakir. Uit Mardin. Hij is een christen, net als wij.'

Hagop wachtte, keek naar mijn gezicht. Toen ging hij verder.

'Hij woont al twintig jaar in Amerika. Als hij teruggaat zal hij je meenemen. Hij heeft er een huis.'

Hij zweeg opnieuw om mij op te nemen. Hij vroeg niet of ik het ermee eens was. Hij was namens mij akkoord gegaan. Soms dacht ik: als ik kan trouwen ben ik vrij; dan heb ik mijn eigen huis; dan hoef ik niet meer naar oma's boze uitvallen te luisteren; dan heb ik een plekje op deze aarde waar ik echt thuishoor en waar iemand weer bij mij hoort. Natuurlijk waren de intieme details van het huwelijk nog steeds een mysterie voor me.

'Het spijt me van de soep,' zei ik, niet wetend wat ik anders moest zeggen.

'Och, och, och,' pruilde oma. Ze draaide de pan alle kanten op om te zien of er iets te redden viel. Een reep laat zonlicht viel op de dofzwarte pan en spleet oma's gebogen gestalte in tweeën.

Tien dagen nadat Hagop met mij over Abraham had gesproken, namen ze me met z'n tweeën mee naar een opticien om mijn ogen te laten nakijken. Dat was een noodzakelijke stap op weg naar een paspoort voor Amerika. We liepen zwijgend voort. Af en toe wierp ik een steelse blik op de man die spoedig mijn man zou worden. Hij liep met zijn schouders naar achteren en zijn borst naar voren. Hij had donker haar, dat al dunner begon te worden. Van tijd tot tijd dwaalden zijn strenge ogen af in mijn richting, alsof hij zijn trofee goed in de gaten moest houden. Hij was rijzig en recht, met een krachtige stem en de manieren van een man die weet wat hij wil en niet gauw van mening zal veranderen.

Ik voelde me verlegen bij hem, meer nog dan gewoonlijk tegenover onbekenden. Af en toe zeiden de mannen iets tegen elkaar tijdens het lopen. Mij negeerden ze voornamelijk, en dat vond ik heimelijk prettig. Ik had het veel te druk met het in bedwang houden van mijn blaas en was veel te verlegen om hen te vertellen dat ik nodig moest. Ik voelde af en toe een druppel langs mijn benen rollen. Ik keek snel achterom om te controleren of het stof op de weg geen spoor van donkere vlekken liet zien. Ten slotte kon ik het niet meer ophouden en schoot ik achter een gebouw om te plassen.

'Waar ga je heen?' riep Hagop me na.

'Niet komen!' was het enige wat ik kon antwoorden.

De dokter zei dat mijn ogen prima waren, dus op de terugweg betaalde Abraham honderd dollar in goud aan Hagop en werd de trouwdatum vastgesteld.

Ik had geen uitzet. Het enige wat ik had waren de kleren die ik droeg en misschien een of twee dingen die iets waard waren. Als ik niet had geweten van Merlina, het meisje dat er met Dimitri vandoor ging, had het bestaan van zoiets als een uitzet mij niets gezegd.

Op 24 maart 1925 trouwden Abraham en ik in een kerk. Volgens mij was het een protestantse, want Abraham was protestant. Ik herinner me niet al te veel van de trouwerij, alleen dat er overal kaarsen brandden. Ik was zo verlegen dat ik het allemaal niet kon bevatten. Ik herinner me dat ik voor de dominee stond terwijl hij sprak. Abraham stond naast me. De trouwjurk die Zohra voor me had geleend was van de dochter van haar zus geweest, die was gestorven. Het lijfje lubberde wat aan de voorkant op de plek waar de jurk om meer borst vroeg.

Ik wilde overal zijn behalve op die plek, en ik geloof dat ik ook overal was behalve daar, want veel van de trouwerij en de dingen die er die dag gebeurden zijn nog steeds een mysterie voor mij. Daar te staan tussen al die vreemden die naar me staarden, met een man die mijn vader had kunnen zijn aan mijn zij, was voldoende om door de grond te willen zakken. Het enige waaraan ik kon denken was de heuvel af te rennen met mijn kleine kalf Mata naast me. En toen ze begonnen te zingen kon ik alleen maar denken aan mijn vader, zingend voor het houtvuur. In mijn eigen land was ik niet zo verlegen; ik liep vaak genoeg helemaal alleen de kerk in. Maar ik heb er jaren voor nodig gehad om de verlegenheid af te schudden die ik had opgedaan toen ik mijn moeder verloor, toen ik hen allemaal kwijt was en een wees was geworden, een niemandskind, een dienstmeisje, zal ik maar zeggen. Daar ben ik geloof ik nooit helemaal overheen gekomen.

De schoenen die ik van Abraham had gekregen voor de bruiloft knelden verschrikkelijk, maar toch was ik er dol op. Het waren mijn allereerste schoenen met hoge hakken. Ze waren gemaakt van sterk zwart leer en ze hadden knopen, en kleine riempjes die kruislings over de wreef liepen. Ze deden me denken aan de poppen met hakschoenen die we thuis altijd maakten.

Pas toen Zohra me aanstootte en ik opkeek en zag dat de dominee naar me stond te staren, realiseerde ik me dat ik geen woord had gehoord van wat ze zeiden.

'Zeg: ja, dat wil ik,' zei Zohra.

Dus zei ik het: 'Ja, dat wil ik.'


Na de trouwerij gaf de familie van Abraham een groot feest. Iemand had een lam meegenomen; het was bedoeld voor het feest op de binnenplaats van het huis waar we woonden. Ze riepen me naar buiten. Toen slachtten ze het lam pal voor de deur, terwijl ik toekeek. Ik had nog nooit een beest doodgemaakt zien worden. Ze sneden het pardoes de keel door. Ik weet zeker dat dit ter ere van mij was, maar het maakte me alleen maar meer gespannen. Ik weet niet meer of ik ervan heb gegeten toen het geroosterd op tafel kwam.

'Nu ben je mijn vrouw, hè?' zei Abraham.

Hij torende hoog boven me uit en had een blik in zijn ogen die zei: 'Jij bent van mij.'

'Weet ik,' zei ik.

'Wees niet zo verlegen,' zei hij, van toon veranderend. Hij raakte mijn wang aan met de toppen van zijn sterke vingers. 'Het komt wel goed.'

'Weet ik,' zei ik opnieuw, maar ik keek om me heen op zoek naar iemand die me kon redden.

'Je moet haar aan mij overlaten, Abraham,' zei Zohra.

Ze legde haar arm om me heen en nam me mee naar een hoek van de binnenplaats, weg van de vele feestende mensen.

'Vannacht blijf je nog hier bij ons, maar morgen ben je bij je man.' Ze pakte mijn hand en trok me mee naar binnen. 'Ik geef je dit lapje,' zei ze. Ze nam een klein stuk witte stof uit een kast en gaf het aan me. 'Morgen, als je seks hebt gehad met je man, moet je jezelf hiermee afvegen.'

'Ik begrijp het niet,' zei ik in verwarring.

'In je kruis. Daar beneden,' zei ze ten slotte, en ze gooide de doek naar me om aan te geven waar precies.

'Maar waarom?' vroeg ik.

'Zodat ze allemaal kunnen zien dat...' Ze aarzelde. 'Doe het nou maar gewoon en kom er dan mee terug.'

Die nacht sliep ik zoals altijd in mijn eigen bed bij Zohra en haar familie. Of eigenlijk: alleen op mijn matje met de hele familie samengepakt in die ene kamer, zoals alle vluchtelingen en arme mensen leefden.

Telkens wanneer ik mijn ogen sloot zag ik Abraham voor me staan en met zijn strenge ogen op me neerkijken.

'Nu ben je mijn vrouw, hè?' zei hij steeds maar weer. Ik keek naar het kleine witte lapje dat op een krukje voor het raam lag. Gewichtig lag het daar te wachten in de gloed van de maan, terwijl ik piekerde over het geheim van zijn missie.

# 31

## Het geheimzinnige lapje

We waren allemaal op en aangekleed toen Abraham de volgende ochtend kwam.

'Is ze klaar?' vroeg hij.

Hij stond in de deuropening en blokkeerde het licht. Ik had Sonya op de arm en staarde naar hem. Mijn kleine bundel met spullen stond keurig dichtgebonden naast de deur te wachten.

Hagop gaf een stroef knikje. 'Je moet goed voor haar zorgen. Ze is als een dochter voor me.'

'Het komt allemaal goed,' zei Zohra tegen me.

Ze stak haar armen uit om de baby over te nemen zonder mijn nieuwe echtgenoot uit het oog te laten. 'In Amerika zul je gelukkig zijn. Je zult vrij zijn.'

Ik liep langzaam naar de deur en ging naast hem staan. Mijn voeten waren gezwollen en pijnlijk omdat ze opgesloten zaten in mijn nieuwe schoenen. Oma kwam in de deuropening van de andere kamer staan kijken, gebogen en teer. In haar hand droeg ze de zakdoek die ze borduurde. De kleine Araxine, die op dat moment vijf was, zat op een kussen op de vloer te spelen. Maar alsof ze zich realiseerde dat ze me nooit meer zou zien sprong ze overeind, kwam naar me toe gerend en gooide haar armen om mijn nek toen ik me boog om haar te omhelzen. Ze klampte zich stevig aan me vast voor ze me eindelijk liet gaan. Tot dat ogenblik had ik niet beseft hoe bleek het geel van de muren was, en hoe kaal ze waren. Ik pakte mijn bundel op.

'Vaarwel,' zei ik.

'Vaarwel,' zeiden zij, net niet allemaal tegelijk.

Ik draaide me om en liep de trap af naar de binnenplaats. Abraham ging me voor, met zijn zware stap.

'Waar gaan we heen?' vroeg ik toen we op straat stonden.

'We gaan naar een hotel. Over een paar dagen gaan we naar Zahlé in Libanon. Daar heb ik familie. Bij het Amerikaanse consulaat in Zahlé kunnen we een paspoort voor je krijgen.'

Ik moest bijna rennen om hem bij te houden en deed mijn best mijn brandende voeten te negeren.

'Heb je weleens in een hotel geslapen?' vroeg hij.

'Nee,' zei ik.

Hij glimlachte en zwaaide naar een passerend koetsje. 'Wil je in een koetsje?'

'Goed,' zei ik.

Het paard snoof en gooide zijn hoofd achterover toen er aan de leidsels werd getrokken om hem te laten stoppen. Zijn bruine vacht was vochtig en hij stampte ongeduldig op de grond terwijl Abraham me naar binnen hielp.

In het rijtuigje rook het naar warm hout en leer. Ik haalde diep adem om mijn longen te vullen en liet mijn handen over de barsten en scheuren in de zwartleren zittingen glijden. De barsten vormden een ingewikkeld patroon, als een wegenkaart die op een schoolbord was getekend en daarna een beetje uitgeveegd. Het rijtuigje kwam met een schok op gang en ratelde vervolgens door de vertrouwde straten van Aleppo, langs de tegen de kleine huizen geplakte tuintjes en voorbij de markt waar ik samen met de kleine Sonya en Araxine boodschappen had gedaan. Bonte tapijten lagen in grote stapels tegen de muren of hingen schreeuwerig aan de stalletjes. Stapels graan en gedroogde vruchten schenen langs het knersende koetsje te zweven, net als de mannen in hun slobberbroeken en met hun fezzen op. Alle krukjes in de koffiehuizen waren bezet door mannen die uit kleine glaasjes hun koffie of thee zaten te drinken, en vrouwen in lange jurken gleden voorbij met grote bundels bagage op hun hoofd.

Abraham riep de naam van het hotel tegen de koetsier en plotseling draaide het koetsje een straat met bomen in die breder was dan de rest. Tot dan toe had ik steeds gedacht dat Aleppo een gewoon maar klein stadje was met smalle straten en kleine huizen, met was die op de binnenplaatsen te drogen hing, met de lucht van soep en geroosterde kebab, en met rook van buitenvuren die naar de bleke lucht kringelde. Plotseling was het iets groots.

Ik vond het moeilijk om een idee te krijgen van wat Abraham dacht. Hij zat zwijgend naast me in het rijtuig en keek af en toe even snel mijn kant op. Het *kataklop* van de paardenhoeven klonk als hamers op steen.

'We zijn er bijna,' zei hij toen het rijtuig afsloeg.

De koetsier liet het paard voor een schitterend wit gebouw stilhouden. Boven een smalle trapopgang prijkte een kunstig bewerkte stenen boog. Ook de ramen waren omgeven door gebeeldhouwde kozijnen, en aan de andere kant van het glas hingen sierlijke kanten gordijnen. De deur was van een dure, bruine houtsoort en had een groot venster. Een in het wit geklede man stond ernaast. Zijn wijde broek en shirt wapperden zacht in het briesje.

'*Salaamu alaykum*,' zei hij, terwijl hij zijn hand uitstak naar de koperen knop en de deur met een zwaai voor ons opende.

'*Wa alaykum Salaam*,' zei Abraham als vanzelf.

De muren binnen waren lichtgroen en de plinten waren wit. Een trapopgang zoals ik nog nooit had gezien ging met een draai naar boven en was voorzien van een met koper afgezette houten leuning. Het plafond was hoog en in het midden hing een kroonluchter met talloze druppels van sprankelend glas.

'Goed.' Abrahams stem deed me schrikken. 'We kunnen nu naar onze kamer gaan.'

Een portier droeg mijn kleine bundel naar een kamer op de tweede verdieping en hield de deur open om ons voor te laten gaan. Voor drie hoge ramen hingen lange, wijnkleurige gordijnen tot op de vloer. De portier ging naar de gordijnen en trok ze open om het duizelingwekkende licht binnen te laten. Buiten kleefde een klein stenen balkon aan de muur van het gebouw.

'Laat maar,' zei Abraham tegen de portier. 'Dat doe ik wel.'

Abraham gaf hem een geldstuk en we bleven stil staan wachten tot hij de kamer uit zou gaan. De portier sloeg de dekens op het bed terug. Hij keek me even schaapachtig aan en vertrok. Toen de portier de deur achter zich dichttrok begon Abraham te glimlachen.

'Vind je het mooi?' vroeg hij, dichterbij komend.

'Het is prachtig,' begon ik, maar ik had de woorden nog niet uitgesproken of hij smeet me op het bed en lag boven op me. Ik lag klem, half op en half naast het bed, en was niet eens in staat om mijn benen te strekken.

'Stop, wat doe je?' vroeg ik, stomverbaasd.

'Ssst! zei hij, en meteen voelde ik zijn hand onder mijn jurk aan mijn ondergoed rukken.

'Maar...'

'Nu ben je mijn vrouw!'

Ik wist niet wat ik moest zeggen. Ik lag daar maar en staarde naar het plafond terwijl de rand van het bed in mijn rug sneed en mijn schoenen akelig knelden.

Ik ben nu zijn vrouw, dacht ik, terwijl hij verschrikkelijk opgewonden werd.

Ik probeerde mijn benen te strekken, maar daar was geen ruimte voor. Het enige wat ik kon doen was mijn ogen sluiten en op mijn onderlip bijten om de pijn te verhullen. Toen hij klaar was stond hij op en fatsoeneerde zijn kleren.

'Veeg jezelf af,' zei hij, en hij gaf me Zohra's geheimzinnige lapje.

'Ik bloed! Ik bloed!'

'Rustig maar,' zei Abraham. 'Dat hoort zo.'

'Maar ik bloed!'

'Kom, kom. Niks aan de hand. Maak je kleren in orde en ga je wassen.'

Ik stond naar het bebloede lapje te kijken en begreep nog steeds niet dat het zijn geheim zojuist had prijsgegeven.

'Kijk, Sano!' zei Abraham.

Hij nam me mee naar de badkamer als een vader die een overstuur geraakt kind troost. Een enorme koperen tobbe op een soort dierenpootjes en met koperen kranen erboven, stond te blinken in het binnenstromende zonlicht. Hij stond zich te verkneukelen als een jongetje dat zijn lievelingsspeelgoed laat zien.

'En moet je dit zien!'

In de hoek stond een toilet. Zoiets had ik van mijn leven nog niet gezien.

'Dat is een toilet,' zei hij. 'En kijk!'

Hij trok aan een koperen ketting die uit een houten doos erboven kwam en met veel lawaai gutste er een stroom water in de pot. Ik schrok ervan.

'Wie doet dat water erin?' vroeg ik.

'Dat komt er vanzelf,' zei hij lachend, verrukt over mijn verbazing.

Hij leunde over de tobbe en draaide de kranen open. Er kwam met zo'n vaart water uit dat ik opnieuw verrast terugdeinsde.

'Kom! Was jezelf. Het water is warm. Je zult het prettig vinden. Kom! En daarna zal ik je het toverlicht laten zien.'

Hij deed een stop in de afvoer en liet me alleen. Ik stond stomverbaasd toe te kijken hoe het water de tobbe vulde.

'Zit je in bad?' riep hij door de deur.

Ik deed mijn dunne jurk uit en klom in de tobbe. Het warme water voelde vertroostend toen ik me erin liet zakken. Algauw was alleen mijn hoofd nog boven. Zou het altijd zo gaan: snel, ruw en zonder genegenheid? Was het voor mijn moeder ook zo geweest? Nee! Mijn vader had zielsveel van mijn moeder gehouden. Je zag het aan de manier waarop hij naar haar keek. Je voelde het in de lucht als hij in haar buurt was. Je hoorde het aan zijn stem als hij haar naam zei. Daar had ik nog nooit bij stilgestaan. Ik had het altijd als vanzelfsprekend aangenomen. Nee! Voor hen was het niet als dit.

Ik sloot mijn ogen om de warmte van het water beter te kunnen voelen. Het omsloot me. Het waste me. Het nam de spanning weg, en weer dreef ik weg naar mijn eigen land.

'Ben je bijna klaar?' riep Abraham uit het andere vertrek.

'Ja,' antwoordde ik. Ik deed mijn best om mijn stem te beheersen.

'Schiet op, want ik wil je iets laten zien.'

Ik stond op en sloeg de pluizige witte handdoek om me heen. Ik genoot van de warme weelde van die handdoek. Dus zo voelden mijn oma's handdoeken. Geen wonder dat ze er zo zuinig op was geweest.

'Moet je kijken!' zei Abraham toen ik uit de badkamer kwam. 'Let op hoe ik licht tover.'

Hij trok aan een koord dat aan het plafond hing en er ging een lamp aan. Toen trok hij er opnieuw aan en het licht ging uit. Ik stond er met stomme verwondering naar te kijken. Hij lachte nerveus en probeerde me met zijn enthousiasme aan te steken.

'Dat heet elektriciteit. Vooruit! Nou jij.'

Ik stak gehoorzaam een hand uit en trok aan het koord. Weer ging het licht aan.

# 32
## *De grote weddenschap*

De volgende dag nam Abraham me mee naar Zahlé, een stad in het midden van Libanon, om bij een paar verre nichten van hem te logeren. Ze waren omstreeks 1915 uit Turkije verjaagd, toen de Turken weer eens Assyriërs afslachtten.

'Een knap meisje hoor, Abraham. Je bent een echte geluksvogel!' Zo praatten zijn nichten over mij toen we in Zahlé aankwamen.

'Kom eens naast me zitten en vertel me alles over je reis,' zei de een, mijn hand vastpakkend. 'Vind je het spannend om naar Amerika te gaan? Dan moet je leren Engels spreken, wist je dat?' Ze kletste aan één stuk door zonder mij de kans te geven om te antwoorden. 'Jullie blijven bij ons logeren tot jullie papieren in orde zijn. En daar ben ik blij om. Wij komen ook uit Turkije, weet je. Abrahams vader had zeven huizen in Mardin, maar de Turken hebben ze afgepakt en hij en zijn oudste zoon moesten uit Turkije vertrekken met niets dan het vege lijf.

Wij moesten ook vertrekken. Onze familie zit nu over de hele wereld,' zei ze na een korte stilte.

Het geluid van haar stem was troostend en vriendelijk. Sinds mijn moeder, zo lang geleden, had er niemand meer zo lief tegen me gepraat.

'O, ik ben toch zo blij dat je nu bij onze familie hoort. Je moet ons echt als je familie zien, hoor.'

Ik voelde de tranen in mijn ogen komen.

's Morgens namen ze me mee naar de kerk. Toen de collectezak rondging deed ik er een munt ter waarde van ongeveer tien cent in, wat veel was voor die tijd. De anderen deden er het equivalent van een stuiver of zelfs minder in.

'O,' hoorde ik fluisteren. 'Wie is zij? Zag je hoeveel geld ze gaf?'

'Ze is getrouwd met een Amerikaan,' fluisterde iemand. 'Ze gaat naar Amerika.'

'O,' zeiden ze.

'Kom,' zei Abrahams nicht tegen me toen de dienst voorbij was. 'Dan gaan we biechten.'

'Wat moet ik dan biechten?'

'Je zonden, suffie.'

'Maar die heb ik helemaal niet.'

'Dat kan haast niet,' hield ze aan. 'Iedereen heeft wel een paar zonden.'

'Nou, ik niet. Wat moet ik dan zeggen tegen die priester?'

'De slechte dingen die je hebt gedaan.'

'Ik heb niks slechts gedaan; hoe kan ik nou iets opbiechten wat ik niet heb gedaan?'

Toen grootvader had geprobeerd ons te laten biechten kwamen we niet verder dan wat gegiechel. Onze priester gaf ons een aai over ons hoofd en glimlachte. Maar nu voelde ik mijn wangen rood worden van schaamte. Hoe kwam ze erbij dat ik iets slechts had gedaan en dat ik dat moest opbiechten? Ze kwam ongeduldig overeind. Met haar bleke huid en grijze ogen leek ze precies op mijn man. Ze legde haar stevige, sterke hand op de mijne.

'Heb je zelfs nooit slechte gedachten?' vroeg ze fluisterend.

'Wat voor soort slechte gedachten?' vroeg ik.

Ze kwam weer naast me zitten en bestudeerde mijn gezicht.

'Goed,' zei ze, eindelijk in mijn onschuld gelovend. 'Goed dan. Misschien hoef je niet te biechten. Je bent ook nog heel jong. Hoe oud ben je?'

Ik rekende snel terug vanaf Tlaraz. Twee jaar daar, twee jaar in Diyarbakir en een jaar in Aleppo. 'Vijftien, denk ik.'

'O ja. Je bent jong,' zei ze. Ze nam me bij de hand en leidde me de kerk uit. 'Nou, geeft niet. Het komt allemaal goed. Abraham zal goed voor je zorgen. Hij is heel sterk, weet je. O!' Ze schoot in de lach, zich iets van vroeger herinnerend.

'Mijn vader vertelde me dat er een aantal jaren geleden moeilijkheden waren met de Turken. De details weet ik niet meer precies. Ik vermoed dat ons volk altijd wel problemen met de Turken heeft gehad, met tussenpozen dan. Abraham woonde toen nog in Mardin. Hij was jong en sterk. Onze mensen hadden iemand nodig die een bericht naar een ander dorp kon brengen. Het was erg gevaarlijk, niet alleen door de oorlog, maar ook omdat er talloze Turkse bandieten rondzwierven. Abraham meldde zich als vrijwilliger. Hij ging te voet op pad. Hij heeft het hele eind gerend en leverde het bericht af. Op de terugweg met het antwoord bij zich werd hij plotseling door bandieten belaagd. Ze waren met velen en als ze hem te pakken hadden gekregen, zouden ze hem zeker hebben gedood. Hij was alleen, dus verstopte hij zich achter een grote steen en maakte een stapel van kleine stenen. Telkens wanneer een van de bandieten naderbij wilde komen om hem te pakken, nam hij een steen en smeet hem hard en recht op het hoofd van de bandiet. Waarop die bandiet zich omdraaide en beschutting zocht. Dan deed een andere een poging, en nog een. Maar steeds weer gooide Abraham raak.

Hij is een specialist, moet je weten. Op jonge leeftijd was hij steenhouwer. In Mardin, waar hij vandaan komt, zijn alle straten en gebouwen van steen en hebben alle huizen stenen bogen boven de ramen en deuren. Hij hoefde maar een blik te werpen op de ruimte boven een deur die met een steen gevuld moest worden en dan hakte hij zonder zelfs maar te meten het juiste stuk steen precies op maat uit. Hij heeft een echt timmermansoog.'

'Wat is er gebeurd?' vroeg ik, nieuwsgierig naar de rest van het verhaal.

'Hoe bedoel je?'

'Met de bandieten?'

'O.' Ze grinnikte wat. 'Ja, de bandieten. Ze waren kennelijk nogal onder de indruk van Abraham. Hij had ze urenlang van zich af weten te houden. "Kameraad!" riepen ze ten slotte tegen hem. "Je bent een dapper man. Je kunt gaan." Ze weken terug en lieten Abraham ongedeerd vertrekken.'

Ze kon prachtig verhalen vertellen, net als, zoals ik nog zou ontdekken, mijn man.

In Zahlé deed Abraham elke dag pogingen om mij Engels te leren spreken, lezen en schrijven. Ik struikelde aan één stuk door over de woorden en de meeste vergat ik ogenblikkelijk weer.

'Luister!' riep hij wanhopig. 'Het is niet moeilijk. Je let niet goed op.'

'Laat me nog eens proberen,' zei ik.

'*The boy went to the store,*' las hij.

'*The boy went to the store,*' imiteerde ik.

'Oké,' zei hij. 'Lees jij het nu alleen.'

Ik sloeg beschaamd mijn ogen neer. 'Ik weet het niet meer,' zei ik.

Zulke woorden had ik nog nooit gezien, het zag er heel vreemd uit. Het alfabet was heel anders dan ik op ons kleine schooltje had geleerd... het alfabet dat grootvader in een plank had gebrand. En die krabbels waren ook geen Arabisch, dat ik evenmin kon lezen. De kleine jongen in de korte broek op het plaatje liep over straat en zijn hondje rende naast hem. Het was mooi getekend, maar daar schoot ik niet veel mee op.

'Je moet me niet nadoen. Je moet de woorden leren lezen,' zei hij. 'Probeer het nog eens. *The boy...*'

'*The boy...*'

'*Went to the store!*' schreeuwde hij. En hij gaf me een klap.

'Ik wil niet lezen,' huilde ik, boos en gekwetst. 'Je hebt niet het recht me te slaan.'

'Je komt Amerika niet in als je niet kunt lezen,' riep hij.

'Dan wil ik niet naar Amerika.'

Mijn gezicht gloeide meer van schaamte dan van zijn klap. Nog nooit had iemand me geslagen, behalve misschien mijn vader een keer als ik me heel erg misdroeg, of grootvader. Maar dat kwam zelden voor en het was altijd een klap voor mijn broek, nooit een pets in het gezicht.

'Hoe kan ik nou met zo'n stom meisje getrouwd zijn?' zei hij.

'Ik ben niet stom,' zei ik. 'Ik spreek vijf talen.'

'Waarom kun je dan niet lezen? Die talen zijn niet belangrijk. Je moet Engels leren. Dat spreken ze in Amerika.'

Met zijn handen op zijn heupen ijsbeerde hij door het kleine vertrek. 'Goed dan!' zei hij. 'We gaan uit.'

We gingen naar buiten. Zoals gewoonlijk moest ik hollen om hem bij te houden.

'Waar gaan we naartoe?'

'We gaan een vrouw opzoeken. Ze is familie van Hagop. Zij zal ons kunnen vertellen of jij naar Amerika kunt.'

'Hoe kan ze dat dan?' vroeg ik. Ik was verbaasd te horen dat hij familie van Hagop kende.

'Dat zul je wel zien.'

We liepen een klein straatje in. De zon was oogverblindend. Een paar huizen verder liepen we een binnenplaats op. Wijnranken waren over de muur gegroeid en voor een nis stond een lommerrijke vijgenboom.

'Wacht hier,' zei hij.

Ik bleef gehoorzaam bij de ingang van het huis staan terwijl hij klopte en werd binnengelaten. In de schaduw van de vijgenboom zat een broze oude man op een kruk. Hij was me niet opgevallen toen we de binnenplaats betraden en ik schrok. Hij zat er roerloos bij. Hij leunde met zijn rug tegen de muur en zijn linkerhand rustte op een wandelstok. Hij staarde me aan met zijn gerimpelde, grijze, roodomrande ogen alsof hij dwars door me heen keek.

'Dus dit is je echtgenote,' zei een vrouwenstem achter mij.

Ik draaide me om om haar aan te kijken. Het was een kleine vrouw met grote donkere ogen en zwart haar met plukken grijs erdoor. Haar huid was donker en een beetje gelig, als die van Zohra. Ze droeg een dienblad met vier glazen. Ze glimlachte lief naar me en knikte naar het tafeltje naast de boom; ik moest gaan zitten.

'Abraham vertelt me dat hij je mee wil nemen naar Amerika. Wat opwindend voor je,' zei ze. 'Amerika is zo'n groot land. En ze laten niet zomaar iedereen binnen, weet je.'

Ik zat daar maar en wist niet wat te zeggen. Ze schonk thee in een glas en zette het voor me neer. Toen schonk ze thee in voor Abraham en voor de oude man die op zijn krukje tegen de muur geleund zat.

'Thee voor je,' zei ze met extra harde stem. Ze leunde voorover om hem zijn thee aan te reiken. Zijn hand kwam in slowmotion naar haar toe. Hij vouwde zijn vingers om het glas en ze wachtten even, hielden beiden het glas in de lucht, totdat de vrouw eindelijk losliet en de oude man het glas langzaam naar zijn lippen bracht.

'En?' Ze wendde zich weer tot mij. 'Heb je al leren lezen?'

'Nee,' zei ik. Ik sloeg beschaamd mijn ogen neer.

'Ik heb haar verteld dat ze Engels moet leren lezen als ze naar Amerika wil,' zei Abraham.

'Nou dan. Kom. Drink je thee, dan zal ik de blaadjes lezen. Daar staat alles in.'

Ik bracht de thee naar mijn lippen. Mijn hand trilde licht onder de spanning van haar aardige starende blik. Abraham dronk slobberend van zijn hete thee om die al drinkend te laten afkoelen. Ik had wel gehoord van mensen die theeblaadjes lazen of in het koffiedik van een kopje Griekse koffie keken, maar ik geloofde niet in zulke dingen. Ik keek haar bedachtzaam aan.

'Het is een gave van God om de tekens in de blaadjes te lezen,' zei ze. 'Kom maar. Ben je klaar? Zet je glas omgekeerd op je schoteltje.'

Ik dronk het glas leeg. Alleen de blaadjes waren nog over. Toen draaide ik het glas om op mijn schoteltje.

'Geef me nu je glas,' zei ze.

Ze stak haar hand naar mij uit. Ik gaf het en zij tuurde erin.

Ze klakte met haar tong en schudde haar hoofd. 'Wat een verdrietig glas. Kijk nou, Abraham!' zei ze, terwijl ze hem het glas liet zien. 'Zie je? Dit betekent dat ze niet met je mee zal gaan. Je zult alleen naar Amerika moeten. Als ze niet kan lezen, staat er, wordt ze niet toegelaten. O! Het spijt me toch zo voor je,' zei ze. Ze zette het glas neer en keek me droevig aan. 'Ik ben bang dat het hopeloos is als je niet lezen kunt.'

Ik voelde het bloed naar mijn wangen stromen en al mijn woede leek in me op te bruisen. Mijn eerdere besluit om niet naar Amerika te gaan verdween net zo snel als het was opgekomen.

'U hebt het fout! Ik zal er wel in komen. Daar durf ik honderd pond om te verwedden,' zei ik. Ik ging staan en liep naar de deur van de binnenplaats. Ik kon me niet herinneren ooit zo opgespeeld te hebben. En trouwens, dacht ik, ik ben zijn vrouw. Hij kan me niet achterlaten.

Abraham klakte ook met zijn tong, maar stond op en volgde me naar de deur. 'Tot ziens,' zei hij.

'Ik zal u een brief uit Amerika sturen,' zei ik toen we vertrokken. 'Dan zult u het zelf zien.'

Op straat scheen de zon verblindend. Er waren geen bomen om ons schaduw te brengen en het gruis van de weg was tussen mijn tenen gaan zitten en vulde de zijkanten van mijn schoenen op. Ik voelde de blaren opkomen.

'Abraham,' zei ik, 'laten we een rijtuigje naar huis nemen. Mijn voeten doen verschrikkelijk pijn.'

'Nee,' zei hij. 'We gaan lopen.'

'Dan loop ik op blote voeten,' zei ik. Ik knielde neer, maakte de knoopjes van mijn schoenen los en deed ze uit. Abraham staarde naar me.

'Ts, ts,' deed hij. Hij draaide zich om en liep vooruit, zodat ik hem moest volgen.

Weer op onze kamer begon Abraham heen en weer te lopen. De hele weg naar huis had hij niets gezegd. Ik ging naar de badkamer en waste het stof van mijn voeten en handen. Toen ging ik op het bed zitten om ze te drogen.

De klanken van een Turks liedje zweefden door het open raam naar binnen, van iemands grammofoon in een of andere kamer, geloof ik.

'Moet je horen, Santini,' zei Abraham, me 'mijn kleine Sano' noemend. 'Ze zingen over jouw volk: "Je denkt dat je terug zult komen, maar je zult nooit terugkomen. Je zult als een vogel naar de blauwe lucht vliegen en nooit meer van het koele water drinken."'

Hij bleef een poosje zwijgend staan, misschien aan zijn eigen ballingschap denkend. Toen sloeg hij zijn ogen neer en kwam naast me zitten.

'Kom,' zei hij, vriendelijker nu. 'Laten we nog eens proberen te lezen.'

# 33
# *De ontvoering*

We bleven drie maanden in Zahlé om op mijn papieren te wachten. Abrahams nichtjes waren goed voor me. 'Je hoort nu bij ons,' zei zijn jonge nichtje vaak tegen me terwijl ze me stevig bij de hand pakte. Ze vertelde me talloze verhalen over mijn nieuwe echtgenoot. *Echtgenoot.* Door het woord alleen al voelde ik me minder alleen in de wereld, minder een toeschouwer van het leven en meer een deelnemer.

*Mijn echtgenoot.* Ik herhaalde de woorden in gedachten. Zelfs het woord *mijn* gaf me voldoening. Er was weer iemand die bij me hoorde. Ik hoorde bij iemand. Iemand had mij uitgekozen.

Ik luisterde aandachtig naar de verhalen over mijn echtgenoot. Het waren nu ook mijn verhalen, in zekere zin. Ik was een deel van hem en daarom was alles wat hij was op een bepaalde manier ook deel van mij.

Abraham was geboren op eerste kerstdag in 1879. Zijn leven was vol van avontuur, moedige daden, verraad en gevaar.

'Toen de Turken zijn zus Hartoon ontvoerden,' vertelde zijn nichtje me, 'was ze alleen met haar moeder. Abraham was een van de jongste zonen. Hij en zijn jongere broer, Elias, en twee zusjes, waren de enigen die nog thuis woonden. Zijn vader en oudere broers waren voor de Turken gevlucht toen Abraham nog heel klein was. Eén broer werd door de soldaten vermoord. Neergestoken, vooral omdat hij een christen was.

Abrahams moeder was weefster. Nadat Abrahams vader en broers waren gevlucht zat ze dag en nacht achter haar weefgetouw om brood op de plank te krijgen voor haar familie. De muziek van de spoel die door het vak naar links schoot, van het verspringende getouw en de weer naar rechts suizende spoel, was van de vroege ochtend tot de late avond te horen in huis. Abrahams moeder leerde Abraham ook weven, want ze vond dat hij meerdere vaardigheden moest hebben om op terug te kunnen vallen. Dus leerde Abraham ook weven. Hij weefde een mooi, sterk stuk doek en maakte een prachtig gekleurde jas voor zichzelf, die hij droeg waar hij ook ging.

Abraham was niet thuis toen er twee sterke Jonge Turken voor zijn zus Hartoon kwamen. Ze was een prachtige jonge vrouw, lang en bleek, met donker haar en heldergroene ogen, de jongste van twee dochters. Abraham hield veel van haar.

Het was toegestaan om een vrouw te ontvoeren zolang ze maar niet in huis was. Dus riepen de Turken tegen Hartoon dat ze naar buiten moest komen. Maar Abrahams moeder stond op van haar weefgetouw en ging kijken wie er voor haar dochter aan de deur was. De commotie bracht Hartoon ertoe haar moeder te hulp te schieten en toen ze bij de deur kwam sloegen de Turken haar moeder neer, grepen Hartoon en sleepten haar al tegenstribbelend mee.

Toen Abraham thuiskwam en zijn moeder gewond en in tranen aantrof, ging hij rechtstreeks naar de plaatselijke pasja, de ambtenaar die hij kende, om hem te vragen tussenbeide te komen en zijn zuster terug te halen. Maar de pasja weigerde en zei dat hij niets kon of wilde doen. Abraham vertrok ontmoedigd, maar was vastbesloten zijn zus te bevrijden.

Samen met twee vrienden bedacht hij een plan. Op een avond ging hij naar het huis waar de ouders van de Jonge Turken woonden, samen met hun dochter Warde, welke naam "roos" betekende. Abraham stelde zichzelf voor als de broer van hun zoons jonge vrouw en ze nodigden hem uit voor het avondeten. Ongeveer halverwege de maaltijd werd er aangeklopt.

"Warde," zei Abraham. "Er is iemand aan de deur. Ga eens kijken wie er is."

Maar Wardes moeder was heel doortrapt.

"Nee!" zei ze. "Jij blijft hier, dan ga ik kijken wie er is."

Toen de moeder was opgestaan, probeerde Abraham Warde opnieuw over te halen naar de deur te gaan. Ze deed het. Hij liep vlak achter haar aan en duwde haar zachtjes voor zich uit. Aan de deur wachtten twee mannen. Wardes moeder deed open en op dat moment duwde Abraham haar naar buiten.

"Nee!" schreeuwde de moeder. Maar Abraham gooide Warde over zijn schouder en ging er zo snel mogelijk met haar vandoor. De moeder bleef roepen en Wardes vader haalde zijn geweer. Algauw vlogen de kogels Abraham om de oren.

"Laat die teef vallen," riepen zijn vrienden tegen hem terwijl ze wegrenden.

"Nee!" riep Abraham terug. "Ze is van mij." En met haar als een zak aardappelen over zijn schouder rende hij naar de paarden die hij en zijn vrienden voor hun vlucht hadden verborgen. Toen is Abraham met Warde over zijn schoot naar zijn eigen dorp gereden.

Hij verstopte zich in een klein gebouw en zei tegen zijn vrienden dat ze een priester moesten gaan halen. Toen ze terugkwamen vroeg hij de priester hen te trouwen, maar Warde weigerde. Ze zei dat ze nooit haar toestemming zou geven en de priester, die medelijden met haar had, zei tegen Abraham dat hij Warde naar huis moest brengen.

Ze brachten in alle onschuld de nacht door. In de ochtend liet Abraham de familie weten dat als zij hem zijn zuster zouden teruggeven hij Warde zou terugbezorgen. Hun antwoord was een vlug "Nee!" Zich realiserend dat ze niet over haar wilden onderhandelen, bracht Abraham haar toch maar thuis.

Al die moeite leverde hem een arrestatiebevel op. Hij kuste zijn moeder en andere zus, Nejmy, vaarwel, trok zijn mooie jas aan en vluchtte het land uit. Het kostte hem bijna een jaar om Beiroet, in Libanon, te bereiken, de havenstad waar hij een schip naar Amerika kon nemen. Onderweg naar Beiroet had hij als steenhouwer het geld voor de overtocht verdiend. Hij had regelmatig onder Koerden verkeerd, van wie hij gemakkelijk de taal en de gewoonten oppikte, zodat ze hem algauw voor een van hen versleten.

De mensen voor wie hij werkte betaalden Abraham in gouden munten. Toen hij eindelijk in Beiroet kwam en op het punt stond aan boord van het schip te gaan, eindelijk veilig, vertelde hij een man over zijn ontsnapping uit Mardin. De man bleek van de geheime politie. Hij arresteerde Abraham en ze gooiden hem in een kerker. Veertig treden naar beneden, zo noemden ze dat. Het was er vuil, donker en vochtig. Elke dag opnieuw wilden de bewakers dat Abraham zijn mooie jas aan hen afstond en steeds weigerde hij. Ze sloegen hem met de zweep, maar de jas was zo dicht geweven dat Abraham het nauwelijks voelde. Maar ten slotte gaf hij zijn jas toch af. Hij zat er vele maanden en toen stuurden ze hem terug naar Mardin om voor de pasja te verschijnen.

"Hij is een christen," fluisterden zijn vijanden de pasha in. "Dood hem."

"Abraham," zei de pasja, "je hebt geluk dat ik je mag, anders had ik je laten ombrengen. Ga weg van hier en laat je nooit meer zien."

Abraham ging nog één keer bij zijn moeder langs. Zijn verering voor haar was heel ontroerend. De mensen uit het dorp noemden zijn moeder een heilige omdat ze zo'n goede vrouw was. Zijn ontvoerde zus, Hartoon, was in het kraambed gestorven terwijl hij gevangenzat. Abraham was diepbedroefd. Opnieuw kuste hij zijn moeder en zuster Nejmy ten afscheid en deze keer verliet hij Turkije voorgoed. Hij zou ze nooit meer terugzien.'

Op dat punt hield Abrahams niet op en ze boog haar hoofd alsof ze zich een eigen verborgen verdriet herinnerde.

'Weet je?' zei ze. 'Onze familie is een keer bijna helemaal uitgemoord. Maar dat is lang geleden. De Turken doodden ook toen al christenen. De Assyriërs van de stad vluchtten en verborgen zichzelf in een diepe grot. Onze familie was onder hen. Maar toen ze er waren begon een van de kinderen te huilen. De moeder nam het kind mee naar buiten opdat de Turken het niet zouden horen en de anderen zouden vinden. Maar de Turken zagen haar en lieten haar gaan. Toen goten ze brandstof in de grot waar de anderen zaten en staken alles in brand. Iedereen kwam om. Iedereen behalve die ene vrouw en haar kind. Dat waren onze voorouders. De enige overgeblevenen.'

Ik keek naar mijn echtgenoot, die met de mannen aan tafel zat. Voor het eerst voelde ik me dicht bij hem.

Ja, dacht ik, in voor- en tegenspoed, Abraham is nu mijn familie.

# 34
## *De grote oversteek*

Eindelijk kwamen mijn papieren. Nu moesten we alleen nog wachten op een passage naar Amerika.

'Misschien moest je maar hier blijven,' zei Abraham op een dag tegen me. 'Je kunt bij mijn familie blijven tot ik je laat komen. Misschien laten ze je nu nog niet toe.'

'Nee!' zei ik. 'Ik ben je vrouw. Ik wil hier niet wachten. Ik ga met jou mee. Ze zullen me binnenlaten. Ik weet het zeker.'

Ik vond mijn stem terug bij Abraham, de stem die ik had verloren toen ik me alleen in een vreemd land had geweten, omringd door vreemden. Het was in het begin geen sterke stem, maar ik kon tenminste mijn hart luchten. Ik hoorde ergens thuis, of in ieder geval bij iemand. En er hoorde iemand bij mij.

Terwijl hij liep te ijsberen zat ik stil naar hem te kijken, vastbesloten me niet van mijn voornemen af te laten brengen.

'Goed dan,' zei hij ten slotte. 'Jij gaat met mij mee. Misschien laten ze je gewoon binnen.'

We gingen naar Beiroet en namen onze intrek in een hotel om op het schip te wachten dat ons naar Amerika zou brengen. Het kwam na twee maanden. In de namiddag van 9 juli 1925 scheepten we in op de ss Braga van de Fabre Line. Abraham droeg onze tassen benedendeks. Daar stonden lange rijen stapelbedden. Ik vond er eerst helemaal niets van. We waren de eersten. De magie van het aan boord gaan van zo'n groot schip en op het water te drijven vulde mijn hoofd. Ik had nog nooit zoveel water bij elkaar gezien. Ik tuurde naar de horizon, maar zo ver ik kon kijken was er geen land te zien. Ik bleef aan dek naar het water staren tot ze ten slotte de treeplanken weghaalden en de lage toon van de hoorn klonk.

'Wat is dat?' vroeg ik, bijna omvallend van de schrik.

'We gaan,' zei Abraham. 'Kijk nog maar eens goed. Ze laten alle bezoekers weten dat ze van boord moeten en dan varen we uit.'

Terwijl het schip loskwam van de kade en langzaam vertrok, deinend op de golven, ging mijn hart als een razende tekeer en voelde ik me slap worden in mijn knieën. Ik voelde me als een kind dat moeders rokken loslaat om eindelijk zijn eigen weg te kiezen. Ik staarde eerst naar de horizon, waar de zee en de lucht elkaar ontmoetten, en toen terug naar de wal die we achter ons lieten. De wal werd almaar kleiner en het licht van de zomerlucht ging over in donker, waarna er miljoenen sterren verschenen. Fosforescerende lichtjes sloegen tegen de wanden van het door het zwarte water snijdende schip en vielen sprankelend terug in de kolkende golven.

'Kom, Saniti,' zei Abraham, mijn trance verbrekend. 'Het wordt al laat. Laten we onze bedden opzoeken.'

'Goed,' zei ik. Ik maakte me met moeite los van de reling en volgde hem over het lange dek naar een deur en vervolgens de trap af die naar de buik van het schip voerde.

Het vertrek was vol mannen die op de bedden lagen of in groepjes bij elkaar zaten te praten en te schaken boven lage dozen die als tafels voor het spel dienden. De rook van sigaretten mengde zich met de lucht van zweet en oude schoenen.

'Wat moeten we hier?' vroeg ik, onthutst dat hij me meenam naar zo'n plek.

'Hier slapen we,' zei hij.

'O nee!' Ik schreeuwde het bijna uit. 'Hier ga ik niet slapen, tussen al die mannen.'

'Maar dit is de enige passage die ik me kon veroorloven. We hebben veel te lang op jouw papieren moeten wachten.'

'Het kan me niet schelen,' zei ik. 'Hier slaap ik niet. Dan slaap ik wel buiten onder de sterren als het moet.'

'Maar...' begon hij.

'Nee!' zei ik en ik rende de deur uit en de trap op naar het dek.

'Maar je kunt niet buiten slapen. We doen er achtentwintig dagen over om in Amerika te komen,' riep hij me na. Maar ik was al ver weg. Hij kwam snel achter me aan naar boven.

'Al deden we er honderd jaar over. Daar slaap ik niet.'

Ik gooide mezelf in een dekstoel en kroop in elkaar met mijn benen onder me. Ik vouwde mijn armen om mijn knieën om mezelf zo klein mogelijk te maken en zo weinig mogelijk warmte te verliezen. Abraham liep heen en weer over het dek en mompelde van alles. Hij nam zijn hoed af en krabde zich op zijn kalende hoofd. Toen keek hij om zich heen, hopend op redding door een wonder, veronderstel ik.

'Goed dan,' zei hij. Hij zette zijn hoed weer op en rechtte zijn schouders. 'Goed dan. Kom mee.'

'Waar gaan we naartoe?'

'Naar de kapitein,' zei hij.

'Wat is een kapitein?' Ik moest rennen om hem bij te houden.

We kwamen bij een trap en klommen naar het bovendek, waar we naar een deur met een bord erop liepen. Abraham bleef er geruime tijd naar staan staren. Toen hief hij zijn hand om aan te kloppen. Maar voor zijn knokkels de deur raakten, liet hij zijn hand weer zakken.

'Wat is er?'

'Niets!' Hij rechtte zijn rug en trok zijn schouders weer naar achteren. Opnieuw hief hij zijn hand en deze keer klopte hij luid.

'Ja?' kwam een stem van de andere kant van de deur.

'Neemt u me niet kwalijk, meneer,' zei Abraham. De deur ging open en de kapitein staarde ons aan. 'We zitten met een klein probleem.'

'Wat kan ik voor u doen?' vroeg hij.

'Nou ja, ziet u...' begon Abraham. Hij keek me aan voor steun, maar toen hij inzag dat ik die niet kon geven, hervatte hij: 'Ik neem mijn jonge vrouw mee naar Amerika, meneer, en ik heb een midscheepspassage gekocht. Maar mijn vrouw zegt dat ze niet tussen de mannen kan slapen. Nu weet ik niet wat ik moet doen.'

De kapitein keek naar mij en toen naar Abraham. 'Ik begrijp het,' zei hij.

Abraham stond te drentelen. Ik hield mijn blik naar de grond gericht, was te verlegen om de kapitein al te lang recht aan te kijken.

'Tja,' zei hij, na een stilte die een uur leek te duren. Ik voelde dat hij mij opnieuw aankeek, met die twee vlekjes nachthemel in zijn ronde, roze gezicht. Zijn gele snor hing over zijn kin naar beneden om vervolgens richting zijn oren op te krullen. Zonder antwoord te geven draaide hij zich om, ging zijn hut binnen en trok aan een koord aan de wand.

De ene scène na de andere schoot door mijn hoofd. Zou hij ons vertellen dat we van boord moesten? Zou hij ons dwingen in dat hol met al die mannen te slapen? Zou hij ons ergens opsluiten of ons domweg overboord gooien? Net toen mijn hoofd de akeligste rampen begon te verzinnen, kwam er een jongen aangehold.

'Zoek ergens een lege hut voor deze mensen,' zei de kapitein. 'En let erop dat ze het naar hun zin hebben. Gefeliciteerd,' zei hij, zich weer tot ons wendend. 'Ik hoop dat u een prettige reis naar Amerika zult hebben.'

'Dank u, meneer,' zei Abraham. Ik keek van de een naar de ander en wist niet wat er was gebeurd. 'Bedank hem,' zei Abraham tegen me.

'Dank u,' zei ik en ik liet mijn hoofd weer zakken.

Hij glimlachte tegen me en de jongen ging ons voor naar een hut op het hoofddek. Hij was mooi en privé, met twee kleine bedden, het ene boven het andere. En zo reisde ik luxueus naar Amerika.

Onze eerste stop was Istanbul, maar dat zagen we alleen vanaf de kade zolang er werd ingeladen. Toen gingen we weer. Aan boord zag ik twee jonge vrouwen kleine mandjes haken van gekleurd draad. Ik keek van een afstandje toe; ik was te verlegen om ze te vragen hoe ze dat deden.

Dat kan ik vast ook, dacht ik. Dat heeft me mijn hele leven op de been gehouden: het gevoel dat ik kon doen waar ik mijn zinnen op had gezet. Gewoon door naar iets te kijken weet ik of ik het ook zou kunnen of niet, en zodra ik heb besloten dat ik het zou moeten kunnen is er geen houden meer aan. Een kleine gave van God misschien, deze besluitvaardigheid.

In Algiers kregen we de gelegenheid om aan wal te gaan. De vrouwen droegen er een soort ballonbroeken die ik nog nooit had gezien. De mannen droegen ook zulke broeken, en daaroverheen hadden ze een tuniek tot aan hun knieën, met een split opzij.

Ik vroeg Abraham of hij een haaknaald en garen voor me wilde kopen. Hij zei ja. Ik geloof dat hij trots was dat ik iets kon wat ik nog nooit eerder had gedaan.

'Sano, kijk!' zei hij.

Hij wees naar een streng amberen kralen in een etalage. Ze waren bijna doorschijnend en ik vond het de mooiste kralen ter wereld, afgezien misschien van de kralen die mijn grootvader in Fatsa voor me had gekocht toen ik klein was.

'Ze zijn schitterend,' zei ik.

'Laten we gaan vragen wat ze kosten.'

Hij ging de winkel binnen en praatte met de man achter de toonbank. Een paar minuten later overhandigde de man Abraham de kralen, ingepakt in papier.

'Heb je ze gekocht?' vroeg ik, terwijl ik naast hem naar het schip terugholde.

'Ze zijn voor jou,' zei hij. 'Ik heb ze voor jou gekocht.'

Hij gaf me de ingepakte kralen. Ik kon niet geloven dat hij ze echt aan me had gegeven. Ik staarde hem aan en wachtte. Maar hij nam ze niet terug.

'Zijn ze echt voor mij?'

Ik drukte ze dicht tegen me aan, alsof ze het kostbaarste waren wat ik ooit had bezeten. En dat was ook zo, veronderstel ik. In feite was het mijn enige werkelijke bezit, naast mijn kleren. Het was het enige wat ik het mijne kon noemen sinds ik zo lang geleden van huis was vertrokken.

Ik droeg ze niet. Ik deed ze in onze koffer, zodat ze niet beschadigd zouden raken, en elke dag haalde ik ze even te voorschijn, staarde er een poosje liefdevol naar en pakte ze weer voorzichtig in.

Aan boord probeerde ik uit te puzzelen hoe je zo'n klein mandje moest maken. Ik begon met een knoop, een oerknoop zal ik maar zeggen, dezelfde knoop als voor elk ander weefsel of ontwerp dat je wilt maken, de knoop waar alles mee begint.

Ik werkte dag en nacht zodra ik maar even tijd had. Ik luste de gekleurde draad om de naald en liet hem door de knopen glijden die ik al had gemaakt. Ik luste elke lus aan de vorige. Ik ging almaar rond. Het haaksel werd groter en groter en begon algauw vorm aan te nemen. Ik was er trots op. Het krulde op en werd een soort schaal. Tijdens elke nieuwe ronde stopte ik talloze malen om mijn handwerk te bewonderen, trots op mijn vaardigheid om een vorm te maken uit een simpele draad. Maar ten slotte bleek ik helemaal geen mand gemaakt te hebben.

'Het is een prima muts,' zei Abraham toen ik klaar was.

'Maar het moest een mand voorstellen.'

'De volgende keer maak je een mand. Deze keer heb je een muts gemaakt,' zei hij. 'Het is een goede muts, en als ik mag, dan zal ik hem dragen ook.'

'Goed,' zei ik, me toch nog trots voelend. En die hele tocht naar Amerika heeft hij hem niet meer afgezet.

De volgende stop was in Griekenland, maar daar ben ik niet aan land gegaan. Toen staken we de Middellandse Zee over en daarna de Atlantische Oceaan. Zo ver het oog reikte was er niets dan water en lucht. Vliegende vissen sprongen uit de golven omhoog en naast ons zwommen dolfijnen mee, wier ranke lichamen door het wateroppervlak schoten als de naald van een naaimachine door de zoom van een jurk.

Op de vijfde augustus 1925 bereikten we Ellis Island, achtentwintig dagen nadat we waren vertrokken.

'We zijn er,' zei Abraham met een spoor van ongerustheid in zijn stem. Hij stond aan de reling en staarde uit over de rivier terwijl we de haven binnenliepen.

'Is dit New York?'

'Nee,' zei hij. 'Dit is waar we eerst moeten stoppen om te kijken of ze je door willen laten. New York is ginds.'

Hij wees met zijn vinger naar een landmassa. Manhattan lag als een gestrand schip in de zon, met zijn met eendenmosselen begroeide romp naar de heldere hemel gekeerd. Het lag daar in de augustushitte te blakeren en het zonlicht schitterde van de daken van de gebouwen.

'Kom,' zei Abraham. 'We moeten door de douane.'

Hij pakte onze bagage op en liep naar de treeplank. Andere passagiers stonden al in de rij om van boord te gaan. Men schuifelde en drong om een plekje in de rij en ik werd bijna omvergelopen.

'Hou me goed vast, anders verdwaal je nog,' zei Abraham.

Ik greep de mouw van zijn jas en wrong me achter hem aan door de menigte. In gespannen afwachting stonden we in de rij om de autoriteiten te passeren. Nou ja, het was Abraham die zenuwachtig was. Ik had het al lang geleden opgegeven om dingen te wensen en die beslissing maakte dat ik nu kalm kon blijven.

Ik werd een kamer binnengestuurd en ze lieten me op een tafeltje voor een dokter plaatsnemen. Abraham ging mee.

'*Buono!*' zei de dokter nadat hij naar mijn borst had geluisterd en mijn ogen had onderzocht. 'Nu moet ik je benen zien. Ik zal je geen pijn doen. Wees niet bang,' zei hij via Abraham tegen mij.

Hij duwde mijn jurk omhoog tot boven mijn knieën en bevoelde mijn kuiten.

'Wat zijn dit voor littekens?'

'Alles wat er nog van over is,' zei ik.

Hij keek me aan. 'Hoe oud ben je?'

'Vijftien, geloof ik.'

'Oké! *Buono!*' zei hij. 'Je kunt gaan.'

We kwamen behoorlijk vlot door de douane. Een man vroeg me een handtekening te zetten, maar dat kon ik niet, dus drukte hij mijn duim op een inktkussentje en liet me een afdruk op het papier maken. Toen duwde Abraham een paar van onze bundels in mijn armen, greep mijn hand en trok me naar de uitgang. Zijn andere hand gebruikte hij om half dragend en half slepend de rest van onze bagage mee te nemen.

'Snel,' zei Abraham, 'voor ze van gedachten veranderen.'

Er lag een veerboot te wachten om passagiers over te zetten naar Manhattan.

'Schiet op!' zei hij, met dezelfde angstige blik op zijn gezicht.

Op het moment dat er een bel klonk en de hekken van de veerboot zich langzaam sloten renden we aan boord. Ik voelde het water kolken onder mijn voeten terwijl de veerboot met een zware brom van de kade wegvoer.

'Hoera!' schreeuwde Abraham bijna. 'Hoera! Ze hebben je binnengelaten. We zijn veilig. Hoera! Saniti, kijk! Dat is New York. Je nieuwe thuis. Hoera! We zijn vrij!'

Ik staarde opnieuw naar de indrukwekkende en grillige rij gebouwen voor me. Zoiets had ik van mijn leven nog niet gezien, en toch deed het me niets vanbinnen. Ik voelde geen steken of opwinding of een begin van hoop – helemaal niets. Niets, dat wil zeggen: totdat we de wal bereikten en van boord gingen. Op straat, op die heerlijke, zonnige middag in augustus, waren de straten van New York vol leven.

'Wat is dat?' vroeg ik verbaasd.

'Wat?' zei Abraham, om zich heen kijkend om te zien wat me zo opgewonden maakte.

'Daar!' zei ik, en ik wees naar een groepje jongens en meisjes in de verte die als op een vliegend tapijt voortbewogen.

'Dat zijn kinderen,' zei Abraham lachend. 'Kinderen op rolschaatsen.'

'Kinderen op rolschaatsen,' herhaalde ik, niet begrijpend wat rolschaatsen waren.

'Maar ze vliegen!'

Abraham lachte luid en onbedaarlijk, zoals je lacht wanneer je je vrees voor mislukking lang in bedwang hebt moeten houden. Als het gevaar dan plotseling wijkt barsten de stormdeuren van de emotie open en is het moeilijk om je vreugde nog te beteugelen.

'Ja. Ze vliegen,' zei hij.

Ik voelde eindelijk een soort blijdschap toen ik die kinderen zo moeiteloos zag zwieren. Mijn eigen jeugd was zo kort geweest. Mijn hart sprong met hen mee en ook ik zweefde boven het trottoir, als een laagvliegende vogel of een vlinder van bloem tot bloem, en ik was verlost van de last van mijn ongelukkige leven.

'Abraham,' zei ik, zonder mijn ogen van de rolschaatsende kinderen te laten. Zijn gezicht was nog steeds een en al glimlach.

'Zeg tegen die vrouw die mijn theeblaadjes heeft gelezen dat ze de honderd pond die ze me schuldig is aan Zohra's kinderen geeft.'

'Honderd pond?'

'De honderd pond waarom ze heeft gewed dat ik niet in Amerika zou komen.'

Abraham lachte weer. 'Hoera!' riep hij.

Ik keek om me heen naar mijn nieuwe land en nog een keer naar de zwevende kinderen.

'Ja,' fluisterde ik. 'Misschien is dit vrijheid.'

# BOEK VIER
# Amerika, Amerika

Als een kind, van moeders veilige rokken verstoken,
heb ik de grote oversteek gemaakt
van de Oude naar de Nieuwe Wereld
en mijn verdriet op gindse oever achtergelaten.

# 35
## Amerika, Amerika

In Amerika aankomen was als van de ene eeuw in de volgende stappen. Alles was nieuw voor me en ik was eens te meer een vreemde in een vreemd land. Maar het was niet mijn nieuwe land dat me aan het denken zette over de raadselachtige wendingen van het lot. Het was de bizarre omstandigheid dat ik op mijn trouwdag zowel de vrouw was geworden van een man die mijn vader had kunnen zijn als de moeder van een jongen die bijna even oud was als ikzelf. Hoe moest ik een moeder zijn voor een jongetje van tien? Ik wist zo goed als niets van de wereld. Wat had ik eraan om te weten hoe ik mijn nagels rood kon lakken met kleurstof uit bladeren die ik in het bos vond? Er was geen bos in New York. Er waren geen gamish om rond te laten lopen over het koren, ik hoefde geen kaf van koren te scheiden. Ik had geen paddestoellucifers nodig en hoefde geen koeien naar de wei te brengen. Ook was er geen molen om het meel te malen.

En wat wist ik over het bestaan van een echtgenote?

Toen we Ellis Island achter ons lieten en in de stad aan wal stapten, stapelde Abraham onze spullen in een van de door paarden getrokken rijtuigjes die stonden te wachten bij de pier. Terwijl ik instapte gaf Abraham de koetsier het adres van het kosthuis waar hij had gewoond voordat hij naar Syrië was vertrokken en mij had getrouwd: West Nineteenth Street. Toen klom hij in het rijtuigje en ging naast mij zitten.

De zon weerkaatste op de ramen van de wolkenkrabbers toen we *up-town* gingen. De geur van het oude gebarsten leer van de zittingen en de geoliede houten wanden van het rijtuigje bracht herinneringen boven aan mijn eerste rit in een koets, meteen na onze trouwdag in Aleppo. Maar in plaats van mannen met rode fezzen in wijde broeken die koffie zaten te drinken in de cafés, en prachtig gekleurde kleden in marktstalletjes, zag ik nu enorme zeeschepen statig de rivier afzakken of aan de kaden liggen. Ook zag ik havenwerkers, en immigranten in lange zwarte jurken of pakken met hun daarbij uit de toon vallende koffers en vermoeide bundels in een hoop rond hun voeten. Vermoeid was ook de uitdrukking op hun gezichten. Verder zag ik een geknielde man met zijn handen plat voor zich op de grond, zijn ogen dichtgeknepen tegen de blauwe augustushemel en zijn lippen prevelend als in gebed. En toen verscheen er een rij gebouwtjes van rode baksteen met daarachter enorme wolkenkrabbers. Alles trok zo aan het raampje van mijn rijtuig voorbij, op het ritmische geklop van de paardenhoeven.

Toen we bij het kosthuis aankwamen en waren uitgestapt en de eerste paar treden naar de sierlijke houten deur hadden beklommen, zagen we de Ierse weduwe die de boel runde, mevrouw Keneally, al vanachter het bewerkte glas in de deur naar ons zwaaien.

'O, meneer Halo,' zei de weduwe toen Abraham door de deur ging. 'Bent u het echt? We hebben u gemist. En dit moet uw jonge vrouw zijn. Kom binnen. Kom binnen. Ach, wat een knap jong meiske.'

Mevrouw Keneally was een kleine ronde vrouw met strakke krulletjes die de kleur hadden van tarwe bij zonsondergang. Ze droeg een bloemetjesjurk en toen ze naar me glimlachte werden haar dunne roze lippen als een lint over haar gezicht.

'Ik ben mevrouw Keneally,' zei ze, zich tot mij wendend. 'Zet toch gauw je tassen neer en kom een kopje thee drinken. Ik zal het meisje meteen een verse pot laten zetten.' Toen richtte ze zich tot Abraham: 'Nee, heus. Wat leuk dat u er weer bent, meneer Halo. Farage zal blij zijn u te zien.'

Voor we trouwden had Abraham me verteld dat hij getrouwd was geweest met een Amerikaanse vrouw uit Ohio en dat hij een kind had. Hij had zijn zoon in New York bij mevrouw Keneally achtergelaten.

Toen ze haar salon binnenging, riep mevrouw Keneally Abrahams zoon, die in de kamer ernaast zat.

'Farage, jongen van me. Hier is je vader, eindelijk thuis. En hij heeft een lieve jonge moeder voor je meegenomen. Kom gauw kennismaken.'

Abraham zetten zijn tassen neer in de hal en ik liet de mijne neerploffen. Toen volgden we de weduwe naar binnen. De kamer was even plomp en comfortabel als mevrouw Keneally. De bolle sofa en leunstoelen waren eveneens gebloemd, bijna in hetzelfde patroon als mevrouw Keneally's jurk. Op petieterige tafeltjes stonden kleine schemerlampjes. Voor de potkachel lag een bontgekleurd geknoopt kleed en voor de ramen hingen witte kanten gordijnen met kwastjes. Zo'n huis had ik nog nooit gezien.

'Dit is je nieuwe moeder,' zei Abraham tegen Farage.

Ik was zo in beslag genomen door al het moois in de kamer en de muziek van mevrouw Keneally's stem dat ik Farage niet had horen binnenkomen. Zijn aanwezigheid verraste me en het geluid van Abrahams stem deed me schrikken. Farage keek me verlegen aan en ik keek even verlegen terug. Ik zou zijn moeder worden. Hij was tien. Ik was vijftien. Abraham was vijfenveertig.

'Nou,' zei mevrouw Keneally toen ze in gezelschap van het meisje in de kamer terugkwam. 'Ga lekker zitten.'

We stonden nog steeds onhandig tegenover elkaar toen het meisje het blad met de thee op een laag tafeltje voor de sofa zette. Mevrouw Keneally liet haar gebloemde vormen in de kussens zakken. De boeketten van de sofa en haar jurk mengden zich.

'Kom,' zei mevrouw Keneally. 'Kom zitten en neem een kopje thee.'

Ze klopte met een vlakke hand op de zitting naast zich en ik ging zitten.

'Je hebt vast een lange en vermoeiende reis achter de rug, meiske, maar nu ben je thuis. Je zult je in een ommezien op je gemak voelen, wat u, meneer Halo?'

Ik verstond geen woord van wat ze zei. Abraham vertelde me het later. Maar de woorden zelf deden er niet toe. Haar stem had iets vriendelijks. Ze klonk troostend en moederlijk en ik voelde me in die sofa wegzakken en liet de muziek van haar stem om mij heen dansen, in die bloemenweide.

'Alsjeblieft,' zei mevrouw Keneally terwijl ze de thee door een zeefje in een kopje schonk.

Ze gaf me mijn kopje en ik keek erin, dankbaar dat ik geen blaadjes zag die ze zou kunnen lezen.

We hadden een grote kamer voor onszelf op de tweede verdieping. De inrichting was eenvoudiger dan bij mevrouw Keneally, maar net als bij haar was de enige warmtebron de potkachel die koud tegen de muur stond. Warm water was er wel.

Farage kwam op de dag van onze aankomst bij ons wonen. Het was een mooi jongetje, een jongetje uit een sprookje, als uit een van de geïllustreerde kinderboeken die Abraham had gebruikt om mij Engels te leren lezen. Zijn grijze ogen, precies als die van zijn vader, bleven vanuit de andere hoek van de kamer heimelijk naar me kijken, net als ik naar hem keek. Ik probeerde me aan één stuk door een voorstelling te maken van wat ik moest doen om zijn moeder te zijn.

Ook kwam er op de dag van onze aankomst – we liepen nog heel onwennig rond – een man op bezoek. Hij had een stoffen tas vol bananen bij zich als cadeautje. Die vrucht had ik alleen een keer in Libanon gezien, maar ik was er dol op. De man ging in een stoel zitten, om er pas laat in de avond weer uit op te staan. Hij was een knappe man, kleiner dan Abraham, en jonger, met een gleufje in de punt van zijn geweldige neus die hem – die neus dus – in tweeën leek te splitsen.

Hij en Abraham praatten de hele dag met elkaar zonder op mij te letten. Abraham vergat zelfs ons aan elkaar voor te stellen.

Wanneer gaat die man weer weg, dacht ik. Maar hij bleef maar zitten.

'Wie was dat?' zei ik tegen Abraham toen hij eindelijk weg was.

'Dat was mijn broer Elias,' zei Abraham.

Abrahams vader, Amos, en Abrahams twee oudere broers, Amos en Abdulahad, waren als eersten van de familie naar Amerika geëmigreerd, ergens aan het eind van de negentiende eeuw. Abrahams vader was een protestantse missionaris en was daarom gedwongen Turkije te verlaten. Zijn familie was ooit heel welvarend geweest in Turkije, maar de plaatselijke pasja had al zijn land en huizen in beslag genomen en had gedreigd zijn vader ter dood te laten brengen wegens het verspreiden van het woord van Christus. Hij mocht van geluk spreken dat hij het er levend had afgebracht.

Het was zijn vader die hem had geholpen met de overtocht toen Abraham voor de tweede keer Turkije verliet. Abrahams vader had contact gezocht met zijn gemeente en daar hadden ze geld ingezameld.

Ik weet niet wat zijn vader en broers deden voor de kost toen ze in Amerika aankwamen, maar in 1905, toen Abraham emigreerde en zich bij hen voegde, verkochten ze kanten onderleggertjes aan de deur. Abraham was toen vijfentwintig. Na aankomst heeft hij zes jaar als handelsreiziger gewerkt, net als zijn vader en broers. Toen is hij gaan studeren in Ohio. Hij deed tandheelkunde en chemie. Op een dag vroeg zijn scheikundeleraar hem een stof te analyseren. Abraham zei dat er volgens zijn analyse een hoop lood in de stof zat, die er niet in hoorde, maar de docent hield vol dat hij het mis had. Abraham was echter overtuigd van zijn gelijk, en hij kreeg zijn gelijk. Hij zou graag apotheker zijn geworden, geloof ik. Hij verzamelde altijd verschillende kruiden en wortels en gebruikte ze als medicijnen of versterkende middelen, totdat het hem een keer bijna fataal werd toen hij een van zijn eigen brouwsels dronk. Daarna vertrouwde hij alleen nog op wonderolie als remedie voor zo ongeveer alles.

Abraham heeft tijdens zijn studie ook een blauwe maandag honkbal gespeeld. Toen ze hem een keer de bal toespeelden en hij die niet naar het eerste honk gooide, maar naar het thuishonk, hebben ze hem uit het team gezet. Maar zijn echte voornemen was tandarts te worden.

Op een goede dag zag Abraham een berichtje in de krant over een 'postorderbruid'. In die tijd zetten mensen soms een advertentie om een man of een vrouw te vinden. Abraham was op dat moment zeven jaar in Amerika. Hij reageerde op de advertentie met een brief aan de ouders en toen die antwoordden, zocht hij hen op. Toen Abraham het meisje ontmoette vertelde hij de vader – een rechter, geloof ik – dat hij niet met zijn dochter wilde trouwen. De vader van het meisje zei dat hij wel moest, dus deed Abraham het. Ze trouwden in 1912.

Tijdens zijn studie werkte hij als metaalarbeider om in het onderhoud van zichzelf en zijn vrouw te voorzien. Maar dit bestaan was te zwaar en het loon van een metaalarbeider was maar tien cent per uur. Ten slotte liet hij de studie voor wat die was.

Toen Abraham de studie opgaf verhuisde hij samen met zijn vrouw naar North Carolina en werd opnieuw handelsreiziger. Hij kocht land en bouwde een huis. Een jaar later kregen ze een zoon. Maar zijn vrouw was niet geschikt als moeder. Ze wilde het kind niet de borst geven. Ze zei dat het pijn deed aan haar tepels. De fles geven deden ze toen nog niet. Tenminste, ik geloof van niet. Maar goed, de baby stierf terwijl Abraham onderweg was om onderzettertjes te verkopen. Hij zei dat zijn vrouw zijn arme zoon had laten omkomen van de honger.

Kort na Abrahams huwelijk besloten zijn vader en broers terug te gaan naar het Midden-Oosten. Ze gingen naar Syrië – dat toen nog steeds deel uitmaakte van het Ottomaanse Rijk – omdat teruggaan naar Mardin uitgesloten was. In Syrië ontmoete Abrahams broer, Abdula-had, een vrouw met wie hij wilde trouwen. Om te trouwen had hij geld nodig en dus schreef hij Abraham met de vraag of hij hem het geld wil-de sturen dat hij op een bankrekening in New York had staan. Maar toen Abraham naar die bank ging zeiden ze dat er geen geld was.

Het was niet de eerste keer dat Abdulahad wilde trouwen. Op weg naar Amerika had hij een andere vrouw ontmoet met wie hij wilde trouwen, maar zijn vader had het hem verboden en hem eraan herin-nerd dat het hun doel was om Amerika te bereiken. Deze tweede teleur-stelling was te veel voor Abdulahad. Hij heeft het Abraham nooit verge-ven. Hij dacht dat Abraham het geld had gestolen, maar ik weet dat hij het niet heeft gedaan. Zoiets zou hij nooit doen. Ik weet niet wat er met het geld is gebeurd. Misschien had zijn vader het genomen. Of mis-schien had de bank het verduisterd. Ze wisten dat hij te ver weg was om er iets aan te kunnen doen. Of misschien had Abdulahad zich gewoon vergist in hoeveel geld er op die rekening stond. Boos omdat hij vond dat zijn vader en broer zijn beide pogingen om te trouwen hadden doen mislukken, verhuisde Abdulahad naar Jakarta, trouwde en verbrak alle banden met zijn familie. Hij stichtte een gezin en werd een beroemd bo-tanicus.

In Syrië vergaarde Abrahams vader nooit meer een vermogen zoals hij in Turkije had bezeten. Jaren later hoorden we dat hij in armoede was gestorven.

Omstreeks 1914 besloot Abraham zijn jongere broer Elias te helpen met zijn emigratie naar Amerika; hij nam een hypotheek op zijn huis en stuurde zijn broer geld. Toen Elias arriveerde trok hij in bij Abraham en diens vrouw. Ongeveer een jaar na Elias' aankomst bracht Abrahams vrouw weer een zoon ter wereld. Abraham noemde hem Farage. En opnieuw wilde ze niet voor het kind zorgen. Toen realiseerde Abraham zich dat zijn vrouw er andere mannen op na hield. Hij zette een procedure in gang om te scheiden. Hij was van plan om samen met Farage ergens anders te gaan wonen. Het was 1917 en de Eerste Wereldoorlog woedde in alle hevigheid.

Misschien om hem te doen stoppen of om het hem gewoon lastig te maken, beschuldigde zijn vrouw hem ervan een buitenlandse spion te zijn, wat leidde tot een grondig onderzoek door de Amerikaanse regering. Ze vonden natuurlijk niets. Toen Abraham eindelijk zijn scheiding bepleitte voor een rechtbank, kreeg hij de ongedeelde voogdij over zijn zoon.

Abraham verzamelde zijn schaarse eigendommen en nam de tweejarige Farage mee naar New York. Maar onderweg, in Washington, hield de politie hem aan. Ze vonden het verdacht dat hij met zo'n klein kind reisde. Ze ondervroegen hem over Farage, sloten hem op en hielden hem een nacht achter de tralies. Ze dachten dat hij het kind had ontvoerd. Pas toen Abraham de volgende ochtend Farages papieren overlegde lieten ze hem gaan.

Daarna heeft Abraham mevrouw Keneally en haar pension gevonden. Na school, terwijl hij werkte, zorgde zij of haar huishoudster voor Farage. 's Avonds nam hij de zorg over. Maar Abrahams zorgen waren nog niet voorbij.

Voor zijn tocht naar Syrië in 1925 stuurde hij een brief naar een advocaat in North Carolina met de mededeling dat hij zijn huis wilde verkopen. Hij kreeg geen antwoord. Toen hij in augustus samen met mij terugkwam schreef hij opnieuw aan de advocaat. Deze schreef terug dat Abraham niet langer eigenaar was van het huis. Hij zei dat de bank het had geconfisqueerd omdat hij achterliep met de aflossingen op de hypotheek. De advocaat zei dat ze het huis zelfs al hadden afgebroken en er een snelweg over hadden aangelegd. Al het vermogen dat Abraham in twintig jaar in Amerika had opgebouwd, was in rook opgegaan.

# 36
## Oud en nieuw

De huishoudster van mevrouw Keneally kookte elke avond voor de gasten van het kosthuis. Abraham, Farage en ik schoven aan bij de anderen aan de lange mahoniehouten tafel in de eetkamer van mevrouw Keneally. Koperen muurlampen met kleine glazen kapjes stuurden een warm schijnsel de kamer in. Ik was niet gewend te eten met zoveel onbekenden. Het kostte me verschrikkelijke moeite om ook maar een hap naar binnen te krijgen. Ik wilde het hoofd laten hangen en me ergens verstoppen of, liever nog, naar onze eigen kamer gaan en daar alleen eten.

De tafel was gedekt op een manier zoals ik nog nooit had gezien. Bij elke plaats stond een porseleinen soepkom op een groot porseleinen bord. Rechts ervan lagen een mes, soeplepel en dessertlepel en links lagen twee vorken op een keurig gevouwen servet. Bij elk couvert stond een wijnglas te sprankelen.

In mijn land gebruikten de Grieken ook messen en vorken, en we aten ieder van ons eigen bord. Soms maakte moeder verse pasta door het platgeslagen deeg in dunne reepjes te snijden, en als het dan gekookt was goot ze er gesmolten boter over. Dingen als pasta aten we met een vork. Maar meestal aten we soep of stamppot en daarvoor gebruikten we een lepel. In het zuiden van Turkije aten ze alleen soep met een lepel, maar zo uit de pan, en verder gebruikten ze gewoon hun handen of een stuk brood om het eten op te scheppen uit één enkele grote schaal. Op

290

het schip hadden we natuurlijk een soort tafelgerei als bij mevrouw Keneally, maar minder mooi.

Ik keek naar mevrouw Keneally en deed net als zij. Ik vouwde mijn servet open, legde het op mijn schoot en pakte toen mijn soeplepel en at de soep die de huishoudster in mijn kom schepte, alles als een schaduw van mevrouw Keneally. Toen de kom werd weggehaald was ik verrast te zien dat de huishoudster nog meer dingen op mijn bord schepte: een plak vlees, een portie aardappelpuree met een plasje jus in het midden en een portie groenten. Ik gebruikte mijn mes en vork op de manier waarop mevrouw Keneally die van haar gebruikte en sneed steeds kleine beetjes van mijn vlees. Ik dronk zelfs wanneer zij dronk en legde mijn mes en vork over mijn bord als zij klaar was.

Op een avond tijdens het eten zei mevrouw Keneally tegen Abraham: 'Meneer Halo, uw jonge vrouw heeft kennelijk een goede opvoeding gehad. Ze heeft uitstekende manieren.'

Ze was een vriendelijke vrouw. Het was het eerste thuisgevoel in mijn nieuwe land. Maar de ene kamer voor ons drieën was krap, dus verhuisden we drie maanden later naar een driekamerappartement in West Seventeenth Street. Abraham ging erop uit en kocht tweedehands meubelen. Hij kocht een grote ronde eiken tafel met klauwen onder aan de poten. Hij kocht een bank en stoelen, lampen, bedden en kanten gordijntjes als die bij mevrouw Keneally. Hij kocht alles wat we nodig hadden. Toen sloeg hij aan het verven en behangen. Ik wist niets van al die dingen.

Het grootste deel van de dag was ik alleen. Abraham deed losse klussen als stratenmaker of dakdekker, zelfs timmerwerk deed hij, en Farage ging naar school. Niet lang na onze aankomst nam Abraham me mee naar een Five & Dime. Toen hij de deur opende gingen ook mijn ogen wijd open. Daar stonden lange rijen tafels vol met dingen die ik nog nooit had gezien.

'Kijk, Sano,' zei hij. 'Hier verkopen ze dingen voor vijf en tien cent.'

Op een dag toen ik alleen thuiszat en niemand had om mee te praten besloot ik zelf eens te gaan winkelen bij de Five & Dime. Ik ging naar binnen en liep rond, besluiteloos wat ik als eerste zou oppakken en bekijken. In Amerika zag ik vrouwen die helemaal waren opgemaakt met lippenstift en rouge en ik zocht naar de toonbank met zulke spullen. Op dat moment wist ik niet dat Abrahams eerste vrouw van het soort was geweest dat er andere mannen op na houdt.

'Kan ik u helpen?' vroeg een jonge vrouw achter me.

Ik draaide me snel om en staarde haar aan. Ik had niet begrepen wat ze zei. Ik kon haar alleen maar aankijken en vervolgens verlegen mijn gezicht afwenden naar de toonbank voor mij, waar de cosmetica keurig soort bij soort lag uitgestald. De verkoopster zei nog iets anders en wees naar een foto van een prachtige vrouw wier gezicht in warme, volle kleuren was opgemaakt. Zenuwachtig pakte ik een poederdoos op. De verkoopster zei nog een paar dingen tegen me, hield de poederdoos naast mijn wang en bestudeerde me. Ze legde die poederdoos neer en koos een andere, en nog een, en hield ze steeds naast mijn wang, totdat ze precies de goede tint had gevonden. Toen pakte ze rouge, en daarna lippenstift, en deed hetzelfde als met de poederdoos. Ze glimlachte lief naar me, een glimlach die zei dat ze tevreden was over haar keuze. Ik glimlachte ook en volgde haar naar de kassa om te betalen voor mijn nieuwe gezicht. Ik was blij met mijn aanschaf. De vrouw op de foto zag er schitterend uit. Heel anders dan ik ooit iemand had gezien. Ik wilde ook betoverend zijn.

Ik ging met de opmaakspullen naar huis en deed ze op. God weet hoe ik eruitzag. Ik wist zelfs niet of ik het wel goed had gedaan.

Abraham was bezig een dak te herstellen ergens in de buurt, dus ging ik hem verrassen. Ik liep naar het dak en ging voor hem staan met een brede rode glimlach op mijn nieuwe gezicht. Abraham keek op en zijn blik verstarde.

'Wat doe je met die rommel op je gezicht?' zei hij. 'Haal het eraf. Ik wil je zo nooit meer zien.'

Ik ging meteen naar huis, smeet de cosmetica op de vloer en stampte erop tot de spullen kapot waren. Toen gooide ik ze in de vuilnisemmer. Daarmee kwam er een einde aan mijn carrière als schoonheidskoningin.

Omdat ik altijd goed was geweest in talen, kostte het me weinig tijd om Engels te leren. Farage sprak alleen Engels, dus leerde ik het sneller door hem.

'Ik kan je geen moeder noemen,' zei Farage eens tegen mij toen Abraham weg was. 'Je bent maar een kind.'

'Weet ik,' zei ik. 'Je hoeft me ook geen moeder te noemen.'

'Maar wat zal ik dan zeggen?'

'Noem me maar Sano,' zei ik.

Ik was niet alleen nog een kind, ik zag er ook uit als een kind. Ik had nog geen borsten. Ik was zo plat als een dubbeltje. Ik was in alle opzichten een kind, behalve de meest dramatische. Ik was al getrouwd en verkeerde al veel te lang in vast gezelschap van de dood.

Het was omstreeks Kerstmis van dat eerste jaar, ongeveer vier maanden na mijn aankomst in Amerika, dat ik eindelijk voor het eerst menstrueerde. Ik weet niet waarom dat zo lang was uitgebleven. Misschien kwam het door de ontberingen of misschien was ik wel jonger dan ik dacht. Abraham was de deur uitgegaan om een kerstboom te kopen, de eerste die ik ooit zag. Hij kocht kaarsjes en houdertjes, gekleurde ballen en engelenhaar. Hij maakte een voet voor de boom van twee stukken hout die hij kruislings aan elkaar spijkerde. Toen zette hij de boom bij de muur en bedekte de voet met katoen om het op sneeuw te laten lijken. Daarna zei hij tegen Farage en mij dat we moesten helpen met optuigen. Toen we klaar waren met de ballen en het engelenhaar deed hij de kaarsjes in de houders die we aan de takken hadden geclipt. Toen stak hij ze een voor een aan. Zoiets moois had ik nog nooit gezien.

Toen Farage naar bed was deed Abraham een paar stukken snoepgoed in zijn schoen, die hij zou vinden als hij opstond.

Ik staarde naar de flakkerende lichtjes van de kaarsen en de weerspiegelingen op de gekleurde ballen en het engelenhaar tot ik mijn ogen amper nog open kon houden.

'Ik bloed,' zei ik tegen Abraham toen we eindelijk naar bed gingen. Ik wist nog steeds niet wat dat betekende. In het kleine dorp waar mijn moeder me had achtergelaten, vertelden de vrouwen en de meisjes me nooit iets omdat ze dachten dat ik maar deed alsof ik niets wist.

'Dat geeft niet,' was het enige wat hij zei.

Ik gebruikte een doek om het bloed op te vangen, waarschijnlijk net als mijn moeder had gedaan. Toen hij doorweekt was waste ik hem uit en hing hem te drogen en gebruikte een volgende.

Op kerstochtend gaf Abraham me een pakje.

'Hier,' zei hij. 'Gelukkig kerstfeest.'

293

Ik keek hem dankbaar aan, blij dat hij me iets had gegeven. Ik maakte het pakje open en vond een klein beursje.

'Wat is het?' vroeg ik.

'Het is een beursje, waar je je geld in kunt doen. Kijk maar, het heeft zelfs een kettinkje om het aan te dragen.'

Ik had nog nooit een beursje gezien. Vrouwen in Turkije en Syrië gebruikten toen zulke dingen niet.

'O, maar meneer Halo,' zei mevrouw Keneally, en ze lachte toen we haar eens gingen bezoeken. 'Dat is een kinderbeursje.'

'Dat geeft niet,' zei Abraham.

Ik geneerde me zo dat ik het daarna in mijn handpalm verborg wanneer we uitgingen.

'Laten we de oude man zien vertrekken en de jonge zien binnenkomen,' zei Abraham op een avond vlak na Kerstmis.

We kleedden ons warm aan en liepen naar Forty-second Street en hingen daar wat rond. De straten waren vol mensen die op toeters bliezen en gekke hoedjes droegen. Ze schreeuwden en lachten en kusten elkaar. Er hingen zelfs mensen uit de ramen met potten en pannen te rammelen.

In Aleppo rammelden ze ook met potten en pannen en werd er ook geschreeuwd, maar daar was het om de boze geesten te verjagen als er een zonsverduistering was. De hele stad rammelde en schreeuwde net zo lang tot de zon eindelijk weer vanachter de maan te voorschijn kwam.

Maar nu was het laat in de avond en er was geen zon om achter de maan te kruipen. Ik keek om me heen om te zien of ik de oude en de jonge man kon ontdekken, maar ik kwam er niet achter wie wie was.

'Goed zo,' zei Abraham na een poosje. 'Laten we naar huis gaan. De oude man is vertrokken en de jonge is aangekomen.'

'Waar is hij dan? Ik zie geen jonge man. En de oude heb ik ook niet gezien.'

Abraham nam niet de moeite om uit te leggen dat het oudejaarsavond was, iets wat ik nog nooit had gevierd. Typisch Abraham. Hij voelde zich niet op zijn gemak in gesprekken, behalve misschien met zijn broer Elias.

Maar in het begin probeerde Abraham toch om me dingen te laten zien. Hij nam me zelfs mee naar de film. We zaten vooraan en ik moest mijn nek ver uitsteken om de reusachtige mensen op het scherm te zien. Het scherm was zo groot dat de hoofden van de acteurs een verdieping hoger leken. De eerste film die ik zag was een stomme film. Marion Davies ben ik nooit vergeten. Ze was als een berg. In die tijd kon ik nog niet lezen, maar het was niet moeilijk om te raden dat het een liefdesverhaal was. In mijn land hadden we zulke dingen niet, bioscopen, maar ik geloof niet dat er een plaats op aarde is waar ze geen liefdesverdriet hebben.

We woonden op de begane grond van een flatgebouw, aan de straatkant. Ik had geen vrienden om mee te praten. Overdag, wanneer Abraham werkte en Farage naar school was, ging ik soms na mijn werk gedaan te hebben voor het raam zitten en dan kon ik urenlang kijken naar de mensen die voorbijkwamen. Op een dag keek ik naar een man die de straat veegde met een grote veger die hij voor zich uit duwde. Af en toe stopte hij om de rommel op te scheppen en in een grote vuilnisemmer op wielen te gooien. De man moet me hebben zien kijken. Misschien dacht hij dat ik zat te lonken, want ten slotte zette hij de bezem weg en kwam naar de deur. Hij klopte en klopte, maar ik deed niet open. Ik zat daar maar en staarde naar de deur en wachtte muisstil totdat hij wegging, wat hij uiteindelijk deed. Ik heb het nooit aan Abraham verteld, en ik ben ook nooit meer achter het raam gaan zitten kijken.

Een paar maanden na Kerstmis raakte ik zwanger van ons eerste kind. Ongeveer een maand voordat de baby zou komen zei Abraham: 'Kom mee. We moeten kleertjes voor de baby gaan kopen.' Dus gingen we. Ook over die dingen wist ik niets. Ik wist nauwelijks wat er met me gebeurde. Abraham nam een keer een grote vis mee naar huis om te koken en toen ik hem opensneed zat er een kleine vis in zijn maag. Ik moest verschrikkelijk kokhalzen.

'Wat is er met je aan de hand?' riep Abraham tegen me toen hij zag dat ik mijn best stond te doen om niet over te geven.

'Hij is dood!' zei ik en ik gaf over.

'Natuurlijk is hij dood,' zei hij. 'Wou je een levende vis klaarmaken?'

'Maar deze is zwanger,' zei ik, 'en nu is hij dood en zijn baby ook.'

Ik dacht dat het arme kleine visje in de grote daar op zijn geboorte zat te wachten. Abraham kwam kijken waar ik het over had en barstte in lachen uit.

Abraham zocht alleen maar roze dingen uit voor de baby. Pas later vernam ik dat roze voor meisjes is en blauw voor jongens. Ik weet niet hoe hij het wist, maar waarachtig, het werd een meisje. In oktober 1926 werd Mariam geboren.

Ik stond de afwas te doen toen ik de eerste wee voelde. Mijn knieën werden slap en ik moest me aan het aanrecht vasthouden om overeind te blijven. Abraham keek op bij mijn kreet en holde naar me toe, maar toen hij bij me was, was de pijn al weggezakt.

'Niks aan de hand,' zei ik. Maar even later kwam de pijn terug, en nog eens. Ik greep me opnieuw vast aan het aanrecht.

Abraham bracht me naar ons bed en liet me liggen. Toen deed hij een deken over me heen om me warm te houden.

'Ik ga de dokter halen,' zei hij, en hij rende de deur uit.

Daar lag ik, starend naar de enorme berg deken die mijn buik was. De weeën waren weer weggeëbd en heel draaglijk als ze toch kwamen. Ik dacht aan de dag dat ik met Christodoula voor de deur van ons huis stond en we luisterden naar mijn moeder die lag te bevallen terwijl wij geen idee hadden waar we naar luisterden.

'Waar zijn de baby's vandaan gekomen?' had ik aan mijn moeder gevraagd toen ze ons onze nieuwe zusjes liet zien.

'Uit mijn knieën,' zei moeder, en ik had grote ogen opgezet van verbazing. Ik was teruggegaan naar onze kamer en had de zoom van mijn jurk opgetild om mijn eigen knieën te bekijken, maar ik had mijn jurk weer laten zakken zonder veel wijzer te zijn geworden.

Nu, in afwachting van Abraham en de dokter, voelde ik een glimlach op mijn gezicht komen terwijl ik me mijn moeders glimlach herinnerde toen ze het me vertelde. Toen barstte ik zonder het te willen in snikken uit bij de gedachte aan haar mooie gezicht.

'Ze is nog niet zover,' zei de dokter toen hij me had onderzocht. 'De baby is nog niet ingedaald. Het zal nog wel een paar dagen duren.'

Het was woensdagochtend toen de weeën weer begonnen, deze keer alsof ik een trap van een ezel kreeg. Abraham stuurde me meteen naar bed en rende de deur uit, opnieuw om de dokter te gaan halen. Deze keer kwamen de weeën vlak na elkaar, te vlug om me enige tijd tot bespiegeling te gunnen. Ik kon alleen maar schreeuwen van de pijn en ik wist zeker dat mijn laatste uur geslagen had.

'Hij komt eraan,' zei Abraham toen hij weer binnenkwam. 'De dokter komt eraan. We moeten de buren waarschuwen.'

En weer rende hij de deur uit en ik hoorde hem op de deur aan de overkant in de hal bonzen en daarna op de deur boven ons. 'Het komt,' riep hij. 'Onze baby komt eraan. Kom gauw kijken. Onze baby komt eraan.' Zoiets had ik nog nooit meegemaakt, maar Abraham was ongelooflijk opgewonden over de komst van de baby.

We waren pas in die flat getrokken. Het was in West Twenty-sixth Street, tussen Sixth en Seventh Avenue. Ik kende niemand in het gebouw en niemand kende mij. Maar twee vrouwen kwamen inderdaad kijken, op het moment dat ook de dokter met zijn zwarte tas over de drempel stapte. En het enige wat ik kon doen was schreeuwen van de pijn.

'Persen!' zei de dokter steeds maar weer. 'Persen!'

En ik perste en perste, tot ik eindelijk voelde hoe ons kind de wereld in floepte.

'Hoe ga je haar noemen?' vroeg de dokter terwijl hij de navelstreng doorknipte en ons baby'tje schoonwreef.

Abraham was buiten zichzelf van vreugde. Hij rechtte zijn schouders en slaakte een diepe zucht. 'Mariam Elisabeth Halo,' zei hij.

Ik wist dat Mariam de naam van zijn moeder was en ook had het dezelfde betekenis als Maria, mijn zusje's naam, waar ik blij om was, maar waar hij Elisabeth vandaan haalde wist ik niet.

'Saniti,' zei hij tegen me toen iedereen was vertrokken. 'Kijk eens naar haar. Ze is prachtig; zo mooi als een koningin.' En hij klakte met zijn tong van verbazing.

Abraham wist altijd precies wat er in de wereld speelde. Ik wist dat toen niet, maar in datzelfde jaar was ook koningin Elisabeth ii van Engeland geboren.

Na de geboorte huurde Abraham een zuster in om mij te verzorgen en om te koken en schoon te maken. Abraham zei dat ik twee weken in bed moest blijven en dus was dat de plek waar ik bleef, behalve om naar de wc te gaan natuurlijk. Ik had van mijn leven nog niet zo lang achter elkaar in bed gelegen, afgezien van de keer dat ik door die slang was gebeten en bijna was gestorven.

Ik ga vast dood, dacht ik, en twee weken lang heb ik liggen piekeren wanneer het zou gaan gebeuren.

'Waarom maak je niet iets te eten klaar?' vroeg Abraham aan de zuster.

'O,' zei de zuster. 'Ik heb al wat toast en thee gehad. Ik heb nu geen honger.'

'Niet voor jezelf,' zei Abraham. 'Ik heb je ingehuurd om te koken en schoon te maken voor mij en mijn vrouw.'

'Nou, dat spijt me dan,' zei de zuster. 'Ik kook en poets voor niemand.'

Abraham klakte met zijn tong van afschuw. De volgende dag ontsloeg hij haar en nam een andere vrouw aan. Deze keer maakte hij meteen duidelijke afspraken over het koken en schoonmaken.

Het was heerlijk om een baby te hebben, maar toen Mariams ogen gingen ontsteken wist ik niet wat ik voor haar kon doen. Ze huilde aan één stuk door, en ik huilde met haar mee. Ik was ontzettend bezorgd en totaal onervaren, zodat ik weinig meer kon doen dan huilen. Abraham nam ons mee naar de dokter die Mariam op de wereld had geholpen en de dokter maakte haar beter. Tijdens een van mijn bezoeken aan het ziekenhuis heb ik voor het eerst kennisgemaakt met maandverband. Zo leerde ik steeds weer iets nieuws, door het ergens te zien. Niemand die me ooit ook maar iets vertelde.

'Waar heb je de baby vandaan?' wilde Farage weten.

Farage was toen elf en wilde nauwelijks met ons over straat lopen omdat we een baby bij ons hadden. In die tijd vertelden de mensen hun kinderen niet hoe baby's werden geboren en waar ze vandaan kwamen. Net als mijn moeder had gedaan, droegen ze kleren om alles zo goed mogelijk te verbergen.

'Nou,' zei Abraham tegen Farage, 'de dokter gaat naar de berg om een baby'tje te halen en dan geeft hij het aan degene die het het liefste wil.'

Jaren later, toen mijn kinderen vragen begonnen te stellen, vertelde ik ze dat de moeder haar kindje negen maanden lang bij zich draagt, veilig weggestopt onder haar hart, zoals ik ook hen had gedragen. En na hun geboorte draagt ze ze voor de rest van haar leven mee in haar hart.

'Kun je zwemmen?' vroeg Abraham me eens op een snikhete zomerdag nadat Mariam was geboren.

'Ik geloof het wel,' zei ik.

'Je hebt geen badpak,' zei Abraham. Hij rommelde wat in zijn la en haalde een van zijn zwarte wollen badpakken te voorschijn. Zelfs mannenbadpakken hadden toen nog een bovenstuk. 'Hier. Trek dit maar aan.'

'Het is te groot,' zei ik.

'Dat is niet erg,' zei hij.

We trokken onze badpakken aan onder onze kleren, pakten een lunch in en een paar handdoeken en namen de ondergrondse naar het strand; we gingen naar Coney Island, geloof ik. Ik had me nog nooit in zoveel water begeven. De rivier de Tigris die ik bij Diyarbakir was overgestoken, was minder dan een stroompje vergeleken met de Atlantische Oceaan.

Terwijl ik voor de baby zorgde gingen Abraham en Farage naar een van de kleine cabines op het strand om zich uit te kleden. Vervolgens, terwijl zij de handdoeken op het zand uitspreidden, ging ik met de nodige tegenzin naar een cabine om me uit te kleden. Toen ik naar buiten kwam, moest er een man verschrikkelijk om me lachen. Mijn borsten waren behoorlijk veel groter geworden tijdens mijn zwangerschap, en eentje was opzij uit mijn badpak gefloept. In Aleppo, Syrië, was het heel natuurlijk voor een vrouw om haar borst midden op straat te voorschijn te halen om haar kind te voeden. Er was niemand die daar ook maar enige aandacht aan schonk.

Ik geneerde me zo door zijn gelach dat ik domweg bleef staan. Ik keek naar Abraham, die op onze handdoek zat, maar hij was te ver weg en zat met zijn gezicht naar de zee gekeerd. Ik keek weer naar de man en hij grinnikte. Ik besloot dat ik hem niet het genoegen van mijn schaamte zou laten proeven, dus duwde ik mijn borst weer naar binnen, alles met een gezicht alsof het de normaalste zaak van de wereld was. Maar toen ik de ene borst aan de ene kant had teruggestopt, kwam de andere aan de andere kant te voorschijn.

Terwijl ik voor Mariam zorgde ging Abraham de zee in om te zwemmen. Vanaf het strand kon ik een streepje van zijn zwarte badpak zien tussen de zilver-en-blauw glinsterende golftoppen. Zijn armen maaiden door de golven, die hem bij iedere slag opslokten en weer vrijlieten. Ik was verbaasd te zien hoe goed hij kon zwemmen. Het zag er zo gemakkelijk uit dat ik toen Abraham verfrist terugkwam, zeewater druppend en met de zon op zijn blote schouders, opsprong om ook te gaan.

'Pas op de baby,' zei ik, voor ik naar de waterkant rende.

Ik stak aarzelend een voet in het water en ging toen steeds een stukje dieper. Het was verrukkelijk, na de schok van de eerste kou. Het water spatte tegen mijn enkels, mijn knieën en mijn middel. Het tilde me zachtjes op en zette me weer neer. Toen kwam er een golf die me zo snel en krachtig optilde dat ik richting strand zeilde en te midden van een berg schuim in het zand smakte. Ik had nauwelijks tijd om op adem te komen, want de golf stroomde weer naar zee en zoog mij met zich mee, kopje-onder. Ik voelde het zand onder mijn handen verdwijnen toen ik om me heen graaide om houvast.

O mijn god, dacht ik. Het is afgelopen met me. Ik ga dood.

Telkens wanneer ik probeerde te staan spoelde er een nieuwe golf over me heen, alsof de zee een eigen wil had en zich met al zijn energie op mij stortte. Weer probeerde ik op te staan en weer werd ik weggeslagen en toen teruggezogen. Abraham en al die mensen om mij heen en op het strand gingen hun gang terwijl ik voor mijn leven vocht, zonder dat iemand het in de gaten had. Ik was onzichtbaar, afgescheiden van de rest van de wereld, zo afgescheiden en onzichtbaar als mijn mensen waren geweest toen wij onze uitgeputte lichamen door het woestijnland van Turkije sleepten. Ik voelde me nietig als een in de golven heen en weer zwevende kwal. Ik kon niet eens om hulp roepen omdat het water mijn longen zou vullen zodra ik mijn mond opendeed. Ik probeerde mijn hoofd boven de golven uit te tillen, maar bij elke worsteling trok de onderstroom me dieper en dieper. Toen, plotseling, liet de zee me los. Ik krabbelde overeind en rende naar het strand. Ik ben nooit meer gaan zwemmen.

Twee jaar na de geboorte van Mariam kreeg ik opnieuw een baby, weer een meisje. Abraham noemde haar Helyn, naar zijn grootmoeder.

'Deze is zelfs nog mooier dan de eerste,' zei hij toen Helyn was geboren.

Deze keer beviel ik in het ziekenhuis, en toen ik thuiskwam was er geen zuster om voor me te zorgen. Het moederschap was niet nieuw meer voor me, maar ik was ternauwernood achttien en al moeder van twee kinderen.

In 1929 verhuisden we naar Harlem. We namen een appartement met twee slaapkamers in One Hundred Twenty-ninth Street en Lenox Avenue. Dat was het jaar waarin de sprekende film begon. Ik vroeg Abraham of ik *Dracula*, met acteur Bela Lugosi, mocht gaan zien, samen met een vrouw die ik had leren kennen. Abraham zei nee, maar ik ben toch gegaan. Toen ze de dode man met bloed en kleine gaatjes in zijn hals lieten zien, fluisterde ik tegen de vrouw: 'Ik weet wat daar aan de hand is.' Ik vond mezelf geloof ik nogal bijdehand dat ik had bedacht dat Dracula het bloed van de man had opgezogen. Natuurlijk had iedereen in de bioscoop dat ook al bedacht.

Abraham had me een keer meegenomen naar een film in Syrië, maar toen was ik in slaap gevallen. In Amerika ging ik dolgraag naar de bioscoop. Toen de kinderen kwamen was de film mijn enige ontsnapping aan de toenemende spanningen van het moederschap. Na een dag van huishouden en voor de kinderen zorgen was ik doorgaans zo moe dat ik de baby's mee naar het park nam en met hen naast me in het gras in slaap viel.

Een keer, hartje zomer dat jaar, had ik net de hele flat schoongemaakt. Ik had de vloeren gedweild en de afwas gedaan. Ik had de kleren zoals gewoonlijk met de hand op een wasbord gewassen, in de tobbe. Ik had alles te drogen gehangen aan een waslijn die over de binnenplaats naar het volgende gebouw liep. En natuurlijk had ik tussen al het huishoudelijke werk door gekookt en de baby's en Farage te eten gegeven. Farage was toen veertien. Zoals gewoonlijk was ik uitgeput en mijn hoofd bonsde tegen de tijd dat ik klaar was.

Ik had net de lakens op het laatste bed strakgetrokken en de dekens ingestopt, toen Farage een krant nam en over zijn bed uitspreidde. Toen ging hij op de krant liggen. Ik geloof dat hij in al zijn onschuld zijn best deed om op deze manier het bed schoon te houden, maar moe als ik was zag ik in dit gebaar alleen maar meer rommel om op te ruimen.

'Wat doe je nou?' riep ik tegen hem. 'Ik werk me suf om alles netjes te krijgen en jij bederft het. Ga van dat bed af!'

Farage sprong van het bed en rende naar me toe. 'Jij kunt me niet vertellen wat ik moet doen,' zei hij. 'Je bent mijn moeder niet.' En bij die woorden stompte hij me in mijn gezicht en ging ik onderuit.

Tegen de tijd dat Abraham thuiskwam huilde ik al niet meer, maar ik had een buil op mijn gezicht waar Farage me had geslagen.

'Wat is er met je gezicht?' vroeg Abraham toen hij de rode plek en de zwelling zag.

'Farage heeft me geslagen,' zei ik, en op het moment dat ik het zei had ik er al spijt van.

Abraham greep Farage bij zijn haar en gaf hem een klap in zijn gezicht.

'Hoe durf je je moeder te slaan,' schreeuwde Abraham tegen hem.

'Ze is mijn moeder niet,' zei Farage.

Daarop gaf Abraham hem een tweede draai om de oren. Ik greep Abrahams arm; ik schaamde me dat ik er de oorzaak van was dat hij zijn zoon sloeg.

'Wacht,' riep ik. 'Het geeft niet. Het was een misverstand. Hij meende het niet. Hij zal het niet weer doen.'

Ik worstelde met Abraham, schreeuwde tegen hem dat hij moest stoppen en slaagde er uiteindelijk in tussen hen in te komen. Farage rende de deur uit.

Die avond wachtten we tot Farage thuis zou komen. Het werd elf uur, toen twaalf, een en twee, maar Farage kwam niet. De volgende dag kwam Farage nog steeds niet, noch de dag daarna.

Ik had net een koffiecake gemaakt en op de tafel gezet om af te koelen toen Farage binnenkwam. Er waren drie dagen verstreken sinds zijn verdwijning. Hij bleef op de drempel staan. Ik keek op van waar ik mee bezig was en onze blikken kruisten elkaar. We stonden elkaar aan te kijken zonder iets te zeggen.

'Heb je honger?' vroeg ik ten slotte.

Farage knikte en sloeg zijn ogen neer.

'Kom binnen en neem wat cake en een glas melk,' zei ik.

Zonder antwoord te geven liep Farage naar de tafel en ging zitten. Ik bracht hem een bord en een mes, zodat hij een stuk cake voor zichzelf kon afsnijden, en een vork om het mee op te eten. Toen bracht ik hem een glas melk. Hij sneed een plak cake af en begon met grote happen te eten.

'Waar heb je gezeten?' vroeg ik.

'In het park,' zei hij.

'Heb je iets gegeten?'

'Een paar keer heb ik om geld gebedeld,' zei Farage. 'Soms gaf iemand me een paar stuivers om iets te kopen. Maar de meeste tijd had ik niks.'

'Wat naar voor je.'

Farage knikte en nam nog een grote hap cake. Toen pakte hij het glas melk en dronk het in één teug leeg. Ik schonk hem nog een keer in, en weer dronk hij alles in één teug op. Hij sneed nog een plak cake af en werkte die ook naar binnen. Toen nam hij nog een plak enzovoort, tot hij de hele cake soldaat had gemaakt.

Abraham had gelijk om hem te straffen, maar ik had geen rekening gehouden met het soort straf dat hij zou uitdelen. Farage bleef zich schamen om samen met mij en de baby's de deur uit te gaan, maar het was een goede jongen. Na het pak slaag nam ik me voor dat ik nooit meer iets over hem zou verklappen, wat het ook mocht zijn. Maar Farage heeft me nooit meer geslagen en er waren geen incidenten meer. Na verloop van tijd verloor hij zelfs zijn gêne voor de baby's.

# 37
# *Edelman, bedelman, dokter, pastoor...*

Terwijl Abraham het deksel op de potkachel goed legde, vouwde ik mijn armen om hem heen en liet mijn hoofd op zijn schouder rusten. We waren een paar jaar getrouwd en hadden samen twee kinderen, maar dit was voor het eerst dat ik zoiets deed. Ik begon me meer op mijn gemak te voelen bij hem en had behoefte aan affectie.

'Wat wil je nou?' vroeg hij, en hij duwde me van zich af. 'Wou je seks?'

Ik voelde dat ik een kleur kreeg van schaamte. 'Nee,' zei ik, 'ik, eh...' Maar ik kon geen manier verzinnen om hem te vertellen dat ik alleen maar wilde dat hij zijn armen om me heen sloeg en me zou vasthouden. Dat was niet iets wat je in het oude land veel zag gebeuren: mannen en vrouwen die aandacht voor elkaar hadden en elkaar knuffelden. In ieder geval niet bij de mensen die ik kende. Daar waren ze te ouderwets voor. Abraham was ook ouderwets.

Ik bleef wel proberen aanhalig tegen hem te doen, maar hij duwde me altijd weg en zette me voor schut. Ten slotte gaf ik het op. Misschien dacht hij dat ik het in de film had gezien. Best mogelijk. Ik wist niet hoe erg het hem hinderde.

Twee jaar na Helyn werd Harton geboren, en toen Nejmy. Harty's geboorte was verschrikkelijk zwaar. De dokter had de nageboorte laten zitten en ik werd helemaal gek in het ziekenhuis. Een patiënt in het bed naast mij gaf een schreeuw toen ze me zag hoesten en woelen en naar de rand van het bed zag rollen alsof ik er zo uit zou vallen. De zuster kwam aangerend en deed het hekje van het bed omhoog, maar wat er met me aan de hand was ontdekten ze niet.

In mijn ziekenhuisbed kreeg ik een vreemde droom, of misschien was mijn hart opgehouden met kloppen. Ik zag een lange tunnel, smal als een pijp en wit vanbinnen. Ik moest op handen en voeten kruipen om erdoor te gaan. Toen ik aan de andere kant kwam stonden mijn vader en moeder daar op me te wachten. Ik was zo blij om ze te zien na al die jaren dat ik opstond en naar ze toe begon te rennen om hen in de armen te vliegen. Maar ze weerden me af.

'Je moet ons niet aanraken,' zeiden ze. 'Je moet teruggaan. Je hoort hier niet.'

Het duurde bijna een week voordat de dokters ontdekten wat me mankeerde.

Bij elke geboorte zei Abraham: 'Sano, deze is nog mooier dan de vorige.' Hij noemde ze naar zijn zusters. *Nejmy* betekent 'ochtendster'. Het was een prachtige naam, maar het klonk zo buitenlands en dus noemde ik haar Mitzi, naar een destijds beroemde filmster.

Het was geen gemakkelijk leven. Met vier kinderen was er zoveel te doen en zo weinig tijd om het in te doen. Alles gebeurde met de hand, en zonder centrale verwarming werd het oprakelen van het vuur in de potkachel en steeds maar brandstof erin doen, te beginnen om vier uur 's morgens, een van mijn vele klussen. Net als mijn moeder was ik van de vroege ochtend tot de late avond in touw.

In die jaren begon ik aan verschrikkelijke hoofdpijnen te lijden. Ik werd zo ziek dat ik nauwelijks uit bed kon komen of zelfs maar mijn hoofd van het kussen kon tillen. Mijn hoofd deed zo'n pijn dat ik er misselijk van werd.

Tijdens de recessie probeerde Abraham als zelfstandig steenhouwer aan de slag te komen. Hij legde ook trottoirs en pakte alles aan, maar meestal lieten de mensen die hem hadden ingehuurd na hem te betalen. Hij sleepte ze voor de rechter, maar veel hielp dat niet. Toch hebben we op de een of andere manier het hoofd boven water weten te houden.

Toen Abraham eens geen werk kon vinden zag hij mannen bezig bij een gleuf in de straat. Hij vroeg de voorman om een baan en de voorman zei dat er geen vacatures waren. Maar Abraham sprong gewoon in de gleuf, pakte een schep en begon te graven. De voorman was zo onder de indruk dat hij Abraham een baan gaf. Maar door de recessie hield bijna geen aanstelling stand. Hij heeft zelfs een poosje als trambestuurder gewerkt, maar dat waren zulke lange werkdagen en het werk was zo saai dat hij achter het stuur in slaap sukkelde en bijna iemand overreed, waarna hij die baan eraan heeft gegeven.

'God zal ons het geld sturen,' zei ik op een ochtend tegen hem toen hij met lege handen terugkwam nadat hij erop uit was gegaan om geld te innen dat men hem schuldig was.

'Er liep eens een man over straat,' zei Abraham, en zijn hele gezicht klaarde op, zoals gewoonlijk wanneer hij een van zijn anekdotes of verhalen vertelde. Dan was het alsof hij naar dat andere land overging en ik met hem. Ik voelde dat mijn ogen groot werden, net als toen mijn grootvader verhalen vertelde bij het haardvuur.

'En terwijl die man zo liep, bad hij,' zei Abraham. '"O God. Stuur me alsjeblieft vijfhonderd dollar. Ik zal geen cent meer van U aannemen, maar met een cent minder neem ik ook geen genoegen." Hij liep vele straten door en bad maar steeds hetzelfde. Hij kwam langs een hoge schutting en bad, en bad. "O God. Stuur me alsjeblieft vijfhonderd dollar. Ik zal geen cent meer van U aannemen, maar met een cent minder neem ik ook geen genoegen." Een man aan de andere kant van de schutting hoorde hem en zei bij zichzelf: laten we eens kijken hoe eerlijk die man is in zijn woorden tot God. Hij zegt dat hij geen cent meer of minder dan vijfhonderd dollar zal aannemen. Dus bond de man $499,99 in een zakdoek en gooide dat over de schutting voor de voeten van de biddende man. De man rende ernaartoe en pakte het op. Hij opende de zakdoek en telde het geld. "O, dank U, God," riep de man naar de hemel. "En dat U me een cent voor de zakdoek heeft gerekend kan me niks schelen."'

Geld was altijd het probleem in die recessiejaren, maar zelfs in de ergste tijden zijn onze kinderen nooit met een lege maag naar bed gegaan. We zorgden altijd dat er iets was. Als Abraham geen geld kreeg voor het werk dat hij voor iemand had gedaan, ging hij naar een liefdadigheidsinstelling – ik heb nooit geweten waar, misschien was het een kerk – en kwam hij thuis met wat kleingeld voor eten voor de kinderen. Ze gaven net genoeg om te overleven. We maakten heerlijke stoofpotten en soepen klaar, zoals mijn moeder vroeger thuis had gedaan. Aardappelen waren goedkoop en bonen waren volop te krijgen en ook goedkoop. Een paar stukjes vlees erbij als we het ons konden veroorloven, of zelfs een soepbot of een paar tomaten, en we aten goed. Ik leerde cakes en taarten bakken en ik maakte zelf brood. Appels waren er ook in overvloed.

Abraham gaf me een naaimachine en ik leerde mezelf naaien, alweer door het van iemand af te kijken. Eerst maakte ik er een knoeiboel van. Ik wist niet van het bestaan van patronen, dus maakte ik mijn eigen patronen. Soms waren de dingen die ik maakte behoorlijk scheef, maar al doende leerde ik en na verloop van tijd werd ik een goede naaister. Voor de kinderen haakte ik truitjes, mutsen en sokjes. Ook die verdienden in het begin geen schoonheidsprijs, maar ze hielden de kinderen tenminste warm en algauw was ik ook in haken een ster. Ik dank God voor mijn handen, die nooit rust hadden.

'Zou je naar school willen?' vroeg Abraham me op een dag.

Ik wilde graag, maar hij zei er niet bij dat ik samen met andere volwassenen in de avonduren zou gaan. Misschien dacht hij dat ik het wist. Maar ik dacht dat ik in een klas zou komen met kleine kinderen, want ik had in Amerika nog nooit een school vanbinnen gezien. Dat wou ik niet.

'Nee,' zei ik. Maar toen Farage schoolboeken mee naar huis nam bladerde ik ze allemaal door, steeds opnieuw. Ik kon niet lezen, maar ik was ontzettend dol op die boeken. Ik vond ze er mooi uitzien, lekker ruiken en lekker voelen. Ik maakte tijd vrij om te studeren, en beetje bij beetje kwamen de dingen die Abraham me in Libanon had geprobeerd te leren terug. Met dat als basis leerde ik mezelf lezen. Farage leerde me hoe je een staartdeling moest maken. Toen hij het voordeed vertelde hij me wat hij deed en waarom, en toen kon ik het ook. Later, toen mijn kinderen groter werden, las ik hun voor. Toen ze naar school begonnen te gaan leerde ik ze de trucjes met de staartdeling die ik van Farage had geleerd. Ik hielp hen met lezen en zij leerden mij woorden die ik nog niet kende.

Een van de opwindendste dingen die ik meemaakte was misschien wel de eerste keer dat ik ging stemmen. Calvin Coolidge was president toen ik in Amerika aankwam. Hij deed niets voor het volk. Toen, in 1928, werd Herbert Hoover gekozen en met hem kwam de grote beurskrach. Dat waren wanhopige tijden.

Op een dag hoorde ik lawaai op straat. Het was bitter koud en er stond een ijzige wind, die door alles heen drong. Ik ging naar het raam om te zien wat er aan de hand was en zag een vrouw de vuilnisemmers doorzoeken. Farage kwam ook kijken.

'O,' kreunde Farage. 'Ik ken die vrouw. Haar zoon zit bij mij in de klas. Zo komt ze aan hun eten.'

Elke avond ging zij van vuilnisemmer naar vuilnisemmer om eten te zoeken voor haar kinderen. Het was geen ongewoon gezicht. Abraham las in de krant dat er een man door het eten van bedorven afval was gestorven. Maar toch was er niemand die de massa's hongerige mensen, goede mensen, mensen die graag zouden werken als er maar werk was, de helpende hand reikte.

Toen kwam er hoop. In 1931 deed Franklin Delano Roosevelt mee aan de presidentsverkiezingen. Dat was nou een man op wie je je hoop kon vestigen, een man die de Amerikanen hun droom terug wilde geven. We hadden naar zijn toespraken geluisterd op de radio en zelfs ik was er ondersteboven van.

'Ik ga stemmen,' zei ik tegen Abaham.

'Ga je gang.'

Ik ging alleen naar het stemlokaal en vulde de formulieren in. Toen moest ik een testje doen. 'Waar komt boter vandaan?' was een van de vragen.

Dat weet iedere gek, dacht ik. Maar toen ik zag dat de uitslag van mijn test achtennegentig procent was, was ik zo trots als een pauw.

'Ik heb achtennegentig procent op de test,' riep ik toen ik thuiskwam.

Abraham lachte. 'Allemachtig!' zei hij, en aan zijn lach kon ik zien dat ook hij trots was.

En zo bracht ik op mijn eenentwintigste voor het eerst van mijn leven mijn stem uit in mijn nieuwe land, en sindsdien heb ik geen gelegenheid voorbij laten gaan.

Krantenjongens riepen het op alle straathoeken: 'Extra! Extra! Lees het laatste nieuws! Franklin Delano Roosevelt president!' Mannen stookten vreugdevuren op straat toen FDR had gewonnen. Kinderen haalden alles uit de kelders wat brandbaar was en staken het in brand. Het was reuze opwindend en ik had er mijn eigen kleine bijdrage aan geleverd.

Toen Farage was geslaagd voor zijn middelbareschoolexamen ging hij het huis uit voor een baan bij het Civilian Conservation Corps. Daar ontmoette hij een meisje.

'Lieve papa en Sano,' schreef hij. 'Ik heb een meisje uit Alabama ontmoet. Ze heet Sula en ze is het mooiste meisje van de wereld.'

'O,' zei Abraham tegen me. 'Dat vindt iedere man.' Maar niet lang daarna trouwden Farage en Sula met elkaar. Farage had een poosje allerlei baantjes, ging toen in het leger en maakte carrière.

Abraham kreeg een baan bij de Work Project Administration en moest stenen muren metselen in Central Park en bij de pieren. Toen zijn vakmanschap in het bouwen van stenen bogen naar voren kwam, kreeg hij de opdracht dat voor de hele stad te doen. Zowel de WPA als het Civilian Conservation Corps was een initiatief van de overheid om de mensen aan werk te helpen. Iedere arbeider kreeg precies drie dagen werk, zodat er genoeg werk overbleef voor anderen die ook geen inkomen hadden. De New Deal was begonnen, maar voor mij bleef het een zwaar bestaan.

# 38

## Een ander thuis

Tussen 1925 en 1934 hebben we geen rust gekend in ons bestaan. We zijn zeven keer verhuisd, uptown, downtown, en weer terug, meestal om een groter huis te vinden voor ons groeiende gezin. Maar in 1935, een jaar na de geboorte van onze eerste zoon, Amos, verhuisden we naar West One Hundred-second Street en daar zijn we twintig jaar gebleven. Met vijf kinderen was het allang niet gemakkelijk meer om een huis te vinden. In dat huis werden de andere kinderen geboren.

Onze oude buurt is inmiddels onherkenbaar veranderd. Nu staan er overal moderne huizenblokken. Met vier of vijf blokken tegelijk werd er gesloopt om stadsontwikkelingsprojecten de ruimte te geven. Alleen de brandkraan midden in het blok tussen Amsterdam Avenue en Columbus Avenue geeft een indicatie van waar ons oude huis stond.

In de jaren dertig werden de straten omgeven door gebouwen van zes verdiepingen. De meeste mensen in onze straat en in onze buurt waren immigranten, net als wij. Althans de ouders. Ze waren bijna allemaal Iers in onze straat, maar een paar deuren onder ons woonde een Nederlandse familie, en ook een Duitse. De eigenaar van een kleine kruidenierswinkel op de hoek, waar wij vlees, melk en andere spullen haalden, was joods. We hadden er een rekening lopen die we eens per week betaalden. Ik kon gewoon een van de kinderen sturen om iets te kopen en meneer Morris, de eigenaar, noteerde het in zijn boek. Telkens wanneer ik er kwam zei hij: 'Kijk wat ik kan, mevrouw Halo.' Dan keek ik naar hem en liet hij zijn oren flapperen. Het was reuzeleuk. En ik begreep maar niet hoe hij dat voor elkaar kreeg.

We woonden in een langwerpige flat met vijf kamers, die in een rijtje achter elkaar lagen: een *railroad apartment*. Het was gelegen op de bovenste verdieping, vijfhoog. Al vroeg in de morgen scheen de zon door het achterraam naar binnen, op mijn wang en arm, terwijl ik achter het fornuis stond. Ik herinner me de schaduwpatronen van de brandtrappen op de zonovergoten bakstenen van de binnenplaats. De witte was wapperde aan de lijn. En op zondagochtend waren er het geluid van kerkklokken en de geur van stoofschotel en van mijn speciale broodjes. De radio speelde 'Let's Pretend'.

Zelfs tot in de jaren vijftig kwamen mannen en soms tienerjongens uit de buurt met paard en wagen langs de deuren om groente en fruit te verkopen of oude rommel op te halen. De hele buurt stond oude vodden en kranten af en deed inkopen bij die wagens, want het was goedkoper dan naar de winkel gaan.

'Vodden. Oude lompen. Wie heeft er oude lompen vandaag?' 'Bananen. Mooie rijpe bananen.' 'De scharensliep. Kom en laat uw messen en scharen slijpen.' Ze riepen wat ze in de aanbieding hadden en de ijsman en de kolenboer kwamen op afroep langs.

Op zondagmiddagen in de zomer speelden de oudere jongens honkbal op straat. Ik genoot van die spelletjes. Op een bepaalde manier deed het me denken aan het spelletje dat we vroeger in Turkije speelden, waarbij we een takje als bal en een stok als slaghout gebruikten.

Het was een goede buurt, met goede mensen. Ook al hadden we niet al te veel tijd om samen koffie te drinken, als buren hielden we wel een oogje op elkaar en op elkaars kinderen. De kerk was maar drie straten verderop en de basisschool, P s 179, was in onze straat. Er was ook een kleine brandweerkazerne in onze straat; wagen 76 stond er. Zelfs de brandweerlui letten op onze kinderen. West One Hundred-second Street was mijn thuis geworden.

Mijn meisjes huilden nooit als ik 's morgens met ze naar school liep en ze daar achterliet. Maar toen mijn derde dochter, Harty, naar school begon te gaan, sprak haar onderwijzeres me een keer aan.

'Waarom wil Harton haar hoed niet afdoen?' vroeg mevrouw Fletcher.

'O,' zei ik. 'Haar vader heeft haar haar geknipt en ze vindt het niet mooi.'

'O,' was het enige wat mevrouw Fletcher antwoordde, en Harty deed een heel schooljaar haar hoed niet meer af. Abraham zette zijn kinderen op een rijtje, plaatste een bloempot op hun hoofd en knipte al het haar dat eronderuit stak weg. Later heb ik geleerd hoe je hun haar moest knippen.

Mijn meisjes deden het goed op school, maar met de jongens ging het anders. Als ik eraan terugdenk lijkt het alsof ze in die buurten niet wilden dat de jongens een succes werden. Toen Amos in de derde zat kwam hij eens huilend thuis. Hij gooide zijn boeken op een stoel en plofte neer. Ik had net een cake in de oven gezet en spoelde de kom om waarin ik het beslag had gemaakt.

'Ssst,' zei ik. 'Niet zoveel lawaai maken, anders zakt de cake in.'

'Ik wil niet meer naar school,' zei Amos.

'Hoezo, ik wil niet meer naar school? Ik wil niet meer naar school, daar doen we niet aan.' Ik veegde mijn handen af aan mijn schort en ging voor hem staan. 'Je moet naar school,' zei ik.

Amos keek naar de vloer om niet te laten zien dat hij huilde.

'Wat is er?' vroeg ik, en ik ging naast hem zitten.

'De juf zei dat ik stom was,' zei hij.

'Hoe bedoel je?' zei ik, niet zeker wetend of ik het goed had begrepen.

'Er kwam een juf in onze klas en die vroeg wie er klassenhulpje wilde worden. Ik stak mijn vinger op en mijn juf zei: "Jij niet, Amos. Jij bent te dom om klassenhulp te zijn." Ik wil daar niet meer naartoe.'

Ik duwde zijn hoofd tegen mijn borst en hield hem vast, maar mijn hart bonsde. Ik was zo boos, ik kon die juf wel wurgen. De volgende ochtend ging ik op hoge poten naar de school en stapte recht op die juf in haar klas af.

'Ik moet even met u praten,' zei ik.

'Wat wilt u? Ik kan niet met u praten. Komt u mee naar de gang. Ik zal de bovenmeester halen,' zei ze.

Ze liep de klas uit en ik liep achter haar aan. Toen rende ze bijna door de gang en ik wist dat zij wist waarvoor ik gekomen was. Ik wachtte in de gang, maar mijn hart ging tekeer en ik was bijna in tranen.

'Wat is er aan de hand?' vroeg de bovenmeester toen hij naar me toe kwam.

'Hoe durft deze vrouw tegen mijn zoon van acht te zeggen dat hij te dom is om klassenhulp te zijn? Domme kinderen bestaan niet. Domme onderwijzers, die bestaan wel. Die weten namelijk niet hoe ze moeten lesgeven,' zei ik. 'En mijn zoon is niet dom. Hoe durft u zo zijn zelfvertrouwen onderuit te halen?' En met die woorden en denkend aan mijn lieve Amos, barstte ik in snikken uit.

Na die keer heeft Amos zich nooit meer voor school geïnteresseerd, hoe ik ook mijn best deed, en ik bleef hem erheen sturen.

'Ik kan het niet,' zei hij dan, en dan zei ik: 'Kan niet bestaat niet. Je kunt alles, als je maar wilt.'

'Mam,' zei Amos een paar jaar later tegen me, 'als ik groot ben, dan koop ik een bontjas voor je.'

'Zorg jij maar dat je goed leert,' zei ik. 'Dat is het mooiste cadeautje dat je me geven kunt.' Maar heel wat jaren later kocht hij, samen met een paar van mijn andere kinderen, een nertsmantel voor me.

Pas veel later realiseerde ik me dat Amos zijn interesse in het leren nooit was kwijtgeraakt, ook al kon de school hem niet meer boeien. Hij leerde zichzelf dingen. Hij las de bijbel van begin tot eind, zei hij. Hij las boeken over filosofie en hij was een van die mensen die maar naar iets hoeven te kijken om te zien hoe het werkt. Zoals bij de haard die hij Abraham heeft helpen bouwen. Toen onze andere kinderen tieners en adolescenten waren, werd ik 's morgens soms vroeg wakker en dan kon het gebeuren dat ik Amos met een paar anderen aan de eetkamertafel aantrof nadat ze de halve nacht Shakespeare hadden zitten reciteren. Amos was de aanstichter van die dingen. Hij werd een soort surrogaatvader voor de jongere kinderen. Maar dat incident in de derde klas had zijn tol geëist. De schade was aangericht.

Als gevolg van de spanningen en angsten had ik in die jaren bijna dagelijks last van verschrikkelijke hoofdpijnen. De jongens in die buurten hadden het moeilijk. De meisjes ook, maar om andere redenen. Zolang ik ze onder mijn vleugels kon houden waren ze veilig – althans, voor de gevaren van de buitenwereld. Maar ze werden groot. Ik kon ze niet altijd beschermen.

Abrahams broer, Elias, trouwde met Agnes, een Armeense, en werd een succesvol verzekeringsagent. In 1937 zag Elias tijdens een van zijn zakenreizen een stukje land te koop in Spotswood, New Jersey, en hij kocht het. Abraham hielp hem een stuk grond midden in het bos bouwklaar te maken, en daar bouwden ze een huis voor Elias. Later kocht Abraham een stuk land van zijn broer en toen bouwden ze ook voor ons een huis. Het was een eenvoudig huis, gebouwd met beperkte middelen, een huis dat aanvankelijk alleen voor vakanties geschikt was. Dan maakten we de kinderen klaar – zes in die tijd – en namen elk weekend, behalve hartje winter, de trein naar het platteland. 's Zomers brachten we er lange perioden achter elkaar door. Het was goed om eruit te zijn. En ook al betekende het extra werk voor mij, ik vond het er heerlijk. Abraham genoot er ook van.

De natuur was er schitterend en onaangetast, waarschijnlijk nog precies zoals in de tijd dat de indianen als enige bewoners door de bossen zwierven. Het land was vlak en de bomen waren niet al te hoog. Allerlei beekjes kwamen kronkelend tussen de bomen vandaan en 's avonds leek de hemel zo vlak boven ons te hangen dat je bijna je hand uit zou steken om een ster te plukken. Overal groeiden bosbessen en wilde bloemen en op een dag ontdekte ik kleine rode besjes in het moeras achter ons huis. Ik waadde het water in tot aan mijn middel en plukte er een paar.

'Kijk wat ik heb gevonden,' zei ik tegen Agnes.

'O,' zei ze. 'Die moet je niet eten! Ze zijn giftig!'

'Nee,' zei ik. 'Volgens mij heb ik ze in de winkel gezien.' En ik had ze inderdaad in de winkel gezien. Het waren cranberry's, er deinden er talloze als kleine rode parels tegen het groen van de bladeren en het troebele water van het moeras.

Abraham groef eigenhandig een put, en elk jaar bewerkte hij de grond voor een grote moestuin. Aan het eind van de zomer hadden we zoveel tomaten dat ik twee- tot driehonderd potten kon inmaken, genoeg voor een heel jaar. We hadden zulke grote en zachte komkommers dat het wel watermeloenen leken, en watermeloenen zo groot dat ze vijfendertig tot veertig pond gewogen zullen hebben. Hij zaaide ook sperziebonen, die ik ook inmaakte, en erwten en maïs en zoveel meer, te veel om op te noemen. Hij plantte appel- en perenbomen en paarse en witte moerbei. Hij plantte zelfs een wijngaard aan, alles eigenhandig.

Het was heel anders dan op ons land in Turkije, toen ik een kind was, maar de groentetuin die Abraham aanlegde, en de geur van de vochtige lucht namen me soms mee terug naar daar. Als al mijn kinderen ten slotte waren gevoed en gewassen en naar bed gebracht, als de petroleumlampen uit waren en iedereen in huis lag te slapen, dan lag ik wakker en luisterde naar de kikkers en de nachtzwaluwen, snoof de frisse zoete lucht in me op en dacht aan mijn thuis van zo lang geleden. Ik dacht aan mijn vader en moeder, mijn grootvader, mijn zusjes en aan mijn broer. Ik zette me er vaak toe om aan ze te denken, om de herinnering in mijn hart levend te houden. Maar met al mijn kinderen die afhankelijk van me waren, zelfs 's nachts als ze allemaal sliepen, kon ik me niet veroorloven om te lang weg te blijven. Ik was veel te bang om er verloren te raken. Maar als het geluid van de fluitende stoomtrein door het open raam naar binnen kwam, en die eenzame jammerklacht aan mijn hart trok, was het net alsof al het verdriet van de wereld langskwam en over het spoor jammerde.

Hoe ouder ik werd, des te sneller ging de tijd voorbij – althans, zo leek het. David werd geboren, en toen Timothy. Davids naam had ik uit de bijbel. Ik vond het een prachtige naam. Timothy werd geboren op Columbusdag en voor ik er erg in had, was Abraham al op weg naar de burgerlijke stand om hem Columbus te noemen. Abraham was een raar nummer. Hoe kon hij mijn zoon nou Columbus noemen? Dus noemde ik hem Timothy, naar Tiny Tim in *A Christmas Carol*, en zo is iedereen hem gaan noemen. Pas toen hij jaren later bij de marine ging kreeg hij zijn echte naam te horen. Tegen die tijd was zelfs ik vergeten dat zijn officiële naam niet Timothy was.

Toen Tina werd geboren was Abraham al in de zestig. Met zoveel kinderen was de kerstvakantie een heel bijzondere tijd in het jaar, zelfs voor Abraham. De kerstboom en kerstcadeautjes namen vaak de helft van onze woonkamer in de stad in beslag. Een keer was Abraham te laat met de aanschaf van de kerstboom. Toen hij met lege handen thuiskwam moesten de kinderen zo hard huilen dat hij nogmaals de deur uitging en terugkwam met een armvol kersttakken. Toen haalde hij de steel van de bezem, boorde er gaten in en maakte er met de takken een boom van. Het was op zijn eigen manier een prachtige boom, maar toen hij klaar was huilden de kinderen nog harder.

Tijdens Pasen verfde ik eieren op dezelfde manier als mijn moeder had gedaan: met uieschillen. Maar ik gebruikte ook verfstoffen en de kleine plakplaatjes uit de winkel. Na de kerk hielden we eiertikwedstrijden, net als vroeger thuis. De Assyriërs hadden hetzelfde gebruik. Abraham wist precies hoe je het sterkste ei kon herkennen. Hij tikte het tegen zijn voortanden en aan het geluid dat het maakte kon hij horen of het een sterk of een zwak ei was. Dan daagde hij mij of de kinderen uit voor een wedstrijd, en onderling daagden we elkaar ook uit.

Op een keer tijdens Pasen kwam Abraham thuis met twee jonge eendjes voor de kinderen. Hij maakte een plaatsje voor ze op onze brandtrap achter het huis. In de zomer, als het binnen te warm was om te slapen, maakte ik soms een bed voor de kinderen op de brandtrap aan de voorkant. Ze vonden het leuk om onder de blote hemel te slapen, net als wij onder de sterren hadden geslapen in Tlaraz.

Tegen de zomer waren de eendjes al niet klein meer. Het waren volwassen witte eenden en ze waren prachtig. Soms pakte ik een lunch in, en een deken voor op het gras en dan liepen we met de kinderen en de eenden naar Central Park.

'Mevrouw Halo,' zei een buurvrouw dan, als ze ons zo voorbij zag komen, 'u neemt de eenden mee naar het park, zie ik? Laat ze ook voor ons maar even lekker zwemmen.'

Mijn jongens droegen om de beurt de eenden naar Central Park. Het was bijna drie straten lopen, maar zodra we bij de ingang van het park kwamen zetten we ze neer en volgden de eenden ons naar het water. Terwijl wij van onze picknick genoten gingen de eenden zwemmen.

Het gebeurde omstreeks Pasen ook weleens dat Abraham met kuikentjes thuiskwam. Die waren schattig. Maar ooit groeide er eentje uit tot een pracht van een rode haan en om vier uur 's ochtends deed die wat alle hanen doen. Hij vloog boven op de reling van de brandtrap en kraaide dat het een lieve lust was. Je zou denken dat de buren geklaagd zouden hebben dat ze zo vroeg 's ochtends werden gewekt, in hartje New York, maar dat is nooit voorgekomen. Toen we het arme beest ten slotte in de pan hadden gedaan, riepen de mensen vanaf de andere kant van de binnenplaats zelfs naar me als ik de was ophing.

'Mevrouw Halo,' zeiden ze dan, 'waar is de haan? We missen hem.'

Ik geloof dat zijn geluid ons allemaal deed denken aan de plekken die we achter ons hadden gelaten.

Lena Horne zong 'Stormy Weather' op de radio en ik zong met haar mee terwijl ik de eetkamervloer dweilde. *'Don't know why there's no sun up in the sky, stormy weather.'* Ik zong graag. Soms vroeg ik me af hoe het zou zijn om in een avondjurk op het toneel te staan, glinsterend onder de spotlights, en de wereld toe te zingen: *'Since my man and I ain't together...'*

Mijn dochter Thea was twee jaar oud en lag rustig in haar wieg met haar pop te spelen. Tim en David, vijf en zeven, zaten al op de kleuterschool en de grote school, en onze andere kinderen waren ook op school. De voordeur ging open en Abraham kwam binnen. Hij hinkte, door een ongeluk dat hij een maand daarvoor op zijn werk had gehad. Hij hinkte over de natte vloer naar de eetkamertafel en ging met een plof op een stoel zitten.

'Wat zei de dokter?' vroeg ik.

Abraham klakte met zijn tong en trok even met zijn hoofd.

'Ach!' zei Abraham. 'De dokter zei dat ik een hogere uitkering kon krijgen als ik hem mijn knie liet opereren.

'Wat heb je gezegd?'

Hij schudde nogmaals zijn hoofd. 'Ik zei nee.'

Na Abrahams ongeluk gaf het bedrijf hem een tegemoetkoming van vijftig dollar per maand omdat hij niet kon werken. We kregen ook bijstand, maar hij haatte het.

'Ik ga een baan zoeken,' zei ik, maar ik was bang dat ik niet goed zou kunnen functioneren vanwege mijn migraine.

'Ga niet werken, Sano,' zei Abraham. 'Straks kan ik weer aan de slag en dan verdien ik genoeg voor ons allemaal.'

Maar hij kon niet werken en ik wist het. Hij was de zestig gepasseerd en zijn zere knie maakte het dubbel zo moeilijk om een baan te vinden.

'Als jij overdag werkt, dan werk ik 's avonds,' zei ik. 'Dan hebben we de bijstand niet nodig.'

Abraham zetten zijn wandelstok tegen de rand van de tafel en dacht een poosje na. Toen knikte hij. 'Goed,' zei hij.

Het eerste bedrijf waar ik naartoe ging, Uneeda Biscuit, nam me prompt aan. De eerste dag op mijn werk stopte mijn hoofdpijn en hij kwam nooit meer met zoveel geweld terug.

Ik werkte van vier tot elf in de ochtend. Abraham stuurde de kinderen naar school. Ik bleef bij Uneeda Biscuit tot ik weer zwanger werd. Ik dacht dat ik op moest houden toen ik zwanger werd, en dat deed ik dus. Toen ik in 1946 weer bij Uneeda terug probeerde te komen, een jaar nadat onze dochter Adrian was geboren, vertelden ze me dat ik te oud was om te werken. Ik was zesendertig! Toen de oorlog in volle gang was namen ze iedereen in de leeftijd tussen zeventien en vijfenvijftig aan. Maar dat veranderde daarna. Ik kreeg een baan in een dozenfabriek, maar de baas plaatste me over naar een heel gevaarlijke machine. Ik zei tegen hem dat ik dat werk niet kon doen omdat ik er te bang voor was. Toen hij bleef aandringen nam ik ontslag en ging aan het werk bij de Pez. Ik kon het me niet veroorloven gewond te raken. Wie zou er voor mijn kinderen zorgen? Alles wat ik deed in mijn leven was voor hen.

# 39
## *Koning, keizer, schuttersmajoor*

Op een ochtend in het vroege voorjaar van 1948 kwam mijn zoon David naar me toe, zoals hij altijd deed 's morgens.

'Moet ik iets voor je van de winkel halen voor ik naar school ga, mam?'

Hij was toen ongeveer twaalf jaar oud en hij kleedde zich altijd voor de anderen aan, zodat hij naar de winkel kon gaan om broodjes, melk of wat dan ook voor het ontbijt te halen.

Ik keek op van de blouse die ik stond te strijken voor een van de andere kinderen. David stond voor me met zijn frisgeboende gezicht, dat nog meer glom door het streepje zonlicht dat door het achterraam naar binnen viel. Zijn donkerbruine haar was nat en de strepen van de kam stonden nog in zijn glad naar achteren gekamde kapsel. Over zijn voorhoofd hing een zorgvuldig vrijgelaten krul. Zijn geruite shirt, waarvan ik de boord en de voorkant van extra stijfsel had voorzien om te zorgen dat die de hele dag niet zouden kreuken, zat keurig in zijn spijkerbroek, die hij met een cowboyriem ophield. Zijn broekspijpen waren omgeslagen, zodat de twee glimmende muntstukken op zijn bruine penny-schoenen je vanuit hun zogenaamde oogleden tegemoetkeken.

Ik stuurde hem gewoonlijk naar Morris voor ons ontbijt, of naar de bakkerij op One Hundred-third en Columbus Avenue, maar die ochtend stuurde ik hem naar de Safeway Supermarket drie straten verderop. De andere kinderen kleedden zich aan en David kwam maar niet terug, dus gaf ik ze vast te eten en stuurde ze naar school. Toen deed ik mijn jas aan en ging haastig de deur uit en de vijf trappen naar beneden om te kijken waar David bleef. Het was niks voor hem om zomaar te verdwijnen.

'O, mevrouw Halo,' zei een jongen op straat tegen me. 'De politie heeft David mee naar het bureau genomen.'

Ik ging snel naar het bureau in onze straat en rende naar binnen.

'Waar is mijn zoon?' vroeg ik aan de man achter de balie. 'Ik hoorde dat de politie hem hier heeft binnengebracht.'

De agent staarde me aan vanaf zijn hoge plek achter de lange houten balie. Zijn dikke nek puilde over de strakke boord van zijn gesteven blauwe overhemd.

'Hoe heet hij?' vroeg de agent.

'Hij heet David Halo,' zei ik, nog nahijgend van mijn geren door de straat.

Hij wierp een blik in de dossiers voor hem op zijn bureau.

'Uw zoon was aan het vuurtje stoken op straat in West One Hundred Street, samen met wat andere jongens,' zei hij. 'En toen heeft hij een zak met kogels op het vuur gegooid. Eentje is er afgegaan en heeft een man in de hals getroffen.'

'Dat is onmogelijk,' zei ik toen hij me vertelde hoe laat ze David hadden opgepakt. 'Dat vuurtje kan mijn zoon niet aangestoken hebben, want hij was op dat moment nog maar pas de deur uit.'

'U zult morgenvroeg om half tien met uw zoon naar de rechtbank moeten,' zei hij.

Hij schreef het adres van de rechtbank op een stukje papier en gaf het mij. Toen pakte hij de telefoon en draaide een nummer.

'Breng Halo naar beneden. Zijn moeder is er,' zei hij in de hoorn.

Ik liep onrustig heen en weer, niet in staat om stil te zitten. Ten slotte zag ik David met een agent de hal binnenkomen. Davids shirt hing uit zijn broek en zijn haar was in de war. Ik keek de agent aan en die haalde zijn schouders op terwijl David naar mij toe liep.

'Gaat het?' vroeg ik.

David knikte en keek naar de vloer.

'Heb jij dat vuur aangestoken?'

David keek me recht aan. 'Nee, mam,' zei hij. 'Ik liep daar gewoon langs en toen pakten ze me op.'

De volgende ochtend nam ik David mee naar de rechtbank en wachtte tot ze ons zouden oproepen, zoals de agent ons had geïnstrueerd. Maar om drie uur was David nog steeds niet opgeroepen, dus nam ik hem weer mee naar huis. Om een uur of vijf ging de telefoon.

'U had vandaag bij de rechtbank moeten zijn,' zei de agent.

'Ik was er ook,' zei ik, 'maar u niet en niemand riep ons op, dus toen zijn we maar weer naar huis gegaan.'

'Nou, dan moet u morgen maar terugkomen,' zei de man bits.

'Dat dacht ik niet,' zei ik, even bits. 'Ik kom niet terug en mijn zoon ook niet. Ik was bij de rechtbank op het moment dat u zei dat ik er moest zijn en u was er niet, en daarmee is de kous af.' Met die woorden hing ik op.

Ze vielen ons niet meer lastig. Maar na afloop vertelde David me dat toen de politie hem oppakte en naar het bureau bracht, ze hem bij zijn enkels uit een raam op de derde verdieping hadden gehouden en hadden gezegd dat ze hem zouden laten vallen als hij niet zou bekennen. Pas toen ze te horen kregen dat ik was gekomen om hem te halen hadden ze hem weer binnenboord getrokken. Ik was zo boos dat ik die agent voor de rechter wilde slepen. Ik ben zelfs naar de rechtbank gegaan om er de papieren voor in te vullen, maar de rechter liet me weten dat hij er geen werk van wilde maken.

'Dit zult u nooit winnen,' zei de rechter. 'Bespaar uzelf de ergernis. U zult het nooit winnen.'

Er was altijd wel iets in die tijd wat me bezighield. En natuurlijk waren er ook de gebruikelijke ziektes die de kinderen kregen en die me handenvol werk bezorgden: mazelen en de bof. Soms waren er drie kinderen tegelijkertijd ziek.

Op de een of andere manier had ik in de loop der jaren een soort instinct ontwikkeld voor kinderziektes. Misschien had ik het ook wel opgepikt van mijn grootvader of zelfs van mijn moeder, of misschien is het domweg iets wat eigen is aan het moederschap. Soms kwamen kleine dingetjes die ik van mijn moeder had geleerd weer bij me boven, zoals haar remedie voor de stekende pijn van winderigheid. Dan legde ze een bord op de vloer, ondersteboven, waar we met onze buik op moesten gaan liggen. De lucht kwam dan bijna meteen naar buiten.

Toen mijn dochter Thea ongeveer twee jaar oud was kreeg ze koorts en telkens wanneer ik haar voedde begon ze te huilen. Ik nam haar mee naar onze huisarts, dokter Needles, maar toen hij haar had onderzocht wist hij niet wat er aan de hand was.

'Ga met haar naar het ziekenhuis,' zei dr. Needles tegen mij.

In het ziekenhuis kneep de dokter zachtjes in haar arm en zei tegen me dat ik haar zout water te drinken moest geven. Ik nam haar mee naar huis en deed wat de dokter me had aangeraden. Thea werd bijna hysterisch. Dus keek ik in haar mond, wat de dokter eigenlijk had behoren te doen, en ja hoor, ze had ontstoken tandvlees.

Ik deed wat boorwater op een propje watten en wreef daar haar tandvlees mee in. Toen liet ik haar spoelen met schoon water. Haar koorts zakte bijna meteen en binnen een dag of twee waren de ontstekingen verdwenen.

Toen mijn zoon Tim een wond aan zijn hand had, werd die zo groot als een ballon. De dokter wilde zijn duim amputeren.

'Hoe moet die jongen nou zonder duim door het leven?' vroeg ik aan die dokter.

'De duim moet eraf,' zei hij nogmaals en hij wendde zich van mij af.

'Maar zonder duim kan hij niet werken. Maakt u alstublieft een inkeping voor mij, dan kan het gif eruit. Mij laat hij het niet doen,' zei ik.

'U luistert niet naar me,' zei de dokter. 'De duim moet eraf.'

'Alstublieft,' zei ik. 'Ik kan u niet de duim van mijn zoon laten amputeren. Verdoof hem en maak die inkeping. Dan doe ik de rest.'

Misschien om van me af te zijn ging de dokter ten slotte akkoord met wat ik wilde. Ik nam Tim mee naar huis en dompelde zijn hand in boorwater, dat ik met gekookt water had klaargemaakt. De infectie trok weg en de zwelling was binnen een dag verdwenen.

Telkens weer ontdekte ik een remedie voor een kwaal bij mijn kinderen die de dokters versteld deed staan. Ik ging terug naar de dokter en vertelde hem wat ik had ontdekt en wat ik precies had gedaan, opdat hij het ook in zijn praktijk kon toepassen. Ik was veel wijzer geworden sinds de geboorte van mijn eerste kind, sinds de keer dat ik met haar in mijn armen had zitten huilen omdat ik niet wist wat je aan ontstoken oogjes moest doen.

Misschien is het waar dat geen twee kinderen dezelfde ouders hebben. We ontwikkelen ons voortdurend, we veranderen aan één stuk door. En net als ik veranderde ook Abraham.

# 40

## *Abraham, Abraham*

Naarmate de kinderen opgroeiden werden Abraham en ik strenger. Hij maakte zich zorgen over ze. Ik maakte me ook zorgen over ze. Ze wilden uitgaan en met hun vrienden rondhangen. Abraham wilde dat ze thuisbleven en huiswerk maakten. Op een avond zaten we tot twee uur in de ochtend te wachten tot Helyn thuiskwam. Ze kwam binnen met haar vriendin en twee jongens. Ze was toen pas vijftien. Abraham was zo boos dat hij Helyn een draai om de oren gaf en de jongens de deur wees. Helyn geneerde zich zo dat ze nooit meer een jongen mee naar huis heeft genomen. Hij heeft Mariam eens geslagen omdat ze te laat thuiskwam, en die keer moest ik hem laten stoppen. Ik vermoed dat hij bang was dat ze hem ontsnapten. Hij had geen idee hoe hij ze onder de duim moest houden. Het waren goede kinderen, maar hij kende alleen de manieren van de Oude Wereld, en onze kinderen waren geen kinderen van de Oude Wereld. Het waren Amerikanen. Ze hadden een eigen wil. Ze wilden hun eigen gang kunnen gaan. Onze meisjes werden volwassen.

Ook voor de jongens was Abraham heel streng. Hij wilde dat ze thuisbleven en leerden. Zij wilden uitgaan met hun vrienden. Veel vaders sloegen in die tijd hun kinderen met een riem, maar ik vond het maar niks als hij dat deed. Hij dreigde gewoonlijk met meer slaag dan hij uiteindelijk gaf. Hij slingerde de riem over zijn schouder en sprak een paar boze woorden om een reactie te krijgen. Maar één keer, toen hij mijn Tim met de riem wilde geven, greep ik de riem zodat hij hem niet kon slaan. Abraham richtte zijn woede toen op mij en sloeg me neer, en er kwam bloed uit mijn mond. David belde de politie en die kwamen en ze namen Abraham mee. Later die avond kwam de agent terug en klopte aan.

'Mevrouw Halo,' zei de agent. 'Uw man heeft veel spijt dat hij u heeft geslagen. Hij zit te huilen op het bureau. Hij zegt dat hij niet weet hoe het heeft kunnen gebeuren. Hij zegt dat hij van u en de kinderen houdt. Moet ik hem opsluiten?'

'Nee,' zei ik. 'Laat hem maar thuiskomen.'

Met een huis vol kinderen kon het er soms behoorlijk druk aan toe gaan. Soms wilde iedereen tegelijkertijd iets, en wel meteen. Op een keer zei Abraham tegen Tim dat hij op de vloer moest gaan zitten eten omdat hij zich niet wist te gedragen. Hij was toen een jaar of zeven. Hij deed niets verkeerd. Hij gedroeg zich gewoon als het kind dat hij nou eenmaal was. Ik probeerde Abraham altijd bij zinnen te brengen, maar dat hielp nooit. Ten slotte werd ik zo kwaad dat ik een bord spaghetti pakte en tegen de muur smeet.

'Genoeg is genoeg!' schreeuwde ik toen Abraham bleef volhouden dat Tim op de vloer moest eten. 'Een kind van mij hoeft niet als een hond op de vloer te zitten eten.'

Abraham zei geen woord. Toen hij de spaghetti van de muur wilde halen zei ik: 'Heb het lef eens!' Ik wilde niet dat iemand die spaghetti van de muur haalde. Toen we een tijdje later de muren verfden verfde ik er domweg overheen. Ik wilde dat het een blijvende waarschuwing aan Abraham was dat genoeg ook inderdaad genoeg was.

Ik was zo boos over Abrahams gedrag dat ik me erover beklaagde bij de mensen van de kerk. Ik wilde niet dat ze er iets aan deden, ik wilde alleen maar mijn hart luchten. Ik had niemand anders.

Een paar dagen later deed Abraham 's ochtends vroeg een paar boodschappen. Eén was een doktersafspraak die de kerk voor hem had geregeld. Hij ging die ochtend in zijn pak, met das en hoed, de deur uit. Zo kleedde hij zich meestal als hij uitging. Ik deed mijn werk zoals gewoonlijk, maakte de bedden op, deed boodschappen en gaf de kinderen hun middageten. 's Avonds aten we meestal laat, om een uur of acht, negen. Ik schonk geen aandacht aan het feit dat Abraham niet thuis was gekomen. Maar toen het tijd werd voor het avondeten en Abraham er nog steeds niet was, begon ik me zorgen te maken. Hij was er de man niet naar om 's avonds op straat rond te spoken. Hij dronk niet, dus in een bar had hij niets te zoeken. Hij rookte zelfs geen sigaretten.

Om middernacht was hij nog steeds niet thuis. Ik belde de politie en het ziekenhuis, maar op geen van beide plekken wisten ze iets over een ongeluk. De halve nacht liep ik te piekeren waar hij zou kunnen zitten. De volgende ochtend belde ik ten slotte de kerk.

'U spreekt met mevrouw Halo,' zei ik. 'Mijn man is gisteren uit huis vertrokken om naar de dokter te gaan en hij is nog steeds niet thuisgekomen. Weet u waar hij is?'

'Ja hoor,' zei de dame van de kerk. 'Ik geloof dat hij in het Bellevue Psychiatric Hospital is. Wij hebben daar een afspraak voor hem gemaakt. Daar zult u hem waarschijnlijk wel aantreffen.'

Ik haastte me naar het ziekenhuis en na een kwartier ijsberen in de wachtkamer lieten ze me een klein kamertje binnen. Daar zat Abraham op een rechte stoel te wachten. Toen ik de deur binnenkwam keek hij op, klakte met zijn tong en schudde zijn hoofd.

'Waar was je? Waarom ben je me niet meteen hieruit komen halen?' zei hij.

'Wat doe je hier?' vroeg ik.

'De kerk zei dat ik hier een afspraak met een dokter had. Ik probeerde twee vliegen in één klap te slaan,' zei Abraham, 'dus ben ik eerst naar het bijstandskantoor gegaan om mijn cheque op te halen en toen hiernaartoe. Ik wist niet dat de afspraak met een psychiater was.'

Abraham zei dat ze hem ijskoude baden gaven en ook andere dingen met hem deden die me allemaal doodeng leken.

'Kan ik u even op de gang spreken,' zei de dokter tegen mij.

Ik ging met de dokter mee naar de gang en hij keek me ernstig aan.

'Slaat uw man de kinderen?' zei de dokter tegen mij.

'Sloeg uw vader u dan niet als u ondeugend was?' vroeg ik hem. Hij knipperde met zijn ogen, maar hij gaf geen antwoord. Aan zijn blik zag ik dat het zo was.

'We hebben hem een paar vragen gesteld en hij schijnt niet op een rationele manier te denken,' zei de dokter. 'Ik vind dat u hem een poosje bij ons zou moeten laten.'

'Wat heeft hij dan gezegd?' vroeg ik.

'Tja, hij bleef maar om zich heen en naar het plafond kijken, dus vroeg ik hem wat hij zag. Hij zei tegen me dat het plafond aan onderhoud toe was. Toen liet ik hem een paar plaatjes zien om zijn reactie te peilen. Ik liet hem een plaatje van een schip zien en vroeg hem wat er ontbrak. Hij zei: 'De Amerikaanse vlag.'

Ondanks de vreemde situatie schoot ik in de lach. Abraham kon soms erg grappig zijn en ik wist dat hij de dokter voor de gek had gehouden. Ik keek naar de muren en het plafond. Ze waren er slecht aan toe en overal waar ik keek moest wel iets gerepareerd worden. Ik vroeg de dokter hem te laten gaan.

'Wij menen dat u hem bij ons zou moeten laten,' zei de dokter. 'Misschien wilt u hier even tekenen.'

Ik wist dat ze hem niet meer zouden laten gaan als ik zijn papieren tekende. Dan zou ik alles uit handen geven. Dat kon ik hem niet aandoen. Er was niets mis met Abraham. Hij wilde gewoon dat zijn kinderen zich gedroegen. Ik was het niet altijd met zijn manier van optreden eens, maar daarom was hij nog niet gek. Zijn vader had hem ook geslagen als hij zich misdroeg. Hij wist niet beter. De meeste vaders deden dat in die tijd.

'Geen sprake van,' zei ik. 'Er is niets mis met hem. Ik wil hem mee naar huis nemen.'

'Het spijt me. Dat kunnen we niet toestaan. U zult eerst een rechter moeten spreken.'

Ik ging het kamertje weer in om met Abraham te praten.

'Sano,' zei Abraham, 'ze willen me niet laten gaan.'

'Dat is je verdiende loon,' zei ik. 'Je moet ophouden met zo streng te zijn tegen de kinderen.' Maar ik was boos omdat de kerk hem in die positie had gebracht. Ik was boos omdat ze mijn vertrouwen hadden geschonden en omdat de dokters hem behandelden zoals ze deden.

Een paar dagen later ging ik naar de rechtbank om hem vrij te krijgen. De rechter leunde met zijn ellebogen op het bureau en liet zijn kin op zijn handen rusten.

'Mevrouw Halo,' zei de rechter, mij recht in de ogen kijkend. 'Slaat uw man uw kinderen?'

'Daarop zal ik u antwoord geven als u me eerst vertelt of uw vader u vroeger weleens sloeg,' zei ik.

De rechter ging achteroverzitten en lachte. 'Wilt u hem mee naar huis nemen?' vroeg hij.

'Ja.'

De rechter lachte weer. 'Goed dan, ga hem maar halen,' zei hij.

In de metro op weg naar huis was Abraham erg stil. Hij was diep in gedachten verzonken. Af en toe schudde hij zijn hoofd en klakte met zijn tong.

'Wat is er?' vroeg ik. 'Je weet dat zij denken dat je gek bent. Waarom kun je je niet gedragen?'

'Ze stelden me zoveel stomme vragen,' zei hij. 'En wat ik ook zei, het maakte allemaal geen enkel verschil. De dokter bleef maar vragen hoe ik geboren was. Ik vertelde hem dat ik net als ieder ander was geboren. Maar hij bleef aandringen: "Nee, meneer Halo, vertel me nou eens hoe ú geboren bent." Ik wist niet waar hij naartoe wilde. Wat ik ook zei, hij bleef die stomme vraag maar herhalen. Dus vertelde ik hem dat ik nog wist hoe de dokter me naar buiten trok en me bij mijn voeten in de lucht hield. Ik zei dat de doker me een klap op mijn billen gaf en ik "Blè! Blèèè!" deed en dat ik me van de rest niets herinnerde omdat ik van mijn stokje ging.'

Met een stalen gezicht schudde Abraham zijn hoofd en weer liet hij zijn tong klakken. Ik barstte in lachen uit. Toen moest hij ook lachen. Abraham zei dat de dokter zo de buik vol van hem had gehad dat hij was opgestaan en vertrokken, en toen moesten we opnieuw hartelijk lachen. En telkens wanneer we er weer aan dachten schoten we opnieuw in de lach.

De mensen van de kerk waren boos dat ik Abraham uit het Bellevue had gehaald. Ik was woedend op hen vanwege hun achterbakse gedrag. Abraham was niet gek. Toen onze kinderen klein waren was hij erg zacht voor ze. Maar toen ze ouder werden was hij bang dat ze hem niet zouden respecteren als hij zijn gevoelige kant liet zien. Veel mannen hadden dat probleem in die tijd. Ze konden gewoon niet én streng én gevoelig zijn.

Kort na dit voorval, in november 1949, ging ik voor een onderzoek naar de dokter. Ik had weer alle symptomen van een zwangerschap. Abraham was meegekomen en zat naast me in de wachtkamer.

'Mevrouw Halo?' zei de zuster. 'Komt u mee?'

Ik stond op en liep achter haar aan. Abraham stond op en liep met me mee.

'De dokter wil dat u zich helemaal uitkleedt en deze jurk aandoet zodat hij een volledig onderzoek kan doen,' zei de zuster. 'U kunt dit kamertje gebruiken. De dokter komt zo bij u. Meneer Halo,' zei ze daarop tegen Abraham, 'ik ben bang dat u even buiten zult moeten wachten. Het is beter als de dokter uw vrouw alleen onderzoekt.'

Abraham schraapte zijn keel en stond er een beetje onbeholpen bij terwijl de zuster me het kamertje binnenleidde en de deur sloot. Ik deed mijn kleren uit, trok de jurk aan, ging op de rand van de behandeltafel zitten en wachtte af. Zoals ik al had verwacht, was ik weer zwanger. Ik was bijna veertig.

Op een avond in januari 1950 zaten we aan het avondeten toen Abraham zijn ogen opsloeg en me langdurig aanstaarde. De wind gierde om het huis en sneeuw nestelde zich op de vensterbanken. Inmiddels was ik een paar maanden zwanger van Jonathan, ons laatste kind.

'Ik ga naar Syrië,' zei Abraham.

Hij stond op van tafel en ging onze slaapkamer binnen. Toen hij naar buiten kwam had hij wat papieren in zijn hand.

'Hier zijn de tickets, ik vertrek over twee weken.'

Abraham was zeventig jaar oud. Hij was al een keer eerder gegaan en drie maanden weggebleven. Hij had de reis nog een keer zullen maken, maar toen hij destijds bij het schip kwam ontdekte hij dat iemand zijn zakken had gerold. Ze hadden zijn tickets en al zijn geld gestolen en dus was hij teruggekomen.

Ik vond er niets bijzonders aan dat hij op reis wilde. Ik was gewend om voor mezelf te zorgen. Ik was dokter, pastoor en schuttersmajoor geworden.

'Goed,' zei ik.

De avond voor zijn vertrek was alles als altijd. Ik had gegrilde kip, aardappelpuree met jus, en groente. We gingen naar bed zoals we altijd deden. We hadden geen ruzie gehad. Maar 's morgens toen hij wakker werd ging hij met zijn rug naar me toe op de rand van het bed zitten en zei niets tegen me. Hij zat daar maar voor zich uit te staren.

'Wat is er aan de hand, Abraham?' vroeg ik. 'Wat mankeert eraan?'

Abraham stond op en ging onder de douche. Toen hij terugkwam zag ik hoe hij een schoon shirt aantrok en de broek die bij zijn donkere wollen pak paste. Hij wurmde een leren riem door de lusjes en gespte hem dicht. Hij pakte een das, liet die onder de kraag van zijn overhemd glijden en knoopte hem voor de spiegel. Toen trok hij zijn jasje aan. Ik maakte het ontbijt klaar voor het hele gezin en hij zat rustig te eten. Toen stond hij op, zette zijn hoed op, trok zijn winterjas aan, pakte zijn tassen en liep de deur uit.

Onze dochter Mitzi, die toen achttien was, bracht hem met zijn tassen naar het schip. Hij nam zelfs geen afscheid van me. En hij zei ook niet: 'Sano, zorg goed voor de kinderen terwijl ik weg ben', zoals hij anders altijd deed, zelfs als hij maar even wegging. Het was bijna een ritueel, alsof hij altijd aan zijn eerste kind dacht, dat was gestorven toen hij weg was.

Ik kon maar niet bedenken waaraan ik deze kilte te danken had.

Terwijl hij weg was deed ik de dingen die ik altijd deed. Ik ging zelfs met de kinderen naar Spotswood als het warm genoeg was om er een prettig weekend door te brengen met 's avonds een bescheiden vuurtje.

Tijdens een weekend in het voorjaar bracht Mariams man mij en mijn jongste kinderen in de auto naar ons huis. De lucht was bleekblauw en er ritselde een zacht windje door de bomen toen we aankwamen. Langs de bosrand staken de kleine witte bloemetjes van de bosbessen fel af tegen het tere groen, en de appel-, perzik- en moerbeibomen stonden overvloedig in bloei. Het was een zee van roze en wit. Het was alsof de lucht eromheen midden in een explosie was blijven steken.

Ik deed de voordeur van het slot en de prettige, vertrouwde, enigszins muffe geur van het platteland kwam me tegemoet. Het schaakbord en de schaakstukken lagen nog op het kleine tafeltje in de woonkamer, waar Abraham ze had achtergelaten, en de twee stoelen stonden nog steeds zoals ze hadden gestaan tijdens ons laatste spelletje. De antieke houten leunstoelen en de sofa, met de hoofden en schouders van vrouwen in de leuningen gesneden, stonden voor de haard die Abraham en onze zoons hadden gebouwd. De as was koud. Ik liep de keuken in en zette de tassen met boodschappen op het aanrecht. Ik opende de ramen om het huis te luchten, borg de boodschappen op en begon aan de schoonmaak. Ik veegde de spinnenwebben uit alle hoeken. Ik nam stof af en deed schone lakens op de bedden. Ik kon de kinderen horen lachen. Ze zaten ergens achter het huis, waar een beekje het bos uit stroomde. Ze hadden de hangmat al opgehangen tussen twee bomen aan de rand van het moeras en renden nu in de rondte op zoek naar kikkers. Ik riep naar ze dat ze uit de bomen gewaaide twijgen en takjes moesten brengen om het vuur mee aan te maken. Toen pakte ik de bezem en ging de vloeren vegen.

Toen de kinderen met het brandhout aankwamen zette ik twee grote stenen op hun kant naast het huis. Daartussen legde ik een vuurtje aan met behulp van krantenproppen en twijgjes. Eroverheen legde ik een rooster uit de oven. Ik tilde het deksel van de put en liet aan een touw een kleine emmer zakken om genoeg water te hebben om de handpomp mee aan de praat te krijgen. Toen ik water had vulde ik een grote pot, geblakerd door de vele jaren boven het vuur, en kookte boven het open vuur spaghetti. Hoe vaak had ik niet op die plek op mijn knieën bij een vuurtje gezeten om tomaten in te maken en sperziebonen te stropen, of om maïs te roosteren en de kinderen de kaalgegeten kolven te zien gebruiken als een soort tandenborstel, op de manier die wij vroeger thuis gewend waren?

Nu Abraham er niet was vroeg ik me af wie de tuin zou omspitten in het voorjaar. De bruine staken van oude tomatenplanten stonden nog overeind en hun versteende takken wezen alle kanten op. En ook de oude maïsplanten hielden zich nog overeind met hun vele wortels als lange schonkige tenen. Ik was zeven maanden zwanger en behoorlijk dik. Ik kon met geen mogelijkheid al het graafwerk doen dat Abraham anders deed met slechts een schep en zijn blote handen.

Ik boog voorover om in het vuur te blazen en een sliert blauwe rook verpreidde zich. Daarna, toen de vlammen aanwakkerden, steeg de rook kronkelend op naar de hemel.

'Sano,' riep een mannenstem van de andere kant van de tuin.

Ik keek op van het vuur en zag Abrahams broer, Elias, aan de rand van de tuin staan.

'Hallo meneer Halo,' zei ik. Ik noemde hem al meneer Halo sinds mijn vijftiende. 'Ik wist niet dat je er was. Ik had je auto niet gezien.'

Elias kwam grijnzend naar me toe.

'Ik ben er net,' zei hij. 'Wanneer ben jij gekomen?'

'Vandaag,' zei ik. 'Ik maak spaghetti, eet mee als je wilt. Is Agnes er ook?'

'Nee,' zei Elias. 'Ik heb een paar tomaten en wat sla bij me om in te brengen.'

Ik ging het huis binnen en sneed knoflook voor de pasta en opende een pot tomaten uit de partij die ik vorig jaar had ingemaakt. Ik hakte ook een paar uien fijn en wat munt en oregano, die alweer begonnen uit te lopen aan de rand van de tuin. Toen nam ik alles, samen met olijfolie en een pan, mee naar buiten naar het vuur. Elias zat er al op een van de twee stoelen die hij uit zijn huis had meegenomen.

Ik zette de pan op het rooster en deed er een scheut olijfolie in. Toen de olie heet was gooide ik de ui, knoflook en de kruiden in de pan, roerde voorzichtig tot alles smeuïg was en deed de tomaten erbij. Daarop ging ik naast Abrahams broer zitten en keek hoe de tomaten begonnen te pruttelen.

'Heb je al wat van je broer gehoord, meneer Halo?' vroeg ik.

Elias klakte met zijn tong tegen zijn verhemelte, net als zijn broer. 'Waarom vraag je naar hem?' vroeg hij. 'Hij is ver weg en op zoek naar een nieuwe vrouw.'

Ik negeerde zijn opmerking, leunde voorover om in de saus te roeren en ging weer achterover in mijn stoel zitten.

'Misschien vindt hij een nieuwe vrouw,' zei Elias.

'Nou moet je eens goed luisteren, meneer Halo,' zei ik. 'Eén keer is grappig, maar twee keer niet.'

Elias legde zijn hand op mijn knie. 'Waarom geef je me niet eens een kusje?' zei hij.

Ik was er zo ondersteboven van dat ik zijn hand greep en van mijn been duwde. Toen rende ik het huis binnen en sloot alle ramen en deuren. Ik wist niet wat ik moest doen. Hij wachtte een poosje en toen hij zich realiseerde dat ik niet naar buiten zou komen zolang hij daar zat, wandelde hij terug naar zijn eigen huis en viel me niet meer lastig.

Thuis in de stad, toen ik op een ochtend de flat uit liep, drie maanden na Abrahams vertrek naar Syrië, hield mevrouw Price, de opzichtster, me staande in de hal.

'Mevrouw Halo,' zei ze, 'zeg, hebt u ruzie met uw man gehad?'

'Nee,' zei ik. 'Waarom vraagt u dat?'

'Nou,' zei ze, 'waarom is hij dan niet naar uw appartement gegaan gisteravond?'

'Ik begrijp niet wat u bedoelt,' zei ik.

Ik wist niet eens dat Abraham terug was. Hij was de avond tevoren teruggekomen uit Syrië en had aangeklopt bij de man op de begane grond.

'Kan ik vannacht hier slapen?' vroeg Abraham. 'Morgen ga ik een appartement zoeken.'

'Nee,' zei de man. 'Waarom gaat u niet naar huis, naar uw gezin?'

Abraham zei tegen de man dat dat niet zou gaan.

Ik weet niet waar hij die nacht heeft geslapen, maar hij is niet bij mij thuis gekomen, en toen mevrouw Price naar hem vroeg wist ik niet wat ik moest zeggen.

Na mijn boodschappen te hebben gedaan – ik had net het vlees, de melk, de boter en de groenten in de koelkast gezet en de graanvlokken en andere droge spullen in de voorraadkast – werd er geklopt. Ik deed open en daar stond Abraham.

'Mag ik binnenkomen, Sano?' vroeg hij.

Zijn gedrag was een raadsel voor mij. Ik had geen flauw idee waarom hij voor zijn vertrek zo kil tegen me had gedaan en waarom hij bij zijn terugkomst niet meteen naar huis was gegaan. Het was zelfs een raadsel voor me waarom hij toestemming vroeg om zijn eigen woning binnen te gaan. Maar wat me echt boos maakte was dat hij bij een buurman had willen slapen alsof wij tweeën ruzie hadden.

'Nee,' zei ik, 'je mag niet binnenkomen.'

'Alsjeblieft, Sano. Ik wil alleen de kinderen even zien,' zei Abraham.

'Ze zijn niet thuis. Ze zijn nog op school,' zei ik.

'Mag ik binnen op ze wachten?'

'Ik zal je binnenlaten, maar dan moet je weg als je ze hebt gezien.'

'Goed,' zei Abraham.

We waren vijfentwintig jaar getrouwd, en toch kwam Abraham binnen en ging geduldig op een rechte stoel zitten alsof hij een gast was. Ik ging aan het werk en dacht verder niet aan hem. Ik vertelde hem niets over zijn broer. Ik wilde geen narigheid tussen hen veroorzaken en Elias had het bij die ene keer gelaten.

'Mag ik een glas water, Sano?' vroeg Abraham.

'Je weet waar de kraan is,' zei ik. Maar ik kreeg medelijden met hem. Hij zag er zo gespannen uit, zoals hij daar zat, als een vreemdeling, in zijn enigszins gekreukte bruine pak.

'Heb je honger?' vroeg ik.

Hij trok een gezicht en schudde zijn hoofd op een manier die nee noch ja betekende.

'Misschien wou je thee en een broodje?' vroeg ik.

'Misschien,' zei hij.

Ik gaf hem iets te eten en hij wachtte geduldig tot de kinderen thuiskwamen, maar toen ze er eenmaal waren ging Abraham niet weg. In feite is Abraham nooit meer weggegaan en ik heb hem ook niet gevraagd te vertrekken. Het zou nog twintig jaar duren voor hij me vertelde wat er aan de hand was.

Een paar maanden later werd Jonathan geboren. Het was een zware bevalling. Toen ik uit het ziekenhuis kwam werd ik verschrikkelijk ziek. Abraham was gek van bezorgdheid. Hij belde de dokter en vroeg hem meteen te komen, maar nadat de dokter me had onderzocht wist hij niet wat me mankeerde. Hij zei tegen Abraham dat hij me zo snel mogelijk naar het ziekenhuis terug moest brengen. Toen sloeg de paniek bij Abraham pas goed toe. Weer scheelde het maar een haar of ik was doodgegaan. Gek genoeg hadden de dokters opnieuw de nageboorte laten zitten, net als toen Harty was geboren. En opnieuw moest ik een week in het ziekenhuis liggen voor ze het ontdekten. Ze hadden het in feite misschien nooit ontdekt als ik er ten slotte niet op had gestaan dat ze me nu eens grondig zouden onderzoeken.

Terwijl ik in mijn ziekenhuisbed lag kwam Abraham mijn kamer binnenlopen. Hij bleef even in de deuropening staan en keek naar me. Ik had Jonathan aan de borst. Na een paar seconden zag ik dat Abraham een rode roos in zijn hand had.

'Deze heb ik voor jou meegenomen,' zei hij schutterig.

Hij kwam naar mijn bed en reikte mij de roos aan. Hij had nog nooit bloemen voor me gekocht. Ik probeerde me in te denken dat hij een bloemenwinkel binnenging en er één enkele volmaakte roos, waarvan de kelkblaadjes op het punt stonden zich te ontvouwen, voor me uitzocht. Maar het bleef een vreemde gedachte voor me. Abraham had nooit goed zijn gevoelens kunnen laten blijken; misschien dat hij daarvoor niet in de goede tijd en niet op de goede plaats was geboren. Liefde en gevoel waren het domein van de vrouw. Maar het was duidelijk dat Abraham een heel sentimentele man was. Dat kon je merken aan zijn zorgzaamheid voor onze kinderen, zelfs wanneer hij streng tegen ze was, en aan de manier waarop hij over zijn moeder en zusters sprak.

Voor zijn verbanning uit Turkije, toen Abraham pas een jaar of twintig was, had hij een huis voor zijn moeder en zijn zusters gebouwd. Toen zijn zus door een Turk werd ontvoerd, was het Abraham die had geprobeerd haar te redden, ook al wist hij dat hij daarbij gevaar liep. Toen zijn zuster stierf in het kraambed, was Abraham ontroostbaar. Na zijn verbanning had hij door middel van brieven de familiebanden levend gehouden, al die jaren. Hij had zich in de schulden gestoken om zijn jongere broer, Elias, naar Amerika te laten komen. Hij was zelfs nooit opgehouden met zijn broer in Jakarta te schrijven, die nooit terugschreef. En het was Abraham die ervoor zorgde dat er altijd foto's van onze kinderen werden gemaakt toen ze opgroeiden.

Toen hij daar zo stond en die roos naar me ophield, vroeg ik me onwillekeurig af hoe hij zou zijn geweest als zijn leven anders was verlopen. Ook hij had alles verloren wat hem ooit dierbaar was geweest, zelfs zijn eerste kind. En net als dat van mij was zijn leven vol van ontbering en verraad geweest. Ik kende Turkijes wreedheden en moest niet denken aan de omstandigheden van zijn opsluiting in die smerige kerkers.

Er was zoveel wreedheid in de wereld. Het verhaal van de eeuwenlange genocide onder de Assyriërs door de Turken en de Koerden was nog steeds onbekend.

In juni 1915 werden in Sairt ten minste 17 000 Assyriërs omgebracht door het Butchers Battalion, de naam die de militaire Turkse gouverneur Djeudet Bey zichzelf en zijn 8000 soldaten had toebedeeld. Sairt was slechts een van de eenenveertig dorpen die dat jaar werden aangevallen en waarbij de Assyrische bewoners werden afgeslacht. Abrahams stadje, Mardin, was er een van. Er waren zelfs verslagen die meldden dat de lichamen van Assyrische vrouwen werden verbrand om het goud te pakken te krijgen waarvan de Turken en Koerden dachten dat ze het

hadden ingeslikt. Als christenen werden ook zij op lange marsen gestuurd. Anderen vluchtten om hun leven te redden. Op een van die
vluchten, in 1918, zijn 15 000 Assyriërs onderweg gestorven. Hun lichamen bleven op de weg liggen. Later kwamen nog eens 5000 om van
honger en ziekte. Bij de Franse missie werden er 6000 afgeslacht. Kinderen werden aan hun haren opgetild en met één klap onthoofd. In een
dorp werden 750 onthoofde Assyrische lichamen gevonden in putten en
waterbakken. Er kwam geen einde aan deze gruweldaden.

In 1895, het jaar waarin Abraham zestien werd, slachtten Koerdische
soldaten 13 000 Assyrische mannen, vrouwen en kinderen af in en rondom Urfa, een stadje in de buurt van Mardin. Gedurende deze periode
had Abraham als vrijwilliger een boodschap van zijn stad naar de volgende gebracht.

Er scheen een nooit aflatende spiraal van geweld en tirannie te heer-
sen in de wereld, die een onafgebroken stroom gewonde zielen heeft
achtergelaten.

'Hoera,' zei Abraham toen hij naar Jonathan keek. 'Deze is zelfs nog
mooier dan de anderen.'

Dat had hij bij elke nieuwgeborene gezegd. Ik keek naar hem op en
glimlachte en voelde me volstromen met vrouwelijke gevoelens.

Na de geboorte van Jonathan werd Abraham milder. Hij sloeg de kinderen nooit meer en ook mij niet. Hij wilde van zijn kinderen dat ze iets
bereikten in de wereld en niet, zoals hij, alleen maar met het tij meedre-
ven. Dat wilden we beiden. Ook al was Abraham naar school geweest,
hij had altijd moeten ploeteren om de eindjes aan elkaar te knopen. De
jaren van de depressie en de verantwoordelijkheid voor zoveel kinderen
hadden het niet gemakkelijker gemaakt. Maar Abraham had geen han-
delsgeest en juist in de handel was succes te behalen. Hij had de ziel van
een kunstenaar, een uitvinder. Hij zal altijd te knutselen met dingen.
Toen hij in de jaren veertig op de scheepswerf van de marine in Brooklyn werkte, vond Abraham een soort ponstang uit, omdat elke keer dat
de arbeiders een gat in een staalplaat probeerden te slaan het staal rimpelde. Abrahams uitvinding ruimde dat probleem uit de weg. Maar hij
heeft er nooit de eer voor opgestreken. Hij maakte ook mozaïeken op
betonnen bloembakken en tafelbladen met kleine keramische tegeltjes.

En toen hij al in de tachtig was heeft hij zelfs een weefgetouw gebouwd, in ons buitenhuis, en is begonnen te weven.

Abraham hield van dingen bouwen. De meeste van onze kinderen, zelfs de meisjes, hadden Abraham in de loop der jaren geholpen met het land bouwrijp te maken en het huis te bouwen. Hij bleef maar kamers bijbouwen en slopen. Elk jaar kropen de jongens in de put die Abraham had gegraven om er de modder uit te scheppen. Later werd het een leuke traditie om een watergevecht te houden, omdat het goed was voor de put om er af en toe een heleboel water uit te pompen. Abraham deed altijd mee. Hij liep te genieten als de kinderen meehielpen. Hij gaf zijn vaardigheden door, en de vaktermen die erbij hoorden. Door middel van de vele verhalen en uitvindingen gaf hij ook de liefde voor de kunst door, al was hij zich daarvan niet bewust. Ik droeg mijn liefde voor de kunst ook over zonder het te weten.

Naast de kleren die ik maakte, die soms door ontwerpers schenen te worden overgenomen om er een nieuwe modegril van te maken, sneed ik figuurtjes uit stukken Ivory-zeep voor de kinderen. Het waren meestal typetjes die ik in kinderboeken tegenkwam. Soms gaf ik ze zelfs een kleurtje. En ik heb ook altijd liedjes gezongen voor de kinderen.

Op de een of andere manier hebben wij de kinderen altijd iets gegeven waar we ons niet bewust van waren. We hebben ze de liefde voor de kunst, filosofie en het uitvinden gegeven. Mariam is modeontwerpster en schilder geworden; Helyn beeldhouwster; Harty ging foto's inkleuren; Mitzi veranderde haar naam in Jamie, verhuisde naar Chicago en werd zangeres en model; Amos had een grote voorliefde voor de filosofie; Tim voor het uitvinden, ofschoon hij ook samen met zijn vrouw Pat een modezaak opende; David is aannemer geworden; Thea schilder en art-director; Adrian accountant; en Jonathan kon, net als Tim, alles uit elkaar halen en weer in elkaar zetten, zelfs als kind al. Toen hij negen was heeft hij eens mijn radio uit elkaar gehaald en hersteld toen die kapot was. In feite haalde hij elk stuk speelgoed dat we hem gaven uit elkaar voordat hij er zelf maar mee had gespeeld. Toen Tim net acht was had hij Abrahams gouden zakhorloge uit elkaar gehaald en ook dat in orde gemaakt toen het het niet meer deed. Op zijn twaalfde ontwierp hij voor een project op school een kaart van de Verenigde Staten die hij van elektriciteit voorzag, zodat elke hoofdstad oplichtte wanneer er een aanwijsstok tegenaan werd gehouden. Tim had een geweldige fantasie.

Wat Abraham en ik geen van beiden aan onze kinderen konden doorgeven was een zakeninstinct. Als ze op school niet leerden hoe ze hun talenten moesten gebruiken, dan moesten ze het op eigen houtje doen.

In het begin van de jaren vijftig, ten tijde van de Koreaanse Oorlog, toen de ijsman nog steeds ijs afleverde in onze buurt voor in de koelboxen, vlogen de eerste militaire straalvliegtuigen over en doorbraken met een knal de geluidsbarrière. Dat was opwindend. Het was alsof twee werelden met elkaar botsten. We renden naar het raam om de straaljagers rookgevulde kloven in de hemel te zien maken. Toen wisten we nog niet dat die stralen het begin van het einde van onze kleine wereld inluidden.

Halverwege de jaren vijftig begon de stad ons en al onze buren uit onze huizen in West One Hundred-second Street te zetten. Er moest nieuwbouw komen. Het was een moeilijke tijd. Alles veranderde en eens te meer werd er een plek die ik mijn thuis noemde onder me vandaan getrokken. Eerst verhuisden we naar een paar deuren verderop, toen een paar straten. Maar elke verhuizing was tijdelijk omdat al die gebouwen tot in de verre omtrek werden gesloopt om plaats te maken voor nieuwbouw.

In 1957 verhuisde ik met mijn gezin eindelijk naar Brooklyn. Ik kwam net thuis van een lange dag werken toen de telefoon ging.

'Sano?' zei een vrouwenstem aan de andere kant.

'Ja?'

'O, Sano!' riep ze. 'Ben jij dat echt?'

'Ja,' zei ik. 'Met wie spreek ik?'

'Ik ben het, Sano. Araxine. Je zus. Araxine. Ken je me nog? De dochter van Zohra.'

Ik barstte in tranen uit en ik hoorde haar ook huilen. Zevenentwintig jaren waren verstreken sinds de dag dat ik haar voor het laatst in mijn armen had gehouden. Ze was vijf toen ik uit Aleppo wegging. Nu was ze een volwassen vrouw met een eigen gezin.

'Hoe heb je me gevonden?' vroeg ik toen ik mezelf weer een beetje in de hand had.

'Ik dacht dat je dood was. Ze zeiden dat je dood was. O, Sano, ik ben zo blij je stem te horen,' zei ze, en ze barstte opnieuw in tranen uit.

Het verbaasde me hoe mensen elkaar konden vinden in zo'n grote stad, maar het was haar gelukt. Ze zei dat ze een kennis bezocht die een winkel had in Tenth Avenue in Manhattan en hem over mij had verteld. Ze had gezegd dat ze wou dat ze mij nog eens kon zien, maar dat ze had gehoord dat ik dood was. Ze zei dat ze hete tranen had gehuild.

'Maar ze is niet dood,' had haar kennis gezegd. 'Ze woont ergens in Brooklyn.'

'Sano? Ken je me nog? Ik ben het, Sonya,' zei een andere stem nu. Weer kreeg ik tranen in mijn ogen en heel even kon ik niets meer zeggen. Sonya was pas twee geweest toen ik uit Aleppo vertrok.

'Ik was nog te jong om te weten wie je was,' zei Sonya. 'Maar ik heb nog wel steeds een gevoel alsof ik je ken. Weet je nog, dat dollarbiljet dat je ons stuurde? Mijn moeder heeft het nog heel lang bewaard. Af en toe haalde ze het te voorschijn om het aan ons te laten zien, en dan zei ze: "Dit komt van Sano, helemaal uit Amerika. Van onze Sano." Ik heb zo vaak over je gehoord dat het voelt alsof ik je ken.'

Ik legde hun uit waar ik woonde en nodigde ze samen met hun familie uit om op zondag te komen eten. Toen ze kwamen en aanklopten en ik opendeed vloog Araxine me al om de hals voor ik haar zelfs maar had kunnen bekijken. Ze hield me stevig vast.

'O mijn grote zus, mijn zus,' huilde ze en ze drukte me nog steviger tegen zich aan. 'Mijn grote zus.'

Opnieuw barstten we allebei in tranen uit, alsof we al die jaren onze verhalen hadden opgeslagen, zonder iemand in de buurt om ze mee te delen, tot dan toe.

# 41
## *Mevrouw*

Toen Abraham in de tachtig was werd hij ziek. Tegen die tijd woonde hij het grootste deel van de tijd in Spotswood omdat hij bang was om zijn huis alleen te laten. Er was sprake geweest van wat vandalisme en eens waren alle watermeloenen uit zijn tuin gestolen.

Op een dag belde hij me op in de stad om me te vertellen dat hij buitenshuis was gevallen en niet overeind kon komen. Ik raakte in paniek. Ik dacht dat hij nog steeds buiten op de grond lag. Ik belde met onze kinderen om te zien wie me naar hem toe kon brengen. De meesten van onze kinderen waren volwassen en het huis uit, sommigen hadden zelf een gezin. Pas toen we er kwamen realiseerde ik me dat hij bedoelde dat hij een hele poos buiten op de grond had gelegen voordat hij in staat was geweest om overeind te komen en het huis binnen te gaan.

Hij wilde niet naar de dokter, maar ik dwong hem ertoe. Daar heb ik spijt van gekregen. Ze gaven hem plaspillen. Die hadden een verwoestend effect op hem. Hij kon zijn urine niet meer vasthouden en na een paar dagen werd hij zo duizelig en zwak dat hij nauwelijks nog kon staan.

'Sano,' zei hij tegen me, 'ik voel me niet goed.'

Toen ik vroeg wat hij slikte liet hij me de plaspillen zien. Ze waren reusachtig, meer voor een paard dan voor een man.

'Je moet meteen stoppen met die pillen,' zei ik.

Na een paar dagen hield het beven op, maar zijn benen raakten opgezet. De dokter gaf hem een ander soort plaspil, maar nadat hij die had geslikt veranderde er iets in zijn lichaam. Hij is nooit meer de oude geworden.

De kinderen die een auto hadden en nog in New York woonden zochten hem vaak op in het weekend. Mij namen ze natuurlijk altijd mee. Maar wanneer mijn kinderen me niet naar Spotswood konden brengen ging ik alleen met de bus, rechtstreeks van mijn werk op vrijdagavond, zodat ik ervoor kon zorgen dat alles goed was met Abraham. Ik had boodschappen bij me en kookte een avondmaal voor hem als ik aankwam. Op zaterdagochtend deed ik de was en verschoonde ik het eenpersoonsbed naast de potkachel in de kamer waar hij sliep. Ik zorgde ervoor dat hij niet omviel tijdens het wassen en dat hij iets schoons had om aan te trekken.

Maar ik was voortdurend moe van de hele week werken en van het heen-en-weerreizen in de weekenden. Ik probeerde hem over te halen bij mij in de stad te komen wonen omdat ik me zorgen maakte. Soms vroeg ik aan een van de kinderen om hem te halen. Af en toe kwam hij inderdaad mee, maar altijd wilde hij na een paar dagen weer naar het platteland.

Hij vond het daar heerlijk. Dat was zijn thuis, ook al was inmiddels bijna al het bos gekapt en werden er vele rijen buitenhuizen gebouwd langs de grenzen van ons land. Een keer, toen hij in de stad was, had iemand zijn ruiten ingegooid, en opnieuw wilde Abraham zijn huis niet verlaten. Telkens wanneer ik hem opzocht vroeg hij me te blijven, maar ik kon mijn baan niet opgeven. Wie moest ons anders onderhouden? Ik had nog steeds jonge kinderen thuis. In 1963 was onze jongste pas dertien. Abraham was drieëntachtig. Dat jaar ging ik naar de dokter voor een hardnekkige hoest en problemen met mijn knieën, een kwaal die zich had ontwikkeld toen ik mijn dochter Jamie en haar familie bezocht in Californië.

'U komt erg nerveus over,' zei de dokter. 'Hoe oud bent u?'
'Drieënvijftig.'
'Hoe komt het dat u zo gespannen bent?' vroeg de dokter.

Ik vertelde hem over Abraham, dat ik me zorgen over hem maakte. Ik vertelde hem hoe ik elke week heen en weer reisde om bij hem te zijn. Ik was op.

'Zo kunt u niet doorgaan,' zei de dokter. 'Uw man is een oude man. Hij heeft niet veel tijd van leven meer. U moet hem loslaten en voor uzelf gaan zorgen.'

Ik bedankte de dokter voor zijn advies, maar ging natuurlijk op de oude voet verder. Abraham had nooit leren autorijden. Ik ook niet. Maar ik kon tenminste naar de winkel lopen of iets uit de stad meenemen wanneer onze kinderen me niet naar Abraham konden brengen.

Bij een van die gelegenheden, toen de hele familie uitreed, in de zomer van 1970, kookte ik iets wat Abraham me had geleerd te bereiden. Het heette *argenkital*, met rauw gehakt, bulgur, sjalotjes, tomaten en munt. Abraham maakte een stoofpot met verse groenten uit de tuin. Zelfs toen hij al in de negentig was werkte hij nog in de tuin en bewerkte de grond met een schep en zijn blote handen.

Bijna iedereen van ons gezin was gekomen. Amos en Harty waren er, David met zijn vrouw en jonge kinderen, en Tim met zijn vrouw en hun eerste zoon. Thea was er ook, terug uit Spanje en Marokko, waar ze een poosje had gewoond om zich te concentreren op de schilderkunst, haar levensdroom. Jamie en haar twee kleine kinderen waren met het vliegtuig uit Chicago gekomen. Natuurlijk waren Adrian en haar man er ook met hun eerste kind, en Jonathan was er met een meisje uit de buurt, Norma, dat later zijn vrouw zou worden. Jonathan had haar ontmoet toen hij een half jaar bij Abraham woonde om voor hem te zorgen. Mariam zat in die tijd in Mexico en Helyn woonde in Florida met haar man en gezin.

We zaten aan de keukentafel zoals we dat al sinds halverwege de jaren dertig deden, toen Abraham pas aan het huis was begonnen. Maar inmiddels was er veel veranderd. Natuurlijk waren er meer kinderen sinds die begintijd en ze waren volwassen geworden. We gebruikten de put niet meer. Nu hadden we stromend water, riolering en zelfs elektriciteit.

Omdat we elektriciteit hadden, hadden we geen olielampen meer nodig om de kamers te verlichten. Maar ik heb genoten van de tijd toen de kinderen klein waren en we allemaal in het halfdonker bij de radio zaten en naar *The Shadow* of *Lux Playhouse of Stars* luisterden. We hadden nu zelfs een badkamer met bad en toilet. Nooit meer water warm maken voor een wasbeurt in de grote tobbe zoals vroeger – net als we ooit in mijn land deden toen ik klein was – of douchen onder de overloop van de dakgoot als het regende. En nooit meer het bos in lopen en een gat graven om onze behoefte in te doen. We hadden zelfs een fornuis, dus ook het koken op een vuurtje in de openlucht was van de baan. Alles was veranderd. Maar voor die veranderingen hadden we een hoge tol moeten betalen: de prachtige natuur om ons heen was niet meer hetzelfde.

Abraham zat aan het hoofd van de tafel. Ik stond versteld hoe glad zijn gezicht bleef. In de loop der jaren was hij een beetje gekrompen, en zijn ooit een meter tachtig lange lichaam was wat gezetter geworden, maar voor een man van negentig had hij maar weinig rimpels. Het hippietijdperk was bijna aangebroken en Tim liet zijn haar groeien. Toen liet ook Abraham zijn haar groeien – tenminste, op de plekken waar hij nog haar had. Ik heb een paar keer aangeboden hem te knippen, maar dat weigerde hij.

'Ik ben ook een hippie,' zei hij dan, en hij lachte.

'O, mam,' zeiden onze kinderen dan, ook lachend, 'op zijn negentigste heeft hij het volste recht een hippie te zijn.'

Terwijl we aan de keukentafel zaten en Abrahams stoofpot aten, zei David: 'Hé, Jamie, weet je nog dat je met me mee naar buiten ging omdat ik bang was om alleen in het donker te plassen?'

'Nee, daar weet ik niks meer van,' zei Jamie, en hij lachte. 'Maar ik hoop dat je het hebt over de tijd dat je een heel klein jongetje was. Ik moet er niet aan denken dat ik je hand moest vasthouden terwijl jij als volwassen man een plas stond te doen.'

Iedereen lachte. Inclusief David.

'Ik was een jaar of acht,' zei David en hij wendde zich tot de rest van de familie. 'Toen ik klein was zag ik elke keer als ik in het donker naar buiten moest om te plassen een koning in de tuin zitten.'

'Waarom ging je niet naar de wc, pap?' vroeg zijn oudste zoon, 'kleine' David.

'Vroeger was alles anders. Toen zaten we midden in de bossen,' zei David. 'We hadden helemaal geen wc. Het was maar een buitenhuisje.'

'Het was altijd leuk hier,' zei Thea.

'Wat bedoel je met dat je een koning in de tuin zag zitten?' vroeg Adrian.

'Ach ja. Een koning. Telkens wanneer ik daar in het donker naartoe moest. Ik schrok me altijd een ongeluk.'

'Het waren gewoon de tomaten,' zei Jonathan.

'Misschien was het een tomatenkoning,' zei Tim.

'Nee, heus,' zei David. 'Een keer noemde Jamie me een watje en ze zei dat ze wel met me mee zou gaan als ik moest plassen. Toen gingen we naar buiten, en daar zat-ie. "Kijk, daar heb je hem!" riep ik. Jamie zag eruit als in zo'n tekenfilm. Ze gilde en sprong zo hoog in de lucht dat haar voeten de grond pas weer raakten toen we binnen waren.'

'O, mijn god!' zei Jamie. 'Nu weet ik het weer, geloof ik.'

En weer moest iedereen lachen.

'Dat was de grotezussenshow,' zei Harty. 'Herinneren jullie je de wandelende put?'

'Wat was de wandelende put?' vroeg Lori, Davids dochter.

'Toen opa hem groef was hij ongeveer zes meter bij het huis vandaan. En op een dag was hij pal voor het keukenraam. Hij was dichter bij het huis gekomen. En toen was hij op een dag zomaar in de keuken. En later was hij waar hij nu zit, achter in de keuken.'

'Mam,' zei Lilli-ann tegen Jamie. 'Hoe kan dat nou? Hoe kan een put bewegen?'

'Tim,' zei Thea. 'Weet je nog van de cranberry's? Tim en ik gingen altijd naar het moeras in lieslaarzen die tot mijn kin zouden zijn gekomen als mijn lichaam niet in de weg had gezeten. We haalden emmers vol cranberry's op, weet je nog, Tim?'

'Mam,' vroeg Lilli-ann. 'Hoe kan een put bewegen?'

'De put bewoog niet,' zei Jamie. 'Dat leek maar zo omdat het huis bewoog.'

'Ma-ham,' zei Lilli-ann. 'Hoe kan een huis bewegen?'

'Ik weet nog dat ik die cranberry's in het moeras achter het huis ontdekte,' zei ik. 'Ik ging erin, plukte er een paar en liet ze thuis aan je tante Agnes zien. "O," zei ze. "Die moet je niet eten. Ze zijn giftig."'

'Ma-haaam,' zei Lilli-ann. 'Hoe kan een huis bewegen?'

'Omdat opa er steeds maar weer een stukje aan vastbouwde. Steeds weer een nieuwe kamer erbij, zodat het huis dichter bij de put kwam, net zo lang tot de put ten slotte in het huis was.'

David zei: 'Ik heb eens gezien dat papa gestoken werd door een heel nest horzels toen hij een kippenhok wilde bouwen. Hij joeg die horzels weg alsof het vliegen waren.'

'Hij kan ook met zijn blote handen hete kolen oppakken,' zei Thea. 'Maar dat kan ik ook als ik ze niet al te lang hoef vast te houden.'

'O, dát is cool,' zei Mark, Davids tweede zoon.

'O, dát is cool,' deed Thea hem na, en ze trok Mark naar zich toe om hem een knuffel te geven.

Abraham klakte met zijn tong.

'Je bent een malloot,' zei David tegen Thea en ze lachte.

'O, Dave,' zei Reggie, zijn vrouw. 'Weet je nog dat we pas verkering hadden en Thea opzochten in dat kleine kamertje van haar in Greenwich Village? Je was zo grappig, Thea. Dan zei ze: "Geef me tien minuten. Ik moet nog even een nieuwe broek maken. Ik heb geen schone om aan te trekken." Ze had altijd een kilometer corduroy in huis en dan ging ze zitten en maakte een nieuwe broek waar we bij zaten. In tien minuten. Reggie lachte. Dan gingen we naar het Gaslight Cafe en luisterden naar folkmuziek en poëzie. En het publiek klapte niet, maar knipte met de vingers, weet je nog, Dave? De buren klaagden als ze te veel lawaai maakten, dus konden ze niet klappen.'

'Ze was een beatnik,' zei Amos.

'Ik zag in ieder geval geen koningen in de tuin,' zei Thea lachend.

'Jullie geloven me niet, maar hij zat er echt,' zei David.

'Mam,' zei Jamie. 'Ik weet nog dat je me een pakketje stuurde met dingen van jullie Thanksgiving-diner. Ik zat toen pas in Chicago. Toen ik het openmaakte dacht mijn kamergenote dat de rijst in je kastanjeragout maden waren. Ze viel zowat flauw.'

Dat was ik helemaal vergeten. 'O, liefje!' zei ik. Ik sloeg mijn handen voor mijn gezicht om even met mijn beschaamd lachen alleen te zijn. 'Ik had het in droog ijs verpakt,' zei ik. 'Ik wilde niet dat je je buitengesloten voelde, zo ver van huis. Je was zo jong toen je vertrok, achttien pas. Het jaar dat Jonathan werd geboren. Ik wilde al mijn kinderen om me heen hebben. Ik houd van mijn kinderen. Ik weet nog dat je ons die koelkast en toen een tv stuurde uit Chicago. Met een grote rode strik erom, zo groot als ik nog nooit had gezien. Dat waren onze eerste koelkast en onze eerste tv.'

'En ik dan, Sano?' zei Reggie. 'Hou je ook van mij?'

'Ik hou van jullie allemaal, van al mijn kinderen en al mijn schoondochters en schoonzonen, en van al mijn kleinkinderen.'

Tim pakte een stuk brood en kwam per ongeluk met zijn mouw in zijn bord.

'Kijk, pap!' zei Amos. 'Tim voert zijn kleren.'

Meer had Abraham niet nodig. Hij klakte met zijn tong en trok een ondeugend gezicht.

'Er was eens een arme man met gescheurde kleren, en hij liep op de weg,' begon Abraham zonder inleiding. Iedereen, behalve de kleintjes, wist wat er komen ging, en Abraham richtte zich voornamelijk tot hen en maakte zijn woorden lang voor een dramatisch effect.

'De arme man kwam langs een móóóóói huis en hoorde een man roepen: "Kom! Kom allemaal. Kom en eet mee!"

O, zei de arme man bij zichzelf. Gewéééldig. Een maal komt me goed van pas. Ik voel me uitgehongerd.

Dus de arme man spoedde zich naar het huis van de rijke man in de verwachting dat hij mee mocht doen aan de maaltijd. Maar toen de arme man een plaatsje vlak bij het hoofd van de tafel probeerde te bemachtigen, trok de gastheer hem opzij. "Ne-heee," zei de gastheer. "Jij moet aan het andere eind van de tafel gaan zitten. Deze plaatsen zijn voor de belangrijke gasten."'

Abraham schudde zijn hoofd en trok een gezicht alsof hij iets vies had gegeten.

'Dus de arme man ging aan de andere kant van de lááááánge tafel zitten, bij de andere arme mensen. Toen het eten werd opgediend, ging dat eerst naar het hoofd van de tafel, en stukje bij beetje, nadat áááálle rijke gasten hadden genomen, werden de schalen doorgegeven naar de plek waar de arme man zat. Maar toen ze daar aankwamen, waren ze leeg.

Ik begrijp het, zei de arme man bij zichzelf. Hier worden alleen de rijken gefêteerd. Alleen zij die geen maal nodig hebben krijgen wat. En de arme man vertrok zonder iets gegeten te hebben.

Op een dag liep hij weer over die weg en opnieuw hoorde hij iemand roepen: "Kom iedereen! Kom en doe mee aan mijn feest!"

Aha, zei de arme man bij zichzelf. Deze keer zal ik ook eten. Hij ging naar de kast waar hij de eieren van zijn enige kip bewaarde en deed ze in een oude hoed. Toen bracht hij de eieren naar een kleermaker en legde ze op de toonbank.

"Zeg eens," zei de arme man tegen de kleermaker. "Als ik je al deze eieren geef, leen je me dan voor een paar uur een mooi pak?"

"Goed," zei de kleermaker, zich in de handen wrijvend. Wat een goeie deal heb ik toch gesloten, dacht de kleermaker. Ik krijg niet alleen de eieren, maar over een paar uur heb ik ook mijn pak terug.

En dus liet de arme man zijn eieren achter bij de kleermaker en nam de mooie kleren mee naar zijn hutje. Hij waste zichzelf en trok de nieuwe spullen aan. Hij zag er piekfijn uit.

Oooo! zei de gastheer bij zichzelf toen hij de arme man in zijn mooie kleren zag. En wie zou deze deftige heer wel mogen zijn? Ik moet hem aan tafel nodigen. "Kom!" zei hij tegen de arme man. "Komt u bij ons zitten, alstublieft."

De arme man ging naar het verste eind van de tafel, maar voor hij plaats kon nemen haastte de gastheer zich naar hem toe, boog en zei: "Nee. Nee. Een heer als u hoort aan het hoofd van de tafel. Alstublieft. Het zou me een grote eer zijn."

En dus ging de arme man aan het hoofd van de tafel zitten, waar al het lekkere eten het eerst bij hem kwam. Iééédereen keek toe hoe hij hapje voor hapje naar binnen werkte. Ze keken zelfs hoe hij kauwde. Ze waren héééééél blij met zo'n belangrijk heer aan tafel.

Maar bij elke hap die hij nam, gaf hij ook een hap aan zijn nieuwe kleren. De arme man goot wat soep in zijn dure vest en hij dipte de punt van zijn jas in de jus. De gegrilde fazant en kwartel veegde hij af aan zijn revers.

"Oooo!" zei de gastheer. "Deze heer moet wel heel erg rijk zijn. Kijk hoe hij zijn mooie kleren voedt en zich nergens zorgen over maakt. Wat is het toch een geweldige eer om hem aan tafel te hebben." En alle andere mensen aan tafel keken afgunstig naar de arme man.

"Wat zegt hij?" vroeg iemand. "Wat zegt-ie toch? Ik kan hem niet verstaan."

"Hier!" zei de arme man tegen zijn fraaie pak. "Hier! Jij mag ook eten, want alle eer komt jou toe.'"

We moesten allemaal lachte en onze kleinkinderen kwamen niet meer bij.

'Jippie!' zei Abraham.

En zo ging het verder. We haalden herinneringen op aan het verleden, zoals we meestal deden als er een van de kinderen van heel ver over was. En Abraham vertelde nog een paar boerengrappen en wat verhalen: het laatste genoegen in het leven.

Op een van mijn tochtjes naar Abraham kwam ik aan met de bus van vrijdagavond. Die keer liep ik het hele eind van Jamesburg over Summerhill Road. Toen ik bij het huis kwam hoorde ik Abraham psalmen zingen op de toon van een Arabische mullah die zijn mensen oproept tot gebed. Hij had het altijd fijn gevonden om te zingen, misschien net zo fijn als verhalen vertellen. En hij hield ervan in zijn bijbel te lezen. In Mardin, zijn geboorteplaats in het zuidoosten van Turkije, staat een klooster waar de mensen nog steeds in het Aramees zingen, in de taal van Christus.

Ik bleef een poosje in de andere kamer naar hem staan luisteren en ging toen naar zijn slaapkamer.

'Hoe voel je je, Pop?' vroeg ik. Ik was begonnen hem Pop te noemen toen onze kleinkinderen groter werden en Granpop tegen hem begonnen te zeggen.

Abraham keek op van zijn bijbel, klakte met zijn tong en schudde zijn hoofd.

'Niet helemaal honderd procent,' zei hij.

'Heb je gegeten?' vroeg ik.

'Een klein beetje.'

Zijn voeten en enkels waren opgezet, maar hij kwam toch overeind en pakte zijn stok, die tegen zijn bed stond. Toen kwam hij mee naar de keuken, zijn gezwollen voeten meeslepend in zijn afgedragen slippers.

'Wil je thee?'

Hij knikte en ging moeizaam in een stoel zitten. 'Misschien,' zei hij.

Ik vulde een ketel en zette hem op het fornuis. Toen ging ik de boodschappen opbergen die ik had meegenomen.

'Sano,' zei Abraham. 'Pak het schaakbord.'

Ik ging naar de woonkamer, pakte het schaakbord en de doos met schaakstukken, nam ze mee naar de keuken en zette ze voor hem op tafel neer. Ik had al jaren daarvoor leren spelen, toen Mariam, onze oudste, trouwde en zij en haar man een poosje bij ons woonden. Dertig jaar geleden had haar man dit schaakbord en stukken gekocht. Hij kon uren met Abraham zitten spelen. Soms keek ik toe, en zo heb ik het ook geleerd. Daarna heeft Abraham het onze kinderen geleerd. Sommigen konden eerder schaken dan lezen.

Abraham opende de doos en zette de stukken op hun plaats op het bord. Toen stopte hij en keek me door zijn brillenglazen aan, brillenglazen die met de jaren dikker waren geworden. Zijn ogen keken me op twee keer hun ware grootte aan. Hij klakte nogmaals met zijn tong en schudde zijn hoofd.

'Wat is er, Pop?' vroeg ik.

Abraham zette een pion twee vakken vooruit en ik volgde met de mijne. Weer klakte hij met zijn tong en schudde zijn hoofd, maar hij bleef een poosje stil.

'Waarom heb je me het nooit verteld, Sano?' zei hij ten slotte.

'Wat verteld?'

'Ben je met de dokter naar bed geweest?'

Het duurde even voordat ik begreep wat hij bedoelde. De gedachte dat ik met een dokter naar bed was geweest stond zo ver van me af dat ik niet wist of ik hem wel goed had verstaan.

'Wat zeg je nou?'

'Ben je met de dokter naar bed geweest?'

'Wat zeg je nou?' vroeg ik opnieuw, maar deze keer met een begin van boosheid in mijn stem. 'Hoe kun je me zoiets vragen? Welke dokter? En wanneer?'

'Degene die je heeft onderzocht toen je zwanger was van Jonathan,' zei hij. En opnieuw schudde hij zijn hoofd en klakte met zijn tong.

'Welke dokter die me heeft onderzocht? Jonathan is twintig,' zei ik. 'Hoe kun je me van zoiets beschuldigen?' En ik barstte in tranen uit.

In al die jaren dat ik bij dokters had gelopen waren ze altijd heel erg afstandelijk geweest. Ze hadden me zelfs nooit bij mijn naam genoemd. 'Mevrouw,' zeiden ze gewoon. Alleen 'mevrouw'.

Er was maar één dokter die over iets anders had gesproken dan waarvoor ik was gekomen. Ik wist zijn naam niet eens meer, maar het was een vriendelijke man. 'Mevrouw,' had hij gezegd, 'ik ben vijfenvijftig jaar en nog maar pas getrouwd. En ik heb ook nog maar net mijn eerste kind. En wat heb ik het fout gedaan. Al die jaren dat ik voor mijn moeder heb gezorgd, heb ik nooit aan mijn eigen leven gedacht. Nu is mijn leven bijna voorbij.' Daarop had hij zijn hoofd geschud en de koude stethoscoop tegen mijn borst gedrukt om, met zijn hoofd een beetje schuin, te luisteren.

Dat was het persoonlijkste contact dat ik ooit met een dokter heb gehad. Ik was gewoon een van de honderden getrouwde vrouwen die elk jaar langskwamen in hun spreekkamers. Nu beschuldigde de man met wie ik vijfenveertig jaar van mijn leven had doorgebracht mij ervan met een van hen geslapen te hebben. De gedachte om met een ander naar bed te gaan was nooit bij me opgekomen.

'Ik ga naar huis,' zei ik, terwijl ik probeerde mijn tranen te bedwingen. 'Ik laat me niet beschuldigen van zoiets belachelijks.'

Abraham klakte met zijn tong en trok even op die voor hem zo typische manier met zijn hoofd. 'Het geeft niet,' zei hij rustig tegen me. Maar ik stond op van de tafel. Ik deed mijn jas aan, pakte mijn tas en liep de deur uit.

De straat was schemerig verlicht door één straatlantaarn een eind verderop, maar toen ik Summerhill Road opliep in de richting van de stad, was alles donker.

'Een kaartje naar New York,' zei ik tegen de kaartjesverkoper in de winkel waar de busmaatschappij een loket had.

'Die bus is net weg,' zei hij. 'De volgende gaat pas over twee uur. Misschien dat u er een in Jamesburg kunt nemen. Daar vertrekken ze elk half uur.'

'Neem me niet kwalijk,' zei ik tegen een man die sigaretten kwam kopen. 'Gaat u misschien toevallig naar Jamesburg?'

'Daar kom ik langs,' zei hij.

'Zou u me daar bij het busstation kunnen afzetten?'

Zoiets had ik van mijn leven nog niet gedaan.

'Het spijt me,' zei hij, 'maar het is niet mijn eigen wagen.'

'O,' zei ik. 'Sorry dat ik u heb lastiggevallen.'

Ik ging naar buiten om onder een straatlantaarn te wachten. Motten en andere insecten zwermden al om de lamp.

'Luister, dame,' zei de man toen hij uit de winkel kwam. 'Het zal ook wel geen kwaad kunnen. Stap in.'

In de bus barstte ik in snikken uit telkens wanneer ik aan Abrahams beschuldiging dacht. En toen ik thuiskwam was ik nog steeds zo ontdaan dat ik weer begon te huilen.

'Wat is er?' vroeg Harty.

Ik verborg mijn gezicht in mijn handen en probeerde me te beheersen. 'Je vader zegt dat ik met een dokter naar bed ben geweest toen ik zwanger was van Jonathan.' En opnieuw kwamen de tranen.

Harty pakte de telefoon en belde Abraham.

'Hoe kon je mama zoiets aandoen?' zei ze.

'Ik weet zeker dat ze met die dokter naar bed is geweest,' zei hij. 'Ze heeft al haar kleren uitgedaan voor die man. Ik hoorde de zuster zeggen dat ze al haar kleren uit moest doen.'

'O, pa!' zei Harty. 'Dat zeggen ze tegen iedereen. Dat betekent niet dat ze seks met hem heeft gehad. Als ik naar de dokter ga moet ik ook al mijn kleren uitdoen.'

Harty zei dat ze hem met zijn tong hoorde klakken, maar geruime tijd zei hij niets. 'Misschien,' zei hij ten slotte.

Toen realiseerde ik me, misschien voor het eerst, dat er nog heel veel Amerikaanse gewoonten waren die Abraham niet begreep. En een vrouw die haar kleren uittrok om onderzocht te worden, vooral door een mannelijke dokter, was er een van. In 1905, het jaar dat Abraham naar Amerika was vertrokken, was zoiets in Turkije een taboe. Vroedvrouwen deden bevallingen. In kleine dorpen als het onze was helemaal geen dokter.

De hele week op mijn werk probeerde ik het voorval uit mijn gedachten te krijgen, maar ten onrechte ergens van beschuldigd worden, dat heb ik nog nooit kunnen verteren. Ik had mijn best gedaan mijn leven te leiden zoals mijn moeder het zou hebben gedaan.

Toen ik het weekend daarop terugkeerde zat Abraham weer in zijn slaapkamer in zijn bijbel te lezen. Als hij in de Engelse bijbel niet kon vinden wat hij zocht, zocht hij in de Arabische, en dan vond hij het altijd.

Ik ging niet naar zijn slaapkamer maar liep de keuken in, langs de kamer waar hij ongeveer vijf jaar geleden het enorme weefgetouw had gemaakt. Toen hij het bouwde had ik mij afgevraagd waarom hij op zo'n hoge leeftijd nog een weefgetouw wilde maken.

'Weet je dat niet?' zei Tims vrouw op een dag tegen me. Abraham had het Pat toevertrouwd terwijl hij haar verhalen vertelde. 'Hij heeft het gebouwd omdat hij zo houdt van het geluid van de spoel en het tuig. Het waren de geluiden uit zijn jeugd, het geluid dat bij zijn moeder hoorde, die altijd achter haar weefgetouw zat.'

In de loop der jaren had hij vele dingen aan Pat toevertrouwd – misschien ook aan anderen. Hij hield ervan om over zijn leven te vertellen, en onze kinderen en vrienden en aanhang luisterden graag. Ik kwam eens de kamer binnen terwijl Abraham de tandartsinstrumenten uit zijn studietijd aan Pat liet zien. Die bewaarde hij in een gereedschapskist in de kelder. Pat studeerde medicijnen aan Columbia. Ze spraken Frans. Ik wist niet dat Abraham dat kon. Ik vermoed dat hij dat tijdens zijn studiejaren heeft opgepikt, of anders in Syrië, waar Frans de tweede taal werd.

'Hij spreekt het minstens zo goed als mijn docent Frans,' zei Pat. 'Abraham is een linguïst.'

Abraham had ondeugend zitten grijnzen.

Weer had ik boodschappen bij me, die ik op het aanrecht zette. Het schaakbord lag nog op de keukentafel waar we het hadden achtergelaten en alle stukken stonden nog op hun plaats, zelfs de twee pionnen die Abraham en ik de week daarvoor hadden verschoven.

Ik vulde opnieuw de theeketel en zette hem op het fornuis. Toen borg ik de boodschappen op. Abraham kwam zwaar op zijn stok leunend uit zijn kamer. Hij ging aan de keukentafel zitten, net als toen. Ten slotte ging ik ook zitten. Hij klakte een keer met zijn tong en schoof het schaakbord tussen ons in alsof er niets was gebeurd. Hij pakte zijn loper, liet hem diagonaal over het bord glijden, leunde achterover in zijn stoel en keek me met zijn uilenogen aan. Hij zei dat toen ik tijdens het avondeten over Jonathans geboorte was begonnen, alle gevoelens van verraad bij hem waren teruggekomen.

Hij vertelde me dat hij tijdens zijn reis naar Syrië, in 1950, ook naar Turkije was gegaan, voor het eerst sinds zijn verbanning. Hij was toen boos omdat hij zeker wist dat ik met de dokter had geslapen. Het deed hem aan Warde denken, het meisje dat hij had ontvoerd. Hij zei dat hij haar nooit had kunnen vergeten, ook al waren er meer dan vijfenveertig jaar verstreken sind hij haar voor het laatst had gezien, en ondanks zijn

zeventig jaar. Hij zei dat hij naar het huis was gegaan waar Warde woonde. Hij had aangeklopt. Een broze oude vrouw met wit haar en afhan-
gende schouders had opengedaan.

'Bent u Warde?' vroeg hij haar.

'Ja,' zei ze. 'En wie bent u?'

'Ik ben Abraham,' zei hij. Toen had hij zich omgedraaid en was er op
een holletje vandoor gegaan.

Ik voelde mijn ogen weer volstromen. Abraham schudde spottend
en verbaasd zijn hoofd, klakte met zijn tong en barstte in lachen uit. Ik
wist dat hij om zichzelf lachte. Toen schraapte hij zijn keel met korte
snelle rukjes, zoals hij altijd deed als hij het over zijn moeder en zussen
had – zoals hij altijd deed als hij zijn tranen probeerde te bedwingen.

# 42

## Ga met God

Een maand voor zijn vierennegentigste verjaardag liep Abraham een longontsteking op. De familie was geweest om hem te zien en onze dochter Helyn was overgevlogen uit Louisiana, waar ze inmiddels woonde met man en kinderen. We zaten aan Abrahams bed in het verpleeghuis en luisterden naar zijn ademhaling.

'Pop. Hoe voel je je?' vroeg ik.

'Niet helemaal honderd procent,' zei hij.

Ik schonk water in zijn beker en hielp hem drinken. Helyn vertelde over haar kinderen.

'Sano,' zei Abraham. 'Ga de kamer uit. Ik wil even met Helyn alleen praten.'

Ik ging de kamer uit en wachtte op de gang. Ik opende mijn tasje om er een zakdoek uit te pakken en zag de brief die ik van het gemeentebestuur van Spotswood had gekregen. Daarin stond dat ze ons huis en land confisqueerden om er een school te bouwen. Ik kon het niet tegen Abraham zeggen.

Toen Abraham het land kocht en er zijn huis bouwde – we noemden het Pops huis, ook al was het van ons allemaal – was Spotswood in New Jersey een van die typische Amerikaanse dorpen. Een dorp zoals je nu alleen nog in boeken en films tegenkomt. Het had een veevoederbedrijf en een houtzagerij, waar ze ook gereedschap, spijkers, mastiek, gasbetonblokken en alles voor de bouw verkochten. Er was ook een ijssalon

353

met draaikrukken en ze hadden met rood plastic beklede bankjes. Er was een dokterswoning die eruitzag als twee identieke huizen naast elkaar, met een gang in het midden. Er was een plaatselijke bar annex restaurant, en natuurlijk was er de kerk met het oude kerkhof. Alles was langs het spoor en de weg gelegen, en aan de andere kant had je het meer. Er was ook een kleine winkel van Sinkel aan het andere eind van het dorp, tegenover de boerderij van mevrouw Bennett, waar de kinderen soms verse melk haalden. En toen ze tegen de negentig liep, hielpen ze haar soms ook met het melken. Aan de hoofdstraat stonden nog een paar andere particuliere huizen en dan was je Spotswood alweer uit. En zoals wij waren er nog een paar boerderijen weggestopt in het bos – de boerderij van de Russische dame, bijvoorbeeld, waar we de kinderen ook soms naartoe stuurden om melk te halen. Haar boerderij lag aan de andere kant van een gouden graanakker, niet al te ver van ons land, maar we konden elkaar niet zien, en ook vanaf de weg waren we niet te zien.

Spotswood is gedurende de jaren vijftig en zestig klein gebleven. We hebben nooit overwogen het land om ons heen te kopen. Het hele bos voelde zo als van ons dat toen de projectontwikkelaars kwamen en begonnen te kappen en de beekjes en het prachtige moeras dempten, dat voor ons als een grote schok kwam. Waar we ooit door bos omringd waren, was het zo goed als van de ene op de andere dag verdwenen en waren we omringd door vele rijen tweelinghuizen, allemaal met een keurig gazonnetje en een conifeer voor de gezelligheid. Ze hebben zelfs bomen op ons land platgewalst. Toen Abraham ging klagen zeiden ze: 'Oeps, foutje', waarna ze er nog een paar omhaalden.

Maar zelfs het feit dat ons paradijs in de loop der jaren in een voorstad was veranderd, kon Abraham er niet verdrijven. Toen de nieuwe voorstadbewoners erin trokken, probeerden sommigen Abraham weg te krijgen omdat zijn huis zo uit de toon viel bij die van hen. Zijn huis was als een kleine boerderij met kippen en een wijngaard, fruitbomen en een moestuin. Hij was al in de tachtig toen de buurt werd volgebouwd en er andere mensen kwamen. De meesten waren oké, maar sommige kinderen werden door hun ouders aangemoedigd stenen naar hem te gooien als hij in de tuin aan het werk was, en dat deden ze nog steeds toen hij al in de negentig was.

Een familie sleepte hem voor de rechter met de belachelijke beschuldiging dat zijn pup elke zondag hun *Sunday Times* stal om deze, met een sprong over het hek, bij hem te bezorgen. Op zijn drieënnegentigste droeg Abraham zijn kleine hondje naar de rechtszaal om de verdachte aan de rechter te tonen. Ik ging met hem mee. Jonathan en Tim ook. De rechter seponeerde de zaak, maar de pesterijen gingen door. Iemand stal al zijn kippen. Toen Abraham nieuwe haalde waarschuwde de zoon van de man die hem had aangeklaagd dat de nieuwe kippen hetzelfde zou overkomen. Maar wat ze ook deden, Abraham wilde niet weg.

Toen Abraham een jaar of tachtig was zei hij tegen me: 'Sano, ik wil honderdvijftig jaar oud worden.' Maar eenmaal dik in de negentig vertrouwde hij me toe dat hij van gedachten was veranderd. 'Ik wil eeuwig blijven leven,' zei hij. En hij wilde altijd op het platteland blijven wonen, op het stuk grond dat hem lief was, in het huis dat hij zelf, stukje bij beetje, had gebouwd. Abraham hield van zijn land zoals wij van ons land hadden gehouden in Turkije. Hij had achtendertig jaar voor dat land gezorgd. Hij had elk jaar met zijn eigen handen de tuin omgespit en eigenhandig alles geplant en gezaaid. Het hoorde bij hem als zijn eigen kinderen.

Ik droogde mijn tranen met mijn zakdoek en ging terug naar de kamer waar Abraham lag. Helyn stond aan de rand van zijn bed. Abraham ademde zwaar. Ik voelde dat mijn keel werd dichtgeknepen en weer vulden mijn ogen zich met tranen,

'U moet nu gaan,' zei de zuster toen ze de kamer binnenkwam. 'U moet naar huis gaan en zien dat u wat rust krijgt.'

Ik keek naar Abraham. Zijn ogen waren dicht.

'Pop,' zei ik, niet wetend of hij sliep. 'Ik ga nu weg. Morgen kom ik weer.' Maar ik kon mezelf er niet toe zetten om weg te gaan.

Abraham lag daar maar met zijn ogen gesloten. Ten slotte draaide ik me om en vertrok.

'Sano,' zei hij. 'God zij met je.'

Het was voor het eerst in al die jaren dat hij dat tegen me zei. Ik barstte in snikken uit.

De hele weg naar huis voelde ik me onrustig. Iets vertelde me dat ik niet weg had moeten gaan. Toen ik naar de deur van ons huis liep, ging de telefoon. Abraham was dood.

Toen Abraham stierf, sloeg de gemeente toe. Ze stuurden me een kleine genoegdoening en staken ons huis in brand. Toen hebben ze onze prachtige fruitbomen en wijngaard platgewalst en het land geëgaliseerd. Het moeras met de cranberry's en de beekjes was al lang geleden helemaal drooggelegd en de ooit zo weelderige veldjes en wildernis werden een plat en saai terrein. Zo bleef het ook. Ze hebben er nooit een school gebouwd. Dat hebben ze een halve kilometer verderop gedaan. Ons land werd het laatste stuk van het sportveld, en aan de andere kant ervan lagen die allereerste nieuwbouwhuizen.

Ik was blij dat Abraham niet meer heeft geweten dat ze ons uiteindelijk nog van onze grond hebben gegooid. Het was alsof we er nooit hadden gewoond. Er was geen teken meer van ons te bekennen. De geschiedenis leek zich te hebben herhaald.

# BOEK VIJF

# Het einde van de reis

Als een toevallige toerist
zwierf ik over de aarde
op zoek naar iets
wat ik niet benoemen kon
tot ik op de heuvel stond
waar zij ooit woonden
en bewonderend hadden opgekeken
naar de grootsheid
van hun luchten.

# 43
## *Abraham, de mijne*

Aybasti, Turkije – augustus 1989, de volgende ochtend

De volgende ochtend in Aybasti waren mijn moeder en ik al vroeg uit de veren en aangekleed, lang voordat Harry en Ali aanklopten. Er was geen douche in het kleine hotel. We hadden geluk dat er een toilet op onze verdieping was, maar zelfs dat was primitief. Doortrekken moest met een emmer water. Het enige andere hotel in Aybasti, hoorden we, was zelfs nog primitiever, maar we waren blij dat er een hotel was en hadden net zo goed geslapen als in elk viersterrenhotel. Zoals mijn moeder zei: 'Met je ogen dicht zijn alle kamers gelijk.'

Ik haastte me door het krakkemikkige trapportaal naar beneden en kocht in een buurtwinkeltje de typische ontbijtdingetjes voor mijn moeder en mij om op onze kamer op te eten: brood, olijven, feta en tomaten. Daarna beklom ik de vier trappen naar onze kamer en was blij dat ik het zonder te veel puffen en hijgen klaarspeelde.

Ik stalde het ontbijt uit op het tafeltje en met het pakpapier als ondergrond sneed ik eerst het brood in plakjes, met het zakmes dat ik altijd bij me had voor zulke gelegenheden, en vervolgens de feta en de tomaten in hapklare stukjes.

Rond de klok van negen kwam Harry's klop op de deur.

'En?' zei Harry vanuit de deuropening tegen mijn moeder. 'Bent u opgewonden nu u eindelijk naar Iondone gaat?'

'Ik weet eigenlijk niet zo goed wat ik voel,' zei ze.

'Ik zal een dolmuç regelen,' zei Ali, doelend op een minibusje. 'Zodra ik iemand heb gevonden die ons naar Iondone wil brengen, kom ik terug.'

'Ik ga met je mee,' zei Harry.

Harry trok de deur achter zich dicht en mijn moeder en ik keken elkaar aan.

'Nou?' zei ik. 'Ben je opgewonden? Je hebt er je hele leven naar uitgekeken, toch?'

'Maar wat zullen we er aantreffen?' zei mijn moeder. 'Ik durf niet zo goed enthousiast te zijn. Ik ben bang voor een teleurstelling. Ik zie telkens maar mijn moeder in de deur staan, ook al weet ik dat dat onzin is. Ik heb altijd gedacht dat mijn broer misschien nog leefde. Dat hij zijn weg terug naar huis heeft gevonden, na alle spanningen. Hij is jonger dan ik, weet je nog? En oom Nicholas en zijn vrouw zijn achtergebleven. Nicholas zei dat hij tussen de Turken zou gaan wonen. Wie weet? Misschien zijn ze teruggegaan. Maar hij zal natuurlijk wel dood zijn inmiddels.'

'Er zijn zoveel jaren verstreken,' zei ik, in een poging de talloze mitsen en maren in mijn hoofd het zwijgen op te leggen. Ik wist dat het te veel was om te hopen, maar toch leefde er altijd die hoop, zelfs bij mij, dat er iemand van haar familie zou zijn. Misschien was haar broer teruggekomen, of waren de kinderen van haar oom er met hun kleinkinderen, net als vroeger. Of misschien had de tijd stilgestaan en waren ze er allemaal zoals ik het me de avond tevoren had voorgesteld.

'Denk je echt dat het mogelijk is?' vroeg ik. 'Denk je echt dat je broer nog in leven zou kunnen zijn?'

'Dat dacht ik altijd. Maar nu niet meer. Vanuit Amerika heb ik zo mijn best gedaan om hem te vinden. En ik heb hem nooit gevonden. Maar vorig jaar geloofde ik dat hij míj had gevonden. Hij zou zevenenzeventig geworden zijn. Hij drong plotseling heel overweldigend door in mijn gedachten en in mijn hart en is daar dag en nacht gebleven, bijna een jaar lang, alsof hij me iets duidelijk wilde maken, alsof hij me wilde vertellen dat hij aan me dacht, dat hij me omhelsde en me wilde herinneren aan wat we hadden verloren. Toen was hij weg.'

'Je hebt zoveel verloren,' zei ik.

Hoe kan het dat je er zo mild onder bent gebleven, wilde ik zeggen. Hoe kon het dat ze altijd maar doorging met die kleine dingen te doen waar ze zo goed in was? Of liever: hoe bracht ze de wil op om al die dingen te blijven doen die ze niet verplicht was te doen? De dekens die ze warm maakte op koude winteravonden, vroeger, toen we klein waren, voor ze ons instopte; de taarten, cakes en koekjes die we niet nodig hadden, maar waar we zo dol op waren. De sieraden die ze maakte, zoals de poppetjes voor op onze jas, waarvoor ze minuscule jasjes, hoedjes en laarsjes haakte. Of de beursjes met trekkoord die ze voor mijn oudere zussen maakte toen ze in de mode kwamen. De kralenspelden van de Amerikaanse vlag. De verhalen en liedjes.

Ik herinner me dat mijn moeder altijd zei dat ze zichzelf als kind had voorgenomen dat zij, als ze later ooit zelf kinderen zou krijgen, ze niet zo zou behandelen als sommige volwassenen haar hadden behandeld. Ze zou altijd vriendelijk zijn. Maar niemand zou het een moeder van tien kinderen kwalijk nemen als ze er af en toe de kantjes af liep. Ik was het achtste kind en toch kreeg ik ook dezelfde rituelen mee als mijn voorgangers. Nu koesteren haar kleinkinderen en achterkleinkinderen zich in dezelfde toewijding. God had haar handen gezegend, handen die geen rust kenden. Het is haar toewijding die heeft gemaakt dat mijn broers en zussen en hun familie bijna elke zondag haar huis vullen, en dat we haar ook op andere dagen opzoeken om te zien wat we voor haar kunnen doen. En het is ook de reden dat Farage en Sula en de kinderen contact zijn blijven houden, ook al woonden ze nog zo ver weg.

'Ik weet wat ik heb verloren,' zei mijn moeder. 'Maar ik weet ook wat ik heb gevonden. Ik zal niet zeggen dat het gemakkelijk was. Soms was het heel moeilijk.'

'Mam,' zei ik. 'Wist je dat pa van je hield?'

Mijn moeder keek me aan alsof ze verrast was door de vraag en boog vervolgens peinzend haar hoofd. Ik wist dat mijn vader van haar hield, maar ik vroeg me af of zij het wist.

Mijn vader was niet altijd even gemakkelijk geweest, maar dat had onze liefde voor hem niet in de weg gestaan. Ik had er nooit bij stilgestaan – nou, heel onbewust misschien – dat hij maar drie manieren van communicatie kende: hij gaf bevelen; hij vertelde verhalen; en hij deelde fruit en snoep uit, waaronder mijn favoriete kauwgom Black Jack. Ik kan me niet herinneren ooit Black Jack in een winkel te hebben gezien, dus waar hij die vandaan haalde was me een raadsel. Ook was het een raadsel waarom hij juist die kauwgom als vast onderdeel van ons snoep-goed had gekozen. En natuurlijk waren er die verrukkelijke oosterse dingetjes waar hij soms mee thuiskwam.

Mijn vader heeft me nooit geslagen. Toen ik een jaar of zes was, werd ik af en toe midden in de nacht wakker van dezelfde nachtmerrie waar-in een of ander dom ding, zoals een noot, een bout of zelfs een deken, enorm groot werd en naar me toe rolde om me te vermorzelen. Ik werd doodsbang en huilend wakker. Bij een van die gelegenheden kwam mijn vader en tilde me uit bed. Mijn moeder zal in die tijd nachtdienst gehad hebben. Iedereen lag te slapen. Hij zette me neer naast de potkachel in de eetkamer, en daar zaten we dan, met z'n tweetjes.

Hij pakte de cacao en de suiker en deed een theelepel van elk in een pannetje. Hij deed er een beetje water bij, zette het pannetje op de ka-chel en liet het mengsel koken tot het bijna over de rand bruiste. Dan deed hij er melk bij, roerde tot het heet was en goot het in een beker. Hij smakte luidruchtig met zijn lippen en zei 'mmm' om te laten blijken hoe lekker die chocola wel niet smaakte. Daarna zei hij dat ik moest drinken, en dat deed ik. En terwijl ik van mijn warme chocola nipte zat hij naast me en staarde naar de kachel. Ik rook de aardse geur die altijd van zijn pyjama kwam. Een geur die ooit van mij zou zijn.

'Er was eens een hééééél beroemde leugenaar die Saha heette,' begon mijn vader. 'Saha was zóóó beroemd dat de mensen van heinde en verre kwamen om hem een leugen te horen vertellen.

Op een dag kwam er een man van héééél ver om Saha een leugen te horen vertellen. Hij klopte aan en Saha's dochtertje deed open. "Wie bent u?" vroeg het meisje. "Ik ben gekomen om Saha een leugen te ho-ren vertellen," zei de man, "want ík ben de grootste leugenaar van de we-reld." "O," zei het meisje. "Mijn vader is even niet thuis. Hij is vertrokken om een groot gat in de hemel dicht te naaien." "Hoe oud ben je?" vroeg de man, verbaasd dat het kind zo vlot liegen kon. "Ik ben vijf," zei het meisje. "O," zei de man, "als Saha's dochter al zo'n leugenaar is, en op die leeftijd, dan moet Saha toch de grootste leugenaar zijn." En de man keerde om en vertrok.'

Toen bracht mijn vader me weer naar bed en stopte me in.

Ik herinner me dat mijn zus Helyn me eens vertelde over een voorval in het ziekenhuis op de dag dat mijn vader stierf. Hij lag in bed te praten toen hij zich tot mijn moeder wendde en haar vroeg of ze even de kamer uit wilde gaan. Hij zei dat hij mijn zus onder vier ogen wilde spreken.

'Je moeder is nog steeds een mooie vrouw,' zei mijn vader. 'Misschien vindt ze nog een nieuwe man.'

'Ach, pa,' had mijn zus gezegd. 'Doe niet zo belachelijk.'

Mijn moeder was drieënzestig.

'Nou?' zei ik tegen mijn moeder, toen haar antwoord uitbleef. 'Wist je dat Pop van je hield?'

'Na zijn dood heb ik het geld dat de gemeente Spotswood me had betaald voor de onteigening gebruikt om mijn huis te kopen,' zei mijn moeder. 'Niet lang nadat ik ernaartoe was verhuisd, zat ik alleen op het grasveld achter het huis en had een heel vreemde ervaring. Ik keek omhoog naar de bomen en ik dacht dat ik je vader op een van de takken zag zitten. Hij glimlachte naar me. Ik schudde mijn hoofd om beter te kunnen zien, maar toen ik weer keek was hij weg.

Ik herinner me dat ik hem eens over mij heb horen opscheppen tegen een van de buren. "Mijn vrouw heeft een prachtige stem," zei hij. "Je zou haar eens moeten horen." Dat heeft hij mij nooit verteld, maar toen ik het hem tegen de buurman hoorde zeggen was ik verschrikkelijk trots. Hij was de enige die altijd naar me luisterde als ik vertelde over hoe de Turken ons hadden verjaagd. Hij vertelde mij ook over zijn droevige verleden. Soms zaten we 's avonds tot laat over ons verleden te kletsen.

Hoe kan ik je nou vertellen of ik wist dat hij van me hield? Ik heb bijna vijftig jaar met je vader opgetrokken, tot aan zijn dood op zijn vierennegentigste. We hebben tien kinderen grootgebracht, zes meisjes en vier jongens. We spraken niet over liefde. Dat kwam pas toen onze kinderen groot waren, en dan nog alleen maar over onze liefde voor hen. Hij was een ouderwetse man. In al die jaren gaf hij me nooit een zoen voor hij de deur uitging. Hij kuste me nooit bij een weerzien. Hij pakte nooit mijn hand om die in de zijne te houden. Maar ik wist dat hij op zijn manier van me hield. Ik wist het door de manier waarop hij me soms "mijn kleine Sano" noemde, of door de manier waarop hij naar me keek als alles goed was. Ik heb in mijn hele leven maar één man gehad. Die man was Abraham, en zo wou ik het ook.

En ik heb nooit bewust geprobeerd om zoveel kinderen te krijgen.

Hoe ik het heb klaargespeeld is ook voor mij een raadsel. Wie weet wat ik niet allemaal zonder jullie had bereikt. Maar ik zou het voor niets ter wereld willen veranderen. Mijn kinderen zijn mijn leven. Misschien was dit wat God voor mij in gedachten had, het doek dat Hij wilde dat ik weven zou.'

# 44
## *Het einde van de reis*

Ali klopte aan om ons te vertellen dat ze het vervoer hadden geregeld en een paar minuten later begroetten Harry, Ali en de chauffeur van de dolmuç ons toen mijn moeder en ik de straat voor ons hotel bereikten. Onze chauffeur was een lange, stevig gebouwde man met een voor een Turk nogal lichte huidskleur. Ali stelde ons aan elkaar voor en daarna stapten we in de dolmuç om aan onze lange reis naar Iondone te beginnen.

Zo dichtbij, zo dichtbij, was alles wat ik kon denken toen de dolmuç de steile, kronkelende grindweg naar Iondone op reed. Hazelaars vormden een haag langs de weg, ze waren bedekt met stof en bogen door onder hun notenlast. Ali en de chauffeur spraken af en toe in het Turks met elkaar, maar voor de rest verliep de rit in stilzwijgen. Mijn moeder en ik keken uit het raam vanaf de achterbank. Harry hield zichzelf bezig met een wegenkaart. Ik vroeg mijn moeder of ze iets herkende, maar ze zei van niet.

De weg was erg slecht en de chauffeur deed zijn uiterste best om de haarspeldbochten op de juiste wijze te nemen. Af en toe manoeuvreerde een tegenligger zich langzaam door een bocht langs ons heen; dan werd er kort door onze raampjes naar binnen gestaard en vervolgde men zijn weg rommelend neerwaarts terwijl wij verder klommen.

We waren misschien een half uur onderweg en een heel eind de berg op toen de dolmuç plotseling stopte.

'Waarom stoppen we?' zei ik.

'De chauffeur zegt dat hier een oude man woont. Hij weet misschien iets. Hij is zevenentachtig, zelfs nog ouder dan u,' zei Ali tegen mijn moeder.

Langs de weg stond een klein huis van houten planken. Het was een eenvoudig huis en het hout was niet geverfd, maar op de een of andere manier had het zijn rijke natuurlijke kleur behouden. We hadden nog een paar van dit soort huizen gezien op onze reis, maar de meeste huizen waren van steen.

De chauffeur stapte uit en Ali liep achter hem aan. Mijn moeder en ik stapten ook uit en we wachtten op de weg terwijl de chauffeur naar binnen ging. Na een paar minuten kwam onze chauffeur weer naar buiten, vergezeld door een lange, magere man met een heel lichte ronding in de schouders en een volle grijze baard. De man was duidelijk van gevorderde leeftijd, maar toch liep hij zo statig rechtop, ternauwernood gebruikmakend van zijn wandelstok, dat je hem veel jonger geschat zou hebben dan zevenentachtig. Zijn gezicht en gestalte waren aangenaam en grootvaderachtig; het leek net alsof hij zo uit een negentiende-eeuwse roman was komen lopen.

Ali begroette de man beleefd in het Turks en vroeg hem naar het verleden.

'Er waren hier drie Griekse dorpen,' vertaalde Ali toen mijn moeder een beschrijving van de dorpen begon te geven.

'Rüm,' zei mijn moeder, het Turkse woord voor 'Grieken' gebruikend.

De man maakte een driepoot met zijn eerste drie vingers, vingertoppen tegen elkaar, precies als ik mijn moeder zo vaak had zien doen.

'Kijk!' zei Ali tegen mijn moeder. 'Hij doet hetzelfde met zijn vingers als u doet.'

'Haar familie was smid,' zei Ali tegen de man. 'Herinnert u zich iets over hen? Ze waren de enige smeden in de omgeving.'

'Ja,' zei de man. 'Wij verspreidden vaak mest op hun akkers, en in ruil daarvoor herstelden zij onze gereedschappen. Ik was vijftien toen ze werden weggehaald. Dat weet ik nog goed.'

'Herinnert hij zich de familie van mijn moeder ook?' vroeg ik, stomverbaasd dat ik nu zo dicht bij een levend, ademend deel stond van iets wat voor mij zo lang alleen maar een sprookje was geweest.

'Ja,' zei Ali, 'die kent hij.'

'Ik heb hem gevraagd om met ons mee te gaan en ons dingen te laten zien,' zei onze chauffeur via Ali, 'maar dat wil hij niet. Hij zei dat er een tijdje geleden een paar Grieken zijn geweest en dat ze heel boos werden. Hij zei dat hij geen moeilijkheden wil.'

'Hoe zeg je "papa" in het Turks?' vroeg ik aan Ali.

'*Baba*,' zei hij.

Ik gaf de oude man een arm. 'Ga met ons mee, baba,' zei ik in het Turks.

De oude man aarzelde, klaarblijkelijk in de war gebracht door mijn gebaar. Hij keek naar Ali en Ali knikte, maar hij aarzelde nog steeds.

'Kom, baba,' zei ik nogmaals.

'Goed dan,' zei hij na nog een poosje.

Ali hielp de man op de voorbank van de dolmuç en stapte na hem in. Mijn moeder en ik stapten weer achterin, nu naast Harry. De chauffeur zette de dolmuç in de versnelling en we hernamen onze langzame tocht naar boven over de droge, slechte weg naar Iondone.

Langzaam beklommen we een volgende heuvel en rondden we een volgende bocht. De hemel was helder en blauw en de groene heuvelruggen volgden elkaar op.

'Daar!' zei de oude man, en hij wees.

De dolmuç kwam met een schok tot stilstand en we volgden de lijn van zijn vinger om te zien waarnaar hij wees, maar het enige wat we zagen was een klein houten hutje langs de kant van de weg en dezelfde glooiende groene heuvels.

'Daar was het,' zei hij.

'Wat was daar?' vroeg ik.

'Dat was de stad Iondone,' zei de oude man, nog steeds naar de lege heuvels wijzend.

'Waar?' vroeg mijn moeder. 'Waar?' En ik hoorde angst in haar stem doorklinken. Het was een klank die ik nog maar een paar keer bij haar had gehoord, toen een van ons een ernstig ongeluk kreeg en, natuurlijk, toen mijn oudste broer, Amos, op zijn zesenveertigste stierf aan een aneurysma.

'Daar,' zei de man weer.

'Maar daar is niks! Hoe kan dat nou? Daar is niks! Er stonden meer dan tweehonderdvijftig huizen in Iondone. Waar? Waar?' vroeg mijn moeder, alsof ze verlangde dat hij het dorp waarnaar hij wees te voorschijn toverde.

De oude man keek zenuwachtig in zijn schoot en zei zachtjes iets tegen de chauffeur.

'Hij zegt dat de vrouw die in dat huis woont misschien iets weet,' zei de chauffeur via Ali.

We stapten uit de dolmuç en de chauffeur ging naar het hutje. Even later kwam hij vergezeld door een vrouw van een jaar of vijfenveertig naar buiten. Ze keek van de een naar de ander en vertelde Ali met een uitdrukkingsloos gezicht een paar feiten.

'Ze zegt dat ze je huis kent,' zei Ali. 'Ze zegt dat ze in je huis heeft gewoond.'

Mijn moeder maakte ook een driepoot met haar vingers en wees op een van haar vingers om aan te geven in welk van de drie dorpen haar huis stond.

'Ja,' zei Ali. 'Ze zegt dat ze in dat dorp heeft gewoond. Ze zegt dat ze het wel kan laten zien als je wilt, maar het is een wandeling over een modderig koeienspoor naar de andere kant van de heuvel.'

Ik zag een vonkje hoop in mijn moeders ogen tot leven komen. Misschien staat haar huis er nog, zei ik bij mezelf, terwijl ik hetzelfde vonkje hoop in mij tot leven voelde komen.

De vrouw wees in de richting van het koeienspoor en Ali, de chauffeur, de vrouw, mijn moeder en ik liepen die kant op. Harry's manke been maakte het moeilijk voor hem om de tocht te maken, dus bleven hij en de oude man achter. Eenmaal op het modderige pad zakten onze voeten in de zompige aarde, en ze kwamen er bij elke stap met een slurpend geluid weer uit. Onze chauffeur brak een tak van een kleine boom en gaf hem aan mijn moeder om als wandelstok te gebruiken. Maar hij bleef vlak bij haar lopen, klaar om haar op te vangen als ze dreigde te vallen.

De tocht door de modder de heuvel af en de volgende weer naar boven was lang en mijn moeders benauwdheid maakte dat we niet hard opschoten. Af en toe stopten we om haar te laten rusten en ten slotte liepen we het laatste stukje naar boven, ongeveer een kilometer van de doorgaande weg verwijderd. We klommen naar de top en liepen naar een vlak stuk, waarna de heuvel weer daalde. Wonderlijk genoeg stond er een kalfje aan een boom naast een stapel stenen gebonden. De stenen waren overduidelijk de enige resten van de fundering van een huis.

Het kleine kalf staarde ons aan en mijn moeder en ik staarden terug. Er leek geen logische reden aan te wijzen voor haar aanwezigheid hier. Er stonden geen huizen in de buurt. In feite was het enige huis in het hele gebied het hutje aan de weg van de vrouw die bij ons was.

'Dit was uw huis,' zei de vrouw, het kalf negerend.

De berg stenen waarnaar ze wees vormde een kleine rechthoek ter grootte van een garage voor één auto, maar de wanden van de rechthoek waren omvergeduwd, zodat de stenen de ruimte vulden waar ooit het vee gestaan moest hebben, onder het huis.

'Nee,' zei mijn moeder. 'Dat kan niet waar zijn.' En weer hoorde ik dat angstige verdriet in haar stem. 'Ons huis was veel groter.'

'Ja,' zei de vrouw. 'Uw huis stond daar.'

De vrouw wees naar een plek een klein stukje verder, waar een bed met kleine wilde bloemen groeide in een keurige rechthoek ter grootte van een flink huis.

'We hebben het afgebroken en van het hout en de stenen dat van ons gebouwd,' zei de vrouw via Ali. 'Toen hebben we dit huis afgebroken en het hout gebruikt om op te stoken.'

'Er was een oven, zei mijn moeder, als om te bewijzen dat de vrouw het bij het verkeerde eind had.

De vrouw wees naar een lege plek dicht bij waar het huis ooit had gestaan.

'En onze smederij?'

De vrouw wees naar een andere plek. Een klein stuk onverharde weg, een soort voetpad, begon en eindigde een paar meter verderop.

'En de molen?' vroeg mijn moeder.

'Beneden in het dal,' vertaalde Ali. 'Maar hij staat er niet meer.'

'Maar waarom hebben ze alle huizen vernield?' wilde mijn moeder weten. 'Ik dacht dat ten minste de huizen er nog zouden staan. Waarom hebben ze ze vernield en zijn ze er niet in gaan wonen?'

'Ze zei dat ze naar goud zochten. Ze hadden de huizen gesloopt omdat ze hadden gehoord dat de bewoners er hun goud in hadden verborgen,' vertaalde Ali.

Mijn moeder glimlachte meewarig en haar ogen vulden zich met tranen. 'Het enige wat we hebben begraven waren onze potten en pannen.'

Ze wees naar een plek vlak bij het huis en de vrouw draaide haar hoofd met een schok in die richting, alsof mijn moeder eindelijk de schat aanwees waar ze zo lang naar had gezocht.

'Daar hebben we ze begraven,' zei mijn moeder. 'We dachten dat we terug zouden komen.'

'Als u een paar maanden later was gekomen,' vertaalde Ali, 'zouden deze stenen ook weg zijn geweest.'

'De perenbomen?' vroeg mijn moeder. 'Waar zijn de perenbomen?'

De vrouw haalde haar schouders op.

'Ze zegt dat ze de huizen van de Grieken hebben gekocht voor ze weggingen. Ze zegt dat het land van haar is.'

Mijn moeder ging op dat laatste niet in. Ze wist dat het niet waar was.

'Zou dit werkelijk de plek zijn?' verzuchtte mijn moeder.

We zochten de bergen af. Behalve de stapel stenen waarvan de vrouw zei dat hij van mijn moeders huis kwam, was er in de hele omgeving geen steen, stuk hout of weg te zien. Er was geen teken dat de Griekse dorpen ooit hadden bestaan, noch van het feit dat duizenden mensen er rustig hun leven hadden geleid, misschien wel duizend jaar lang.

Was dat het? Was dat alles? Wilde bloemen in een keurige rechthoek ter grootte van mijn moeders huis, en een kalf, dat om onbegrijpelijke redenen aan een oude boom stond gebonden? Ik knielde te midden van de wilde bloemen en keek uit over het prachtige, grazige landschap. De wolken zeilden in grote witte plukken over de bergtoppen. Ik voelde tranen opkomen over iets wat verloren was gegaan. Of misschien iets wat gevonden was. Ik had eindelijk familie, net lang genoeg om te weten dat ze verdwenen waren.

Ik had een heel warm plekje voor ze, zelfs voor de Turken om ons heen. Het verlies dat mijn moeder en ons volk hadden geleden kende zijn weerga niet. Het was enorm en verwoestend. Maar gedurende de laatste duizend jaar hadden de Turken en de Pontisch Grieken hun geschiedenis gedeeld, en daarop hadden ze een gezamenlijk verlies geleden, want ze waren elkaar verloren.

Terwijl de tranen over mijn wangen rolden plukte ik wat wilde bloemetjes en legde ze tussen de pagina's van mijn zakboekje. Ik schepte een handvol aarde op en wikkelde die in een doek. Toen liepen mijn moeder en ik, samen met de mensen die ons naar de plek hadden gebracht, de heuvel af en de volgende op, naar de weg naar Iondone.

Harry zat op een steen naast de dolmuç. De oude man was al weg.

'Eet nog wat aardappelen voor jullie gaan,' zei de vrouw. 'Die had ik al gekookt.'

Ze ging haar hutje binnen en kwam met een schaal gekookte aardappelen, een kommetje zout en een kan water naar buiten. Mijn moeder, Ali en ik gingen in het gras zitten. De chauffeur knielde naast me neer om zijn handen te wassen en manoeuvreerde onhandig met de kan water.

'Geef maar hier,' zei ik, naar de kan gebarend. 'Laat mij maar schenken.'

De chauffeur keek naar Ali, en Ali vertelde hem wat ik had gezegd. De chauffeur protesteerde verlegen, maar ik knikte met mijn hoofd op de manier waarmee je in het Midden-Oosten zegt dat het in orde is; meer bezwaar opwerpen was niet nodig. Hij gaf me de kan, hield zijn handen eronder en wreef ze tegen elkaar terwijl ik er water over goot zoals ik als kind ook bij mijn vader had gedaan, zoals mijn moeder had gedaan voor die van haar. Toen aten we een paar met zout bestrooide aardappelen, waarna we weer in de dolmuç klommen en langzaam de stoffige weg naar Aybasti afreden.

In Aybasti bleven Ali en de chauffeur van de dolmuç bij ons staan om te wachten op een volgende dolmuç die ons naar Fatsa, een stadje aan de Zwarte Zee, zou brengen, de stad waar mijn grootvader en overgrootvader altijd naartoe waren gegaan om voorraden in te slaan. Harry ging met ons mee. Ik had mijn moeder gevraagd of ze nog een paar dagen wilde blijven, maar ze had haar hoofd geschud: nee. We hadden zo ver gereisd en mijn moeder had zo lang gewacht om hier te komen, en toch voelden we allebei een niet te verklaren behoefte om deze plek achter ons te laten. Het was niets voor mij om zo snel te vertrekken. En evenmin voor mijn moeder, geloof ik. Tot op de dag van vandaag begrijpen we geen van beiden waarom we zo halsoverkop zijn vertrokken.

'De chauffeur wil iets van de afgesproken prijs voor de rit naar Ion-done afdoen,' zei Ali.

'Dat is niet nodig,' zei ik.

'Weet ik,' zei Ali. 'En hij weet het ook. Maar hij wil het.'

Ik keek de chauffeur aan en hij keek mij aan, met een sombere blik en een licht melancholieke glimlach. Ik betaalde hem wat Ali zei dat ik hem moest betalen en hij bleef naast Ali op onze dolmuç staan wachten. Toen die kwam kropen Harry, mijn moeder en ik in het overvolle busje. De passagiers schoven op voor mijn moeder en mij en we persten ons naast een vrouw met haar kind. Harry zat naast een man.

Door het open raampje bedankten we Ali en de chauffeur en we zwaaiden naar ze terwijl de dolmuç de weg afreed. Onwillekeurig vroeg ik me af hoe Turkije eruit zou hebben gezien als de leiders van de Jonge Turken en Mustafa Kemal Atatürk de moed en de visie hadden gehad om de multiculturele federatie te vormen die ze ooit hadden beloofd.

# 45
## *Een diamant in de as*

Ons motel in Fatsa stond midden tussen de pijnbomen langs de kust van de Zwarte Zee. We kwamen laat in de middag aan. Mijn moeder en ik brachten onze koffers naar onze kamer. Harry ging naar zijn eigen kamer. Daarop liet ik mijn moeder alleen en ging in de schaduw van de pijnbomen zitten. Toen ze kwam trof ze me aan in tranen over een leven en een familie die ik nooit had gehad.

'Wat is er aan de hand, lieverd?' vroeg mijn moeder.

'Mam,' zei ik, 'ik had nooit gedacht dat de verhalen die je ons vertelde echt waren. Ik bedoel, ik wist het natuurlijk wel, maar ik voelde niets bij de mensen over wie je vertelde. Het klonk als verhalen over mooie mensen die lang geleden hebben geleefd, maar dat was alles. Het waren jouw mensen en nooit die van mij, totdat ik op jouw land stond en om me heen keek naar die prachtige bergen en die grootse wolkenluchten.'

Mijn moeder kwam naast me zitten op het bankje en nam mijn handen in de hare. 'Toen we de berg op reden in die dolmuç,' zei ze, 'vroeg ik me als vanzelf af of ze er misschien zouden zijn. Mijn hart ging in sneltreinvaart. Ook al wist ik dat het niet kon, het kostte me alle mogelijke moeite om mezelf ervan te overtuigen dat ik ze niet wachtend aan zou treffen, want ik had mijn huis nog nooit gezien zonder mijn moeder erbinnen. In mijn hoofd, terwijl die dolmuç langzaam de berg op reed, zag ik de koeien al in de weide lopen; ik zag de tuin en de perenbomen. Toen ik een kind was stuurde moeder ons 's morgens in alle vroegte, voor alle anderen, naar de perenbomen om de peren te rapen die op de grond waren gevallen. Andere families deden dat ook, want de bomen waren gemeenschappelijk bezit. Soms klom ik als een kleine aap in die bomen naar boven.

Toen we aankwamen en ik die lege heuvels zag, brak mijn hart. Misschien stopte het zelfs. Ik kon er niet bij dat dat ons land was. Het land rondom Iondone klopte wel ongeveer, maar het land waarvan de vrouw zei dat het van ons was, was te steil. Ik dacht dat het vlakker was boven op de heuvel. Er was een heel groot vlak stuk waar de tuin vroeger was. En ik dacht dat ze ten minste de huizen zouden hebben behouden. Ik dacht dat ze erin getrokken zouden zijn. Stel je voor, duizenden jaren geschiedenis en je leven kan worden samengevat in een stapel stenen. Maar toen ik dat kleine kalf zag staan sprong mijn hart op. "Wacht op me," had ik tegen Mata gezegd op de dag dat we weggingen. Het was alsof mijn kleine Mata al die jaren op me had staan wachten, net als ik haar had gevraagd. Ik wilde naar haar toegaan en mijn armen om haar hals slaan. Ik wilde haar pluizige kop tegen mijn hoofd houden, net als ik met Mata deed toen ik klein was, maar ik durfde haar niet aan te raken. Ik was bang dat ze onder mijn aanraking zou verdwijnen, dat ze zou verdwijnen zoals al het andere was verdwenen.

Pas kortgeleden vroeg ik mij af hoe het zou zijn gegaan als mijn vader had geweigerd ons land te verlaten en wij ons tussen de Turken hadden schuilgehouden, zoals mijn oom had gedaan. Maar ik ken het lot van mijn oom niet, dus ik zal wel nooit te weten komen wat er dan gebeurd zou zijn.

Soms, als ik alleen ben, zie ik door mijn gesloten ogen de zon tussen de wolken door komen en met spetterend geweld door de boomgaarden van mijn jeugd schijnen. Ik zie mijn moeder de was op de bleek leggen. En wanneer ik de liedjes zing die mijn vader vroeger bij het haardvuur zong, hoor ik zijn stem in die van mij. Ik denk aan die eenvoudige dingen waarvan je denkt dat ze altijd zullen blijven: die weggooidingen, zoiets als de ademhaling, die alle grote gebeurtenissen met elkaar verbindt, omdat het de echte dingen zijn. Het zijn de vleugels van de vlinder, de tand van de haai, de wortels van de machtige eik. Het zijn de draden waarmee de stof wordt geweven. Ook al zijn mijn benen traag geworden en is mijn rug een beetje krom en zien mijn ogen alleen met moeite nog de heldere kleuren van een zonsopgang, toch hoef ik zelfs in mijn donkerste momenten maar een bloem zijn lieve hoofdje naar de regen te zien oprichten of mijn kinderen te horen lachen om te weten dat het leven goed is. Adem is een gift van God. Het leven is onze beloning. De rest moet je zelf doen.'

Mijn moeder had gesproken alsof ze naar een verre innerlijke wereld was weggedreven die haar al die jaren kracht had gegeven. Haar laatste zin klonk nog na in mijn hoofd. *De rest moet je zelf doen.* Geloofde ik dat? Een deel van mij wel, vermoed ik, maar dan was er ook nog dat andere, knagende deel dat zich afvroeg hoe het dan zat als je met anderen moest wedijveren. Als jouw leven in hun handen lag? Als zij jouw lot bepaalden? Kunnen we het dan nog steeds zelf doen?

Toen ik op mijn moeders land stond kon ik haar voor het eerst van mijn leven werkelijk als een kind met Mata aan haar zij de heuvel af zien rennen: haar lange zwarte haar, de wind die haar jurk deed bollen. Ik kon ook anderen zien rennen: Christodoula en Yanni, en de kleine Nastasía. Ik zag mijn grootmoeder zoals mijn moeder haar had omschreven, de was uitspreidend op een prachtig groene heuvel terwijl Mathea en Maria in hun wiegje lagen. Mijn grootvader was er ook en stapelde hout op voor de lange winter, en mijn overgrootvader, met zijn enigszins hangende schouders en grijze snor, zat bij het vuur. Zelfs zijn vrouw was er en zat naast hem te haken. Plotseling en voor het eerst kwamen ze voor mij tot leven en was het alsof ze voor me stonden.

Was dat waarnaar ik mijn hele leven op zoek was geweest? Mijn verleden? Wie en wat ik ben? Was dat wat er achter de *Wanderlust* zat die ik van jongs af aan had gehad? Geen reisgids die er de sleutel toe had. Ik voelde me op een raadselachtige manier veranderd. Ik had een verleden. Ik had een volk. Ik voelde liefde die het heden oversteeg. Die verder reikte dan mijn eigen heden en mijn eigen kleine leven. Een op de een of andere manier oeroude liefde. Die was verbonden met het begin der tijden.

Ik keek naar mijn moeder, die naast mij zat, en begreep plotseling wat we zelf moesten doen. Wat we ervan maken. Niet wat we maken van wat buiten onze macht ligt, maar wat we maken van wat erbinnen ligt.

En ik realiseerde me waarom ik me als kind had opgeworpen als beschermer van mijn moeder, wat het was dat ik altijd in haar had geprobeerd te beschermen. Het was haar onschuld. Haar ruimhartigheid. De onvoorwaardelijke liefde die het haar mogelijk maakte onze moeder te zijn, ongeacht de stenen die wij of anderen op haar weg smeten. Voor ons, als kinderen, was er geen plekje aan mijn moeder waar je niet van kon houden. Als je tegen haar grote borsten aan kroop verdwenen al je zorgen als sneeuw voor de zon.

Maar de onschuld die ik in mijn moeder had willen beschermen was helemaal geen onschuld, besefte ik nu – eerder een diep besef van de wereld, een diepe wijsheid. Mijn moeders onvoorwaardelijke liefde en naastenliefde waren niet gebaseerd op een gebrek aan kennis omtrent de wereld, maar op het feit dat ze zich maar al te goed bewust was van de grilligheid van het lot en van onze onvaste greep op diegenen die ons dierbaar zijn.

'Misschien zijn ze eindelijk thuis,' zei mijn moeder. 'Misschien zijn ze in de wind... in het gras... in de stenen die ooit hun huis waren, en in de wilde bloemen die hun aanspraken op het land bewaken.'

Mijn moeder keek vanuit de schaduw van de pijnbomen naar de Zwarte Zee, die schitterde als diamant.

# Noten

1. Dr. Harry Psomiades, *The Phantom Republic of Pontos and the Magali Catastrophe* (The Hellenic Studies Forum Inc. of Australia, 1992).
2. George Horton, *The Blight of Asia* (Indianapolis, Kansas City, New York, 1956), p. 30-37.
3. George Horton, *The Blight of Asia,* (Indianapolis, Kansas City, New York, 1956) p. 46-51.
4. Dr. Harry Psomiades, *The Phantom Republic of Pontos and the Magali Catastrophe* (The Hellenic Studies Forum Inc. of Australia, 1992).
5. Ibid.
6. David Fromkin, *A Peace to End All Peace: The Fall of the Ottoman Empire and the Creation of the Modern Middle East* (New York, Avon Nonfiction, 1989), p. 392.
7. Ibid p. 430-431.
8. George Horton (Amerikaanse consul-generaal), *Official Report,* Griekenland Athene, 27 september 1922, Center for Asia Minor Studies (Athene, 1983); Marjorie Dobkin Housepian, p. 151-158.
9. David Fromkin, *A Peace to End All Peace: The Fall of the Ottoman Empire and the Creation of the Modern Middle East* (New York, Avon Nonfiction, 1989), p.546.
10. Marjorie Dobkin Housepian, *Smyrna 1922: The Destruction of a City* (New York, Newmark Press, 1988), p. 155-167.
11. David Fromkin, *A Peace to End All Peace: The Fall of the Ottoman*

*Empire and the Creation of the Modern Middle East* (New York: Avon Nonfiction, 1989), p. 547.

12. Marjorie Dobkin Housepian, George Horton en Mark L. Bristol, Center for Asia Minor Studies (Athene, 1983), p. 136.

13. David Fromkin, *A Peace to End All Peace: The Fall of the Ottoman Empire and the Creation of the Modern Middle East* (New York, Avon Nonfiction, 1989), p. 545.

14. Marjorie Dobkin Housepian, *Smyrna 1922: The Destruction of a City* (New York, Newmark Press, 1988), p. 133.

15. Marjorie Dobkin Housepian, George Horton en Mark L. Bristol, Center for Asia Minor Studies (Athene, 1983), p. 137-143.

16. George Horton (Amerikaanse consul-generaal), *Official Report,* Griekenland Athene, 27 september 1922, Center for Asia Minor Studies (Athene, 1983); Marjorie Dobkin Housepian, p. 151-158.

17. Marjorie Dobkin Housepian, *Smyrna 1922: The Destruction of a City* (New York: Newmark Press, 1988), p. 189-208.

18. David Fromkin, *A Peace to End All Peace: The Fall of the Ottoman Empire and the Creation of the Modern Middle East* (New York, Avon Nonfiction, 1989), p. 547-548.

19. George Horton (Amerikaanse consul-generaal), *Official Report,* Griekenland Athene, 27 september 1922, Center for Asia Minor Studies (Athene, 1983); Marjorie Dobkin Housepian, p. 151-158.

20. Hellenic Council of New South Wales, mei 1996.

21. George Horton, *The Blight of Asia,* (Indianapolis, Kansas City, New York, 1956), p. 42.

22. Dr. Gabriele Yonan, vertaald door Nancy Chaple, *The Assyrian Genocide: A Documentary History* (Princeton, Markus Weiner, 2001), p. 420; oorspronkelijke titel: *Ein Vergessener Holocaust: Die Vernichtung der christlichen Assyrer in der Türkei,* (Duitsland, Göttingen en Wenen 1989), p. 422.

23. Henry Morgenthau, *Sr. Ambassador Morgenthau's Story* (New Age Publishers Plandome, New York, 1975); *The World's Work. A History of our Time,* november 1918); oorspronkelijke uitgever: New York, Doubleday Page & Company, 1919.

24. Ibid.

25. Melville Chater, *History's Greatest Trek* (Washington DC, *The Na-*

*tional Geographic Magazine*, november 1925), p. 569.

26. Dr. Constantine G. Hatzidimitriou, *American Accounts Documenting the Destruction of Smyrna by Kemalist Turkish Forces, September 1922* (New York & Athene, Aristide D. Caratzas, 2003).

27. www.notevenmyname.com.

28. Leslie Davis, *Slaughterhouse Province*, (New York: Aristide Caratzas Publishing, 1989).

29. David Fromkin, *A Peace to End All Peace: The Fall of the Ottoman Empire and the Creation of the Modern Middle East* (New York, Avon Nonfiction, 1989), p. 548.

30. Edwin I. James, *Turks Proclaim Banishment Edict To 1,000,000 Greeks* (*New York Times*, december 2, 1922), p. 1, kolom 1; P. M. Kitromilides, *Ethnic Survival, Nationalism and Forced Migration* (overgenomen uit The Center of Asia Minor Studies – Volume v, Athene 1984-1985), p. 33-34.

31. Samengesteld door Arnold Toynbee, oorspronkelijk getiteld: *Papers and Documents on the Treatment of Armenians and Assyrian Christians by the Turks, 1915-1916, in the Ottoman Empire and North-West Persia* (Londen 1916, Foreign Office Archives, 3 Class 96, Miscellaneous, Series 11, six files, FO 96*205-210). 'And Assyrian' was bij publicatie omstreeks eind 1916 uit de titel verwijderd door de Britse minister van Buitenlandse Zaken James Bryce, medeoprichter van de English-Armenian Society. In de Franse vertaling, die werd gepresenteerd op de vredesconferentie in Parijs in 1920, waren ook de honderd pagina's over de Assyriërs verwijderd. De Assyrische genocide werd wel genoemd in het Britse *Blue Book*.

# Woord van dank

Mijn dank geldt in de eerste plaats mijn moeder, mijn grote inspirator, die onvermoeibaar in haar vaak pijnlijke herinneringen is gedoken om dit boek mogelijk te maken. Ik bedank mijn vader, wiens liefde voor het vertellen van verhalen mijn leven met exotische dingen heeft gevuld; mijn broer Tim en zus Harty, mijn kampioenen; Harry Seiss, zonder wie we mijn moeders land wellicht niet hadden gevonden; Erica Obey, voor haar inzicht en oprechtheid; dr. Harry Psomiades, directeur van het Center for Byzantine and Modern Greek Studies aan het Queens College dr. Constantine Hatzidimitriou, directeur van het A H I F Center for the Study of Human Rights and Hellenism, en dr. Joseph Portanova, hoofddocent aan het N Y U General Studies Program, voor hun advies betreffende het historische deel van dit boek; wijlen de schilder Allen D'Arcangelo voor zijn onvermoeibare correctiewerk, de diners en de films op de late avond; Arnoud Hekkens, voor zijn niet-aflatende vriendschap en steun; Kari Walden, die de eerste professionele contacten voor me legde omdat hij in mijn boek geloofde; de vele Pontiërs en Assyriërs wier websites me van dienst zijn geweest bij mijn research; en natuurlijk mijn redacteur, Diane Higgins, bij Picador, St. Martin's Press, voor haar geloof in mijn boek en haar vastberaden moed om genocide bij de naam te noemen.

# Opmerking van de auteur

Afgezien van de namen van mijn moeders familie zijn de namen van de inwoners van Iondone (Agios Antonios) gefingeerd. Ik heb hun namen gegeven om het vertellen van het verhaal te vergemakkelijken. De verhalen over hen zijn echter waargebeurd. Ruth heette in werkelijkheid Ann of Ruth. De namen Zohra en Hagop zijn naar waarheid gebruikt, net als die van hun kinderen. De naam Iondone is fonetisch gespeld, zoals mijn moeder het uitspreekt. De Turkse liedjes zijn eveneens fonetisch opgeschreven, zo goed en zo kwaad als dat ging, terwijl mijn moeder ze voor me zong. Het gehucht Tlaraz is eveneens fonetisch gespeld, want het is te klein om op de kaart te staan en bestaat misschien niet meer, maar soortgelijke gehuchten bestaan wel degelijk in het zuiden van Turkije.